Disney

TWISTED-WONDE[illegible]

The NOVEL

EPISODE 2 荒野の反逆者

Disney

TWISTED-WONDERLAND

ツイステッドワンダーランド

EPISODE 2 荒野の反逆者

カバー・本文・表紙・帯デザイン：越阪部ワタル
本文組版：團 夢見

EPISODE 2　荒野の反逆者

名門魔法士養成学校ナイトレイブンカレッジの隅に、使われなくなった古い寮が残っている。木々に囲まれているせいで晴れの日でも暗い、どんよりとした空気の漂う場所に、それはぽつんと建っていた。

長い間ろくに手入れもされていなかったのだろう。外壁の塗装はすっかり剝げて古ぼけ、朽ちた屋根は隙間だらけだ。庭の草木は荒れ放題だし、屋内も床板がたわんで真っ直ぐに歩くこともできない。どこもかしこもボロボロでみすぼらしい、生徒も教師も近寄らない廃屋だった。

しかしそんな鬱蒼とした空気を払拭するように、薄暗い庭に大きな声が響いている。

「ユウ、さっさとしろ！　オレ様腕が痛くなってきたんだゾ」

「ちょっと待って、あと少しだから……グリムこそ、もっとしっかり支えてよ」

「なんだと。子分のくせに親分に命令する気か？」

最近この建物に住み始めた人間の黒木優也とモンスターのグリムは、心地よい十月の風に吹かれながら、額に汗を滲ませて雨戸の修理をしていた。

はしごに乗ったグリムが戸を支え、優也がそれを蝶番で固定する。しかしふたりとも慣れない作業なのでなかなかうまくいかない。何度もやり直してようやく取り付けると、壁をすり抜けて三人のゴーストが現れた。

「おやおや？　少し斜めなんじゃないかい」

そう言って打ち付けたばかりの戸を笑われる。彼らは「オンボロ寮」と名付けたこの館に昔から住んでいるという、いわば優也の先輩だった。恐ろしい存在ではないがいたずら好きな性格で、毎日こうして優也たちをからかってくる。

「そうかな」木製の戸を軽く叩き、優也は首をかしげた。「とりあえず閉まりはするみたいだし、大丈夫だと思うけど」

「頼りないのう。最近の若いもんは大工仕事もしたことがないのか」

「うるせえ、だったらオマエらがやればいいんだゾ」

グレーの毛並みを逆立てて、「オレ様もう飽きた」とグリムがネジの入った紙箱をぽいっと投げ捨てた。

我慢の利かないグリムにしては長く頑張った方だ。優也は苦笑しながら地面に落ちた箱を拾い上げた。伸び放題の芝生は昼でもまだ濡れていて、触れた指先がひんやりする。オンボロ寮の周りはいつでも少し肌寒い。日当たりが悪いせいかもしれない。

なんとはなしに自分の寮を眺めていると、背後から湿った音が聞こえた。濡れた草を踏む音だ。振り返ると、クラスメイトのエース・トラッポラとデュース・スペードがこちらにやって来るのが見えた。

「グリム、なにちゃっかりサボってんだよ！」

頼んでいた南側の修理が終わったらしい。「おい、ユウ」と優也をニックネームで呼んだエースに、ネジの残りを渡される。

「あんまグリムを甘やかすなよなー。わざわざ休みの日を潰したオレがバカみたいじゃん」

「ご、ごめん。さっきまではちゃんとやってたんだけど」

「エースの言うことは気にしなくていいぞ」デュースがエースを肘で小突いた。「よくそんなに偉そうなことが言えるな。お前は見ていただけで、作業したのはほとんど僕じゃないか」

そう言いながら優也たちが修理した箇所を横目で見ているようだ。ゴーストが言ったように不格好なのが気になるのかもしれない。

これで大丈夫だろうかと相談すると、デュースは何度か戸を開閉した後に、蝶番のネジを締め直した。手慣れていて素早い動きだった。しっかりと固定されたおかげで、斜めだった戸が水平に近づいた気がする。

「すごい！　デュースって器用だね」

デュースは誇らしげに自分の胸を叩いた。

「難しいことは無理だけど、これぐらいはな！　実家でもよくやってたんだ。また困ったことがあったら言ってくれ」

「うん、ありがとう」

「はー？　お礼はデュースにだけかよ。オレも手伝ってやったんですけど？」

「もちろん、エースもありがとう」

まだまだ手を加えなければならないところの多いオンボロ寮だが、これで最低限の住環境は整ったと思う。

　再度エースとデュースに感謝を伝えると、ちゃっかり優也の横に並んだグリムが「オマエらよくやった」と腕を組んだ。

「これで夜中に風がビュービューうるせえのがなくなるな。今夜はゆっくり眠れるんだゾ」

「グリムは昨日もその前も、ずっとぐっすり眠ってたじゃん」

　横でぐうぐうと心地よさそうに寝息を立てるグリムを何度羨ましく眺めたことだろう。オンボロ寮に強い風が吹くと、それが窓の隙間を通って甲高い音を立てるのだ。誰かの悲鳴のようで夜はとても恐ろしげだし、突然思い出したかのように取れかけの雨戸が窓を打つ音にもドキッとさせられる。

「ええ？　そこが趣あって良いんじゃないか」

　肩をすくめるゴーストに、エースが呆れた様子で言う。

「お化け屋敷じゃあるまいし。そんなところに住むなんて、普通の人間ならたまったもんじゃねえわ」

　音以外にも大きな問題がある。秋も深まり、夜になると窓から伝わる冷気を肌で感じるようになったのだ。本格的に寒さが訪れればさぞ辛い思いをすることになるだろう。

「冬になる前になんとかしないと」とランチの際にぼやいた優也をさすがに哀れに思ったのか、エースとデュースも手伝ってくれることとなり、ついに今日雨戸の修理が終わった。

「二人ともごめんね。せっかくの日曜日だったのに」

もうすぐ陽が落ちる。貴重な休みを潰してしまったことを優也が謝ると、デュースは「優等生なら困っているクラスメイトを助けるのは当然のことだろう？」と事もなげに言った。

いかにも優等生を目指す彼らしい言葉だと思ったが、一番の目的が他にあることは優也も知っているので、ついつい苦笑してしまう。

案の定エースと目を合わせて、デュースはにやりと笑った。

「それに、ただ働きじゃないもんな？」

「そーそー！　明日パンを奢ってもらうって約束、忘れてねーから」

「おっ、もしかして明日は出張ベーカリーの日かい？」

大きなお腹を持つふっくらとしたゴーストが「そいつはいい」と喜んだ。ゴーストでも食事をとることはできるのだろうか。食堂で働いているシェフもゴーストのようだが、どのように味見をしているのだろう。一度エースたちに聞いてみたが答えはわからなかった。

「そう。月に一回麓の街から来るベーカリー、すごく美味いって先輩たちに聞いたんだ」

デュースが笑顔で頷いた。「食べたいって思っていたところだから、奢ってもらえるなんてラッキーだったたな」

「おうっ、楽しみなんだゾ！」

「お前は奢る側だっつーの！」

調子のいいグリムをエースが掴み上げた。暴れたグリムに蹴られたデュースが怒り、ゴーストたちが引きつるような独特の笑い声を上げる。オンボロ寮という名前には似合わない賑やかさだ。さっき眺めていた時にも感じたが、この寮は日に日に活気づいているように思う。新しい住人を得て、まるで建物そのものが息を吹き返したかのようだ。優也とグリムのことを歓迎してくれているようにさえ感じる。

そんな明るい光景を前にして、しかし優也はみんなと同じように笑うことができなかった。ぼうっと立っていると、一番小さなゴーストが目の前に現れる。

「どうしたんだい。なんだか浮かない顔をしているね」

「いや……うん。なんでもないんだけど」ためらった言葉が、ついついため息になってしまった。「明日からまた一週間が始まるのか、と思って」

「ああ、なるほど」

優也の表情を見たエースは、さもありなんと頷いた。

「登校するのが嫌で、今からもう沈んでたってわけね」

「……そういうこと」

「気持ちはわかるんだゾ」訳知り顔のグリムが首を縦に振る。「オレ様もあんなつまんねー授業はイヤだからな」

「そうじゃなくて、また知らないヤツらに絡まれるからだろ」

エースの言葉に再度優也は力無く頷いた。

優也とグリムがナイトレイブンカレッジに入学して一カ月が経った。時間が経てば落ち着くだろうと思っていた新生活は、とある事件をきっかけに、静かになるどころか一層騒がしくなってしまった。今や優也にまつわる噂を知らない者などナイトレイブンカレッジに存在しないのではないだろうか。誰もがあの件の話をしている。

ハーツラビュル寮を厳格なルールで支配した寮長、リドル・ローズハート。彼が卒業するまで続くと思われた圧制は、錯乱したリドルが魔法を暴走させてオーバーブロットすることにより終わりを迎えた。

魔法を使った代償として蓄積されるブロット。それが溢れかえる「オーバーブロット」は、魔法士の命に関わる現象だ。しかしそれほどの澱みを体に溜め込む者は稀で、ツイステッドワンダーランドでも滅多に起こることではない。それが伝統ある魔法士養成学校の中で起こってしまうという、前代未聞の事件。

その大事件には、当事者であるハーツラビュルの寮生以外に、別の寮の生徒が関わっていたそうだ。

寮の名前は新たにできた「オンボロ寮」。そこに所属するのは異世界から来た魔法を使えない人間、黒木優也と、魔物のグリムのふたり組。学園長に認められて特例として入学を許可された、特別な一年生。

「大体は合ってるけど、肝心なところが外れてると思う」

エースが説明する「噂」を改めて聞いているうちに、優也は目眩を覚え始めた。

「リドル先輩の件に関わったっていうか、僕はエースとデュースのついでにあそこにいただけだし……特別な一年生って言い方にも語弊があるような気がする」

「完全に嘘でもないってとこがポイントだよな」

困ったように言うデュースに、エースがにやりと笑う。

「オレもよくお前のこと聞かれるんだけどさ。噂も間違ってるとは言えないし、否定はできないじゃん？」

「否定してくれていいよ！　最近は教室まで様子を見に来る人がいるんだ。初めは気のせいかと思ったんだけど……多分その噂のせいだと思う」

「まあ普通はこんな話聞いたら、どんなすげえ一年生だよ、って思うわな」

「そういえば金曜日、別のクラスのやつと話してたな」デュースが今思い出したというように瞬いた。「知り合いかと思ったけど、あれってもしかして絡まれていたのか？」

「うん……デュースが来てくれなかったら気絶してたかもしれない」

「そんな大袈裟……でもないか、ユウの場合は」

平凡なただの人間である優也にも、一つだけ人とは違うところがある。喧嘩が大嫌いなのだ。揉め事を見るのも苦手だし、ささいな諍いを耳にするだけで緊張してしまう。喧嘩を避けるためならば、優也はどんなことでもするだろう。

それなのに、どうやら決して少なくない数の生徒が、優也をライバル視しているらしい。ナイトレイブンカレッジの生徒は皆プライドが高い。特別な一年生という噂を聞いて、さぞや闘争心を刺激されたに違いない。

あからさまに敵対してくる者は後を絶たず、「お前がユウか」と声をかけられるたびに、優也は答えを濁して逃げている。

「なにっ、ケンカを売られたのか？　オンボロ寮を舐められたままじゃいられねえんだゾ」グリムが小さな黒い鼻に皺を寄せて唸った。「どこのどいつか教えろ。オレ様がぶっ飛ばしてやる！」

「絶対にやめて」

「まあ、そんな気にすんなって」

おかしくてたまらないとばかりに噴き出したエースが、その勢いのまま優也の背中を叩いた。

「噂なんて、そのうちみんな忘れるだろ。それまでの辛抱、辛抱！」

「そんな簡単に言われても……」

リドルの件に深く関わったというのなら、むしろそれはエースの方だ。しかし優也の噂が一人歩きしたことで、彼は悪目立ちすることなく、上手く面倒事を避けられている。

そのことに多少は負い目を感じているのだろうか。「実際、クラスにはちょっと馴染めてきてるじゃん」と慰めの言葉を口にした。

「そうかなあ。変わってないと思うけど」

「いや、僕も打ち解けてきていると思うぞ。あんまり気にしすぎるのも良くない」

デュースに励まされてもやはり気が重い。暗い顔をし続ける優也に、エースとデュースは顔を見合わせて肩をすくめた。

浅い眠りの中、小さなざわめきに寝返りを打つ。さあさあと流れるような風の音だ。

鼓膜を突き破るような雄叫びで飛び起きた。目を凝らすと、所々張り替えられたオンボロ寮の床が見える。

「うなんなあ〜！　ニャビニャビ……」

優也が横を向くと、ベッドの真ん中でグリムが気持ちよさそうに眠っていた。ぽっこりと膨らんだお腹を上にして、自分より体の大きな優也をベッドの端へと追いやっている。先ほどの叫び声はグリムの寝言だったようだ。

またおかしな夢を見たらしい。ツイステッドワンダーランドに来てから時折見る、やけに詳細な夢だ。優也は未だ大きく鼓動する胸を服の上から押さえて、ゆっくり息を吐く。

想像の出来事とは思えないほどの迫力だった。雲の隙間から差し込む光。数多の動物たちがいななく音。耳をかすめる風の強ささえ感じていたように思う。まるでさっきまで自分もあの草原に立っていたかのようだ。

まだぼうっとする頭を振って、時計を確認する。

「グリム、朝だよ」

優也が肩を揺すると、カーテンから差し込む朝日が当たって眩しかったのか、グリムは「ふなあ」と嫌そうに寝返りを打った。しばらく見守っていると再び寝言が聞こえ始める。

一緒に眠ってしまいたい気持ちに駆られるが、心を奮い立たせてグリムの脇に手を入れた。ぐにゃりと伸びる温かな体を床に立たせて、自身もベッドから降りる。月曜日の朝だ。また一週間が始まる。

ナイトレイブンカレッジは一学年につき五つのクラスが存在している。所属する寮は魂の持つ資質で振り分けられるが、クラスについては七つの寮の生徒がある程度均等な数になるようにのみ調整され、あとはほとんどランダムに分けられているらしい。

優也が所属している一年A組にも各寮の生徒が満遍なく存在する。しかし寮を超えた交流はどれも表面上の付き合いにとどまっており、寮の間には依然として強いライバル意識がある。毎日様々な争い事を目にするので優也の心は安らぐ暇がない。

いつも通り教室の端の席に座る。自分のクラスの席は自由に座れるようになっているが、入学して一カ月が過ぎ、それも徐々に固定されつつあった。

「おはよーユウ。あとグリム」

「おはよう。今週も頑張ろうな」

前の席にエースとデュースが座った。これもほとんどお決まりの位置だ。挨拶(あいさつ)を返すと、二人とともに登校したハーツラビュルの生徒と目が合った。

「ユウ、おはよう」

「あ、うん。おはよう」

ぎこちなく優也がそう言えば、彼は軽く頷いて空いている席へ向かった。振り返ったエースが優也の机に肘を乗せる。

「ユウって、何度アイツに挨拶されてもビビってるよな」

「ビビってるっていうか、どうしたらいいのかわからなくて」

リドルの一件以降、時々ハーツラビュルの生徒から今のように話しかけられることがある。他の寮の生徒たちと違って、彼らからはこちらに対する敵意をあまり感じない。顔見知りとして声をかけてくれているだけなのだろう。しかし心遣いだとわかってはいても、それにどう接すればいいのかわからない。

戸惑う優也をエースが笑った。

「もしかして今更大人しい人間のふりするつもり？　ムリムリ！　寮長に『喧嘩すんな！』ってガツンと言ってるところ、うちの寮の全員に見られたじゃん」

「そんなことしてないよ」

「そうだ！　ガツンと言ってやったのはユウじゃねえ。あの暴君を懲らしめてやったのはオレ様だもんね」

自慢げに胸を張るグリムに、デュースがむっと顔をしかめた。

「人の寮長(ヘッド)に向かって暴君とはなんだ」

「いやあ……自分の寮ながら残念だけど、それは否定できないでしょ」

それぞれの会話で盛り上がる教室に、担任のクルーウェルが入ってくる。

「仔犬(こいぬ)たち、ハウス！」

彼が教鞭(きょうべん)を自らの手のひらに打ち付けると、赤い革手袋がパシンと乾いた音を立てた。

「席に着いて、無駄吠えはやめろ」

一瞬で静まった教室を見渡して、クルーウェルは満足そうに「グッボーイ」と目を細める。

このように滞りなくホームルームを始められるようになったのも最近のことだ。学園生活に慣れるや否や反抗的な態度をとる生徒が多く、以前はもっと騒々しかった。しかしこの一カ月で、クルーウェルに逆らうとどうなるかを全ての一年生が理解したため、無闇に反抗する者はすっかりいなくなった。教師とはいえ実力を示さなければ、ナイトレイブンカレッジの生徒を従えるのは容易ではないらしい。

日直の確認や移動教室の変更の知らせなど、一週間の簡単な予定が伝えられる。クルーウェル以外の先生からの伝言もあった。

「先週、うちのクラスの中に、動物言語学の授業で居眠りをしていた者がいたとトレイン先生から小言をいただいた。該当者は……俺が言わなくても自分でわかるな？」

両手で数えても余るほどの生徒が俯いた。隣のグリムだけでなく、前に座るエースもクルーウェルから目を逸らしている。

真面目なデュースが呆れて二人を見た。

「授業中に居眠りなんて、なんのためにナイトレイブンカレッジに入ったんだ？」

「だって、あんな授業つまんねーんだゾ」

開き直ったグリムの言葉に「気持ちはわからなくもない」と思ってしまう。トレインの講義は冗長で、話に抑揚もないので、ついつい眠気を誘われるのだ。

座ってそれを聞くばかりなので人気はないが、優也にとっては魔力がなくても済む授業はありがたい。いつか実践に移れば魔力が必要となるので、そのときは相棒のグリムを手助けできるように、今のうちにしっかりと学んでおこうと考えている。

「トレイン先生に目を付けられると厄介だ。あのお方は頭が固くて、冗談が通じないからな」くすくす笑う生徒たちに気付いて、クルーウェルが咳払いをした。「だからこそ気を引き締めろ。仔犬の躾がなっていないなんて、飼い主に恥をかかせるなよ」

わかったな？　とクルーウェルが教室を睨み渡す。クラス全員が「はい」と忠実な犬のように返事をした。

「最後に、バルガス先生からの伝言がある。今日からマジカルシフト大会の練習のために部活動での運動場の使用が制限される。普段使用している者は気を付けるように。詳細なスケジュールについては、各寮にバルガス先生から連絡がいくそうだ」

周囲の生徒が一斉にざわつく。

「ついに来たな、マジフト大会！」デュースがエースの肩を叩いた。「そろそろその話があるだろうって思ってたんだ」

「楽しみだよなー。どうせなら選手に選ばれるともっと嬉しいんだけど」

「エースが？　冗談だろ、無理に決まってる」

「わかんねえじゃん。選手選定は学年関係なしの完全実力勝負なんだし。つーかお前だって内心じゃちょっと期待してんだろ」

夢中で話す二人の後ろで、優也はこっそりグリムに話しかける。

「ねえ、マジカルシフトってなに？」

「オレ様も知らねー」

その声が大きかったせいか、クラスの全員がぎょっとした顔で優也とグリムを見た。エースが恐る恐る尋ねてくる。

「えっ……ユウってマジフト知らねーの？」

「マジフト……ええっと、マジカルシフト、だっけ？」

「世界的に有名なスポーツだぞ」デュースも驚いているようだ。「プロリーグもあるし、世界大会もある。本当に聞いたことないか？」

どんなに考えてもやはり覚えがない。「マジカル」と名が付いているぐらいだし、ツイステッドワンダーランドだけに存在しているスポーツなのではないだろうか。そう説明することはできただろうが、クラスメイト全員に注目されていることを自覚すると、自然と声が小さくなった。

「初耳、です」

教室がざわつく。俯く優也の隣で、自分も馬鹿にされていると感じたのか、グリムが椅子の上に立った。

「知らねえもんは知らねえんだゾ。文句あんのか！」

「別に文句があるとは言ってないだろう」

さっき挨拶をしたハーツラビュルの生徒がグリムをなだめている。また別の、他の寮の生徒たちが、今度は鼻で笑った。

「そう、ただ驚いただけ。だよな？」

「おう。この世にマジフトも知らない奴がいるなんて想像もしなかったし。常識なのにな」

「やっぱバカにしてんじゃねえか！」

「ビークワイエット！　グリムも伏せ！」

ざわつく教室をクルーウェルが一喝する。

「悪かったな。俺の認識が足りなかったようだ」

教鞭で指されたチョークが宙に浮き、黒板に線を描き始める。

クルーウェルが描いたのは長方形のコートだった。その短辺の中央に大きな円が存在している。聞けば、この円がゴールらしい。

「誰か。マジカルシフトのルールを簡単に説明してみろ」

みんなが顔を見合わせた。優也の近くに座っていたせいか「ではトラッポラ」と指名されると、エースは「オレすか」と顔をしかめつつ、すらすらと説明を始める。

「マジカルシフト、通称マジフトは、一チーム七人に分かれて戦うスポーツです。ディスクを敵陣にあるゴールに入れたら点数が入ります。んで、点を多く取った方が勝ち」

「グッボーイ」

エースの説明を復唱しながら、黒板を改めて眺める。細かなことはわからないが、図や先ほどの説明からはサッカーやアメリカンフットボールに似た印象を受けた。

両方とも、高校で部活に入らない優也を気遣った両親によって学外のチームを紹介されたことがあるので、簡単なルールだけは知っている。「ゲームとはいえ勝負なんてとんでもない」と断れば、両親は呆れつつ「まあ、そう言うだろうなって思ってた」と笑っていた。ほんの半年ほど前のことなのに、今となってはとても昔のことのように思える。

優也が二つのスポーツを例に挙げると、クルーウェルは少し考え込んだ。

「悪いがアメフトというスポーツは聞いたことがない。……それに、サッカーと似ていると言ってしまうには、大きな違いがあるな」

「まずサッカーってなんだ⁉」とグリムが優也とクルーウェルを交互に見る。さっき自分を凝視した同級生の気持ちがよくわかった。

クルーウェルがやれやれと自らの眉間(みけん)を摘(つま)む。

「話が複雑になるので、サッカーについてはあとでユウから説明するように。今は、マジフトの最大の特徴についてだ」

次に指名されたデュースが、優也とグリムを振り返って説明してくれる。

「マジカルシフトは魔法を使ったスポーツなんだ。ディスクを運ぶのも、守備も攻撃も、全部魔法でやるんだよ」

「へー！」とグリムの目が輝いた。「全部魔法かあ。面白そうじゃねえか」

「なるほど。だからマジカルなんだ」

その通り、とクルーウェルが言った。

「我が校は、マジカルシフトの強豪校として世界に名を馳せている。俺の同級生にもプロ選手になった者がいるな」

クルーウェルはナイトレイブンカレッジの出身だと聞いたことがある。「えっ、誰ですか？」と前の席に座る生徒たちが色めき立った。名前を聞くと一層盛り上がる。本当に人気のあるスポーツらしい。

「このようにうちの学園の卒業生は皆、プロの世界でも目覚ましい活躍をしている。それは何故か？　先ほどスペードが言ったように、マジフトは魔法の技を競うスポーツでもあるからだ」

黒板にディスクが描かれた。それを囲むように、二人の棒人間が描かれる。

「ディスクは手で持つことが禁じられている。ゆえに魔法で浮かせることになるが、ディスク自体が魔力を吸う作りになっているため、維持するには高度なテクニックが必要だ。パスやゴールのために投げると余計にコントロールがしづらくなる。だから半端な仔犬では、ろくにキャッチもリリースもできないというわけだ」

チョークで描かれた人が、黒板の中で動き始める。何度見ても驚いてしまう光景だ。

一人がコートの端から反対のゴールに向かってディスクを投げる動きをする。動き始めたディスクは途中でどんどん減速し、別の棒人間に取られてしまった。きっと手元を離れたことで魔力が届かなくなり、相手のチームにディスクを奪われてしまった、ということだろう。

魔法が物を言うスポーツならば、名門魔法士養成学校が強豪校になるというのも納得だ。しかしナイトレイブンカレッジでマジカルシフトが盛んな理由は、それだけではないらしい。

クルーウェルの魔法によって、黒板の上をチョークが滑る。動きは明らかに違うのに、優也の目には確かに漢字の「魔」と読めた。クルーウェルが教鞭を教室に向ける。

「ただし、このスポーツに必要なのは魔力だけではない。より速く動き相手の先回りをしたり、ディスクを巡って相手と競り合ったりといった、フィジカルも当然重要となる。それにもちろん戦略を立てるための頭脳も必須だ。的確な命令を出せない飼い主に、そもそもコマンドすらも理解できない仔犬の群れ……なんて目も当てられないだろう？」

黒板に「体」と「知」が書き加えられた。

「知力、体力、そして魔力。マジカルシフトとは、これら三つが集結したスポーツだ。理解できたか？」

グリムとともに「はい」と返事をすると、クルーウェルは満足そうに頷いた。

難しそうなスポーツだが、そこがいかにもナイトレイブンカレッジで好まれそうだと思った。強豪校であることがいかに誇らしいことか、エースが嬉しそうに説明してくれる。

「本当にすごいんだぜ、ナイトレイブンカレッジの寮対抗マジフト大会って。有名な魔法関係者とかプロリーグのスカウトマンとか、来賓をたくさん呼んで出店もずらーっと並ぶから、ちょっとしたフェスみたいに賑わうらしい。その上テレビ中継もされて、世界中で放送されるし」

「ああ、マジフトの特番な」デュースも熱の入った話しぶりだ。「僕も家で見てたよ。他の学校とは規模が違うよな」

「学校の行事がテレビで放送されるの？」

「すごいね」と優也は驚いたが、それ以上の反応を示したのはグリムだ。クルーウェルがルールを説明している間は興味がなさそうに足をぶらつかせていたのに、エースとデュースの話を聞いた途端「なにっ⁉」と尻尾を立てた。

「世界中で試合を放送するってことは、その大会で活躍すれば世界中に注目されるってことか？」

「え？　まあ確かに、すごく活躍できたらそうなるかも」

エースやデュースの話からすると、きっと番組の視聴率も高いのだろう。活躍できれば広く名を売ることができるはずだ。

優也がそう言うと、グリムは机に手を付けて、嬉しそうに跳びはねた。

「やったー！　それじゃあオレ様今日から特訓して、世界中で目立ってやるんだゾ！」

しんと教室が静まりかえる。すぐに笑い声が爆発した。クラスのみんなが涙を浮かべるほど笑っている。

「グリムが出られるわけないって！」

そう言ったのは、先ほどもグリムをバカにしていた生徒だ。

「な、なんでなんだゾ」

グリムが尋ねると、「少し考えればわかるだろう」とまた噴き出す。笑いすぎたせいか、他のクラスメイトたちも息をするのさえ苦しそうだ。

「あのさあ……『寮』対抗戦だって言ってるだろ?」

「一チーム七人必要なのに、オンボロ寮は魔法を使えないユウを入れてもふたり。どうあがいても試合にならないじゃん」

「そうそう、プレーヤーが足りてない時点で失格。活躍以前の問題」

「なんだと。オレ様だってナイトレイブンカレッジの生徒なんだゾ。マジフト大会に出られるよな? なっ!」

グリムはクルーウェルに助けを求めたが、「人数ばかりはいかんともしがたい」と首を振られてしまう。

「気持ちはわかるが、ルールを変えるわけにもいかない。来年の新入生に賭けて、今年は諦めるしかないだろう……」

「いやだーっ!」

クルーウェルの渋い顔でどうにもならないことを悟ったのか、グリムは駄々をこね始めた。

「オレ様だってテレビに映って『グリムくんかっこいい』『あんなスーパープレー見たことない』ってちやほやされたいんだゾ!」

繋がった机の上で暴れられると、隣の優也まで揺れる。「グリム、落ち着いて」と止めるが聞き分ける気配はない。エースとデュースが「やけに具体的な妄想だな」と呆れた顔でこちらを見ていた。

「暴れてもしょうがないだろ。っていうかまず、出場したら活躍できるって思ってるところがすげーよ。さすがグリムだと思わねえ?」

「ああ、さっきまでルールも知らなかったのに。マジフトは難しいスポーツなんだってクルーウェル先生の話、聞いてなかったのか?」

二人の言う通りだ。周りも同じように考えたのか、クラスのあちこちから失笑が聞こえる。低い唸(うな)り声がしたので優也はすかさずグリムの口を塞いだ。教室で炎を吐かせるわけにはいかない。

そもそも自分たちで勝手に名付けたオンボロ寮を、他の七寮と同等に捉えていいのかも怪しい。公式の大会となれば諦めるほかないだろう。

「グリム。僕も魔法を使う競技には出られないし、さすがに一人じゃどうしようもないよ」

「ぐうう。だって、だって……大活躍するチャンスだったのに……」

優也が言い聞かせると、グリムは溶けるように机の上で項垂(うなだ)れた。前に座っている生徒が肩を揺らす。

「オンボロ寮なんかが、うちの寮と同じように試合に出られるわけがないだろう。せっかくの晴れ舞台なのに、俺たちまで馬鹿にされちゃたまらないよな」

すると、少し離れたところで誰かが囁(ささや)いた。

「おい、聞いたか? 負け続けのサバナクローが大口を叩いているぞ」

その一言で教室の空気が変わった。サバナクロー寮の腕章を着けた生徒が表情を消して立ち上がる。

「おい、今なんて言った」

「ああ、悪い。聞こえてしまったか？　本当のことを言うつもりはなかったんだが」

そう言って笑ったのは黄緑と黒のリボンを腕に巻いた生徒だ。周りに座っていた同じ腕章の生徒と一緒に、サバナクローの寮生たちを見てわざとらしく首をひねっている。

「つい心配になってしまったんだ。どうせ今年も我らディアソムニア寮が優勝すると決まっているのに、そう偉そうな態度をとっては恥をかくのではないかと」

「先輩たちも気にしていたよな。二年連続初戦敗退なんて、かつての栄光をすっかり失って、そろそろ退寮者も出るんじゃないかって」

「なんだと⁉」とサバナクローの生徒たちが摑みかかった。

「だったらどっちが強いか、今ここで試してみるか？」

「なにがディアソムニアの優勝、だ。お前らの優勝なんてあの化け物の力で、他の奴は何もしてないくせに」

屈強な体を持つサバナクローの寮生たちに凄まれてなお平然としていたディアソムニア生だったが、彼らもまた顔色を変えた。

「化け物だって？　よくも……面と向かっては寮長に言う勇気もないくせに」

二つの寮の生徒が互いに睨み合っている。言い合いは終わらず、熱気のような怒りがどんどん高まり続けている。

グリムの我が儘が思わぬ喧嘩に発展してしまった。他の生徒は面白そうに眺めるだけだ。

エースとデュースも「また始まった」という顔をして止める様子はない。

優也が緊張で身を縮こまらせていると、クルーウェルの「ビークワイエット！」という大声が興奮状態の教室を一掃した。

「下らないことで無駄吠えをするな。仔犬にも劣るぞ！」

クルーウェルの怒りに、皆さっきまでの騒がしさが嘘のように黙り込む。厳しい説教が始まるかと思われたが、幸いなことにチャイムが鳴った。一限目の予鈴だ。

「ふん。ホームルームはここまで」

教室全体がほっと息を吐く。不機嫌そうなクルーウェルが教室から去り、全員慌ただしく授業の準備を始める。いたたまれない時間が終わって、優也は「助かった」と胸をなで下ろした。


しかし一限目の授業が行われる教室へ移動する間も、それどころか午前の授業中ずっと、グリムはふてくされたままだった。マジカルシフト大会に出られないことにまだ納得がいっていないらしい。

「ねえ、そろそろ元気出して」

食堂に向かいながら優也が横を向くと、気落ちして耳を垂らしているせいでグリムの頭頂部だけが見える。まるで灰色のボールだ。

「ほら、今日のお昼はエースとデュースと約束してたベーカリーのパンが食べられるよ。すごく美味しいって言ってたじゃん」

「うう……こうなったらやけ食いだ。あるもん全部残らず食ってやるんだゾ」

「知ってると思うけど、そこまでのお金はないからね」

食堂に着くと、奥のテーブルには既に大きな人だかりができていた。人混みの周りで高く飛んだゴーストが叫んでいる。

「今日は月に一度のスペシャルデー！　麓の街で大人気のベーカリーが販売しているよ。早い者勝ちの売り切れゴメンだ」

遅れて来たエースとデュースも、その賑わいに驚いている。

「うわやば、既にスゲー人！」

「このままじゃ売り切れる。さっさと行くぞ！」

「卵サンド売り切れだよ」「人気のデラックスメンチカツサンドはラスト一つ！」と商品の売り切れをゴーストが続々知らせる。それに加えて、「おい、そのサンドイッチ先に俺が取ったんだぞ！」「割り込みしたくせに偉そうにするな」などの怒鳴り声が聞こえた。とてもあの争奪戦の中に加わる気にはなれない。

エースたちに約束していた通りのお金を渡して、優也は一人でいつものランチセットの列に並んだ。いつもより人が少なく、すぐに自分が注文する番になる。今日のメニューはサーモンのクリームシチューだ。

席を押さえて待っていると、湯気も消えないうちに、弾むような足取りのグリムがやって来る。両手に何個も包みを抱えていた。それらをテーブルに置いて、一際大きなものを一つ掲げる。

「にゃっはー、見ろユウ！　デラックスメンチカツサンド、ラスト一個をオレ様が掴み取ったんだゾ！」

「えっ、すごい。それって一番人気って言ってなかった？　よく買えたね」

その後ろを歩くエースとデュースはどことなく疲れた顔をしていた。

「先輩が買おうとしたのを、グリムが横から奪ったんだ」

デュースの言葉を聞いて「やはり一緒に行かなくてよかった」と優也はこっそり安堵した。

意気揚々と座ったグリムをエースが恨めしげに見下ろす。

「コイツ無駄にすばしっこいから、側に立ってたオレの仕業だと思われたし！　先輩マジ切れしてたわ」

「他のパンも全部奪おうとするから、止めるのが大変だった」

「大丈夫？　二人とも自分の分は買えた？」

優也が尋ねると、エースとデュースは笑顔でテーブルの上に白い包みを数個置いた。隙間から、厚いローストビーフと鮮やかな緑のレタスが見える。他にもクリームの零れ出た丸パンやチーズを載せて焼いたバゲットなど、なかなかの量を買ってきたようだ。それでもおつりを渡されたので、学生向けの価格なのだろう。人気になるのも頷ける。

笑顔のエースとデュースが向かいの席に座った。

「ごちそうさまでーす」

「遠慮なくいただくぞ」

「どうぞ。オンボロ寮の修理を手伝ってくれてありがとう」

返事をすると、二人はいそいそと包みを開けた。隣のグリムはといえば、嬉しそうに震えて、勝ち取った大物を大切そうに眺めている。いつもならすぐに飛びつくところなので、よほど嬉しかったのだろう。

確かに豪華なサンドだ。エースの買ってきたローストビーフのサンドより大きく、他と同じ紙では包み込めなかったのか、それだけ薄いワックスペーパーに包まれていた。ちょうどよく焦げ目の付いたパンの間に、その何倍も分厚いメンチカツが挟まっているのが透けて見える。溢れた肉汁で色が濃く変わっていた。

「デラックスメンチカツサンド、うまそうなんだゾ……！」

「デラックスメンチカツサンド？」

優也の後ろで、誰かがグリムの言葉を聞き返した。向かいのデュースが顔色を変える。

振り返ると、そこには痩せた少年が立っていた。ビスケットのような色をした髪の中に大きな動物の耳が生えている。驚く優也と戸惑うデュースを見て、その耳がピンと前を向いた。

「おやまあ、君らはいつぞやの無謀な一年生じゃないッスか。それにまん丸太った子猫ちゃんも。また会ったね」

「え、誰？」とエースが小声で尋ねた。

「サバナクローの人？」

「知らねえ」グリムはラギーに目もくれず、ニコニコとパンを見つめている。「そんなどうでもいいこと、いちいち覚えてねーんだゾ」

「随分な言い草ッスねえ。オレはラギー・ブッチ。サバナクローの二年ッスよ」

そう言ってエースに笑うと、笑顔の中で鋭く尖った歯が光った。少しぎょっとしながらも、優也は「お久しぶりです」と頭を下げる。

ラギーは、デュースとともにマロンタルトの材料を買いにミステリーショップへ行った際に出会った、獣人属の生徒だ。サバナクローの寮生たちと喧嘩を始めたデュースを止めてくれたことがある。「ユウも知り合い？」とエースに聞かれたが、荒っぽさを隠したがっているデュースにとっては知られたくないことだろうと思い、曖昧に頷いておいた。

ラギーはグリムの手元を覗き込むと「本当にデラックスメンチカツサンドだ！　よく買えたね」と笑顔で褒め称える。

「オレも、今日はどーしてもそのパンを買わないといけなかったんスよ。そうじゃなきゃ怖い人に怒られちゃうんで。それなのに授業が終わるのが遅かったせいで、昼飯争奪戦に出遅れちゃってさあ」

「へー、残念だったな。でもオレ様はゲットできたもんね！」

　そう言ってパンを見せびらかすグリムをユウがたしなめると、ラギーは「いいっていいって」と手を振りながらブルーグレーの目を細める。

「うまそうだろ？　せいぜい羨ましがるといいんだゾ！　にゃははっ」

「そうだねー。で、相談なんスけど」

　そこでラギーは制服のポケットから包みを取り出した。それはデラックスメンチカツサンドの四分の一ほどの大きさで、優也の拳よりもまだ小さい。

「こっちのミニあんパンとそっちのデラックスメンチカツサンド、交換してくんないスか？」

「あんパン？」とグリムが怪訝（けげん）そうな顔をした。エースとデュースも首をかしげている。

　よく考えてみると、ツイステッドワンダーランドに来てから和食や和菓子のような日本食を見かけた覚えがない。食堂や購買部で売られているお菓子は、アメリカやイギリスの食事と聞いてイメージするものに近いように思う。

　思い浮かべた途端に馴染みのある味が恋しくなったが、あんパンが売られているところを見るに存在自体はしているらしい。今更ほっとする。

「甘いパンだよ。クリームパンみたいに、中に甘くした豆が入ってるんだ」

　優也が説明すると、グリムは「ふーん」と言って鼻をひくつかせた。興味は示したようだが、すぐに自分のパンを両手で抱きしめる。

「よくわかんねーけど、そんなちっせーパンと交換なんて絶対にいやなんだゾ！」

「言うと思ったわ」

エースが笑う。デュースと優也も同じだった。食い意地の張ったグリムが、大きなパンと小さなパンを気前よく取り替えるなんて、天地がひっくり返ってもあり得ない。

「まあまあ、そんなこと言わずに。はい、どーぞ」

そう言ってラギーがあんパンを差し出すと、我が目を疑うことが起こった。

「ええっ⁉」

グリムがラギーにデラックスメンチカツサンドを差し出したのだ。優也たちは思わず大声を上げてしまう。「明日は嵐が来るかもしれない」と言うデュースの呟き（つぶや）に何度も頷いた。

しかし何故か、当のグリムも三人と同じか、それ以上に驚いているように見えた。目を見開き、信じられないとでも言いたげに己の手のひらを見つめている。

「えっ！　なんだこれ⁉　前足が勝手に……」

「はい、交渉成立。シシシッ」

ラギーは素早くグリムの手のひらからサンドを取り上げると、代わりにちょこんとあんパンを載せた。

「いやー、優しい後輩君に交換してもらえて助かったッス。そのあんパンもめーっちゃ美味しいッスからね。美味しすぎて、そのサイズだと物足りなくなっちゃうぐらい」

パンを取り返そうとグリムが飛びかかったが、笑顔のラギーはそれより俊敏な動きで飛び退（の）いた。椅子から落ちたグリムは地面に転がったまま悲壮な声を上げる。

「オレ様のデラックスメンチカツサンド！　返すんだゾ！」

「もうオレのもんッスよ。ってわけで、ばいばーい」

逃げ去るラギーをグリムが追いかけようとする。「待て！」とデュースが素早く止めた。さっと一瞥（いちべつ）して、声のトーンを落とす。

「周りを見ろ。サバナクローのやつらに囲まれてる」

そう言われて自分たちの周りに集った人たちをよく見ると、黄色のリボンで腕章を結んだ生徒しかいない。

「おい、うちの寮になんか用かよ」

「俺たちが話を聞こうじゃねえか」

体格のいい男たちが壁のように立ちはだかる。エースが素早く「いやいや、なんでもないでーす！」と笑顔で返した。

「ただちょっとふざけてただけなんで。こっちの話っす。なっ！」

優也はこくこくと何度も頷いた。

「わかればいいんだよ」

そう言って男たちが消えた後には、ラギーの姿はどこにも見えなかった。

「あの野郎、どこ行きやがった！」

「グリム、諦めろ」エースが首を振った。「お前だけであんなにたくさんのサバナクローの寮生を相手にするのは絶対に無理。勝てるわけねーもん」

ナイトレイブンカレッジの寮には、それぞれ特色がある。サバナクロー寮は体育会系の生徒が多いそうだ。素早い、持久力がある、力が強いなど、肉体的に秀でている者が集う寮なのだと、以前エースから聞いたことがある。先ほどの生徒たちも見るからに屈強そうで、とても同年代とは思えない。

そんな人間があれだけ集まっていればグリムが勝てる可能性は限りなく低いだろう。ナイトレイブンカレッジでは魔法での私闘が禁じられていて、グリムは彼らの背丈の半分にも満たないのだ。

「オレ様の……オレ様のデラックスがこんなにちっちゃく……」

椅子の上によじ登ったグリムが呆然と小さなあんパンを見つめている。先ほど落ちた際に握りしめたのか、中の餡が飛び出ていた。

「そんなに嫌なら交換しなきゃよかったのに」

「どーせ格好つけようとしたけど、やっぱ嫌になったとかだろ」

「違うんだゾ！」

優也とエースの言葉を聞いて、グリムが机を叩いた。

「オレ様が交換しようとしたんじゃねえ。なんか……アイツが手を差し出したらオレ様も自然とそうなったんだ！」

「やっぱりノリじゃないか」デュースが呆れている。「後から文句を言うなんてよくないぞ」

「そうじゃなくて……ぐぬぬ」

どうやら自分の行動を上手く説明できないらしい。癇癪を起こしたグリムはまた、納得がいかないと何度も机を叩く。

「暴れるなって。自分で差し出さなかったとしても、さっきの状況じゃどうせ力尽くで奪われてたに決まってるんだから」

エースの言葉を聞いて「いつの間に囲まれていたんだろう」と優也が震えると、デュースが「ブッチ先輩と揉めてる声を聞いて集まったか……それか最初からグルだったのかもしれないな」と眉を寄せた。

「あの位置どり、喧嘩慣れしてそうだった。偶然じゃないって考えた方がいいだろう」

「だからサバナクローに挑むのは無謀なんだって」エースが声を潜める。「さっきも獣人属のヤツらが交ざってただろ？　しかもラギー先輩のあの牙！　身長はオレと同じぐらいだったけど、いかにも肉食動物って感じの危なそうな雰囲気してたじゃん。デュースとかグリムみたいな間抜けが考えなしに挑んだら、すぐに狩られて即終了」

デュースは「グリムと一緒にするな」とむっとしていたが、未だわめき続けるグリムには聞こえていないようだった。

「チームワークがすごいってこと？」優也は以前エースから聞いた話を思い出した。「サバナクローは獣人属の人たちも多いって言ってたから、そのおかげ？」

「うーん、まあサバナクローといってもオレらみたいなヒトもいるし、一番の理由は単に寮のカラーだと思うけどね。どこよりも体育会系ってとこ。だからあの寮はマジフトも強いんだよ」

「そういえば朝、教室でも、そんな話をしてたね」

サバナクローはグレート・セブンの一角、「百獣の王」の不屈の精神に基づいた寮だ。その精神に相応しく、寮生たちは皆屈強で、自分の寮に誇りを持っているようだった。

「サバナクローっていえば大会の優勝常連寮。大会で目にとまってプロになった選手も多いんだって」

するとデュースが「あれ？」と眉を寄せた。

「でも去年の優勝寮は確か……」

「そ。だから朝は揉めたってわけ。この二年、優勝はディアソムニアだからな」

「去年の試合、テレビ中継を見てたならお前も知ってるだろ」とエースが言うとデュースは何か思い当たったのか「ああ」と瞬いた。

「そうか。確かにアレじゃ揉めるのも無理ないな」

「だろ？　サバナクローのヤツら、マジフト大会が近づいたらそりゃーもうピリピリするだろうよ。今の時期は近寄らないに限るって」

近年のディアソムニアはマジカルシフトが強いらしい。それゆえ優勝常連寮のサバナクローはライバル視しているようだ。朝の喧嘩の理由がわかり、大会が終わるまであの二つの寮には近寄らないようにしようと優也は心に決めた。

「マジフト大会……」

ずっと怒っていたグリムだったが、その言葉を聞いた途端、ついに机に突っ伏した。

「マジフト大会に出られない上に、せっかく手に入れたデラックスメンチカツサンドもこんなにちっちゃくなっちまって……オレ様なんもいいことがねえ！　今日は最低の日なんだゾ！」

顔を乗せた前足の毛並みが、涙か鼻水で濡れだしている。さすがに気の毒になってきた優也は、散らばっていたパンをグリムの目の前に集めてやった。丸くなった背中を撫でる。

「他にもたくさんパンがあるじゃん。どれも美味しそうだし、カツサンドは次にまた買えばいいから。今日は諦めよう」

「ぐううう。チクショー……」

優也に差し出されたベーグルをぺろっと三口で飲み込み、グリムがじろりとテーブルの上を見渡す。

「こんなんじゃ腹いっぱいにならねえ……おい、ユウ！　オマエのシチューもオレ様が貰ってやるんだゾ！」

「ちょっと、やめて」

慌てて優也が皿を取り上げると、今度はデュースのパンを奪おうとする。

「やめろ！　僕は関係ないだろう！」

「ヤバい、グリムに吸い込まれる前に急いで食わねーと」

エースがろくに口を動かさないうちにパンを飲み込む。せっかくごちそうしたが味わう暇などないようだ。賑やかに、そして瞬くように、ランチの時間が過ぎていった。

デラックスメンチカツサンドを持ってラギーが向かったのは植物園だった。無事に言われた通りのものを手に入れたので、今日は言い訳を考える時間も必要なく、さっさと門をくぐることができる。

植物園は魔法薬学室の横にあり、主に実験に使う魔法植物を育てている。ガラス製の巨大なドームで、魔法石を使った空調のおかげなのか、どんなに寒い日も一定の温度で保たれていた。そこら中に緑と花が溢れ、あちこちにかかった小さな橋からは水生植物も観察できる。

ラギーはナイトレイブンカレッジに入るまで、こんなに大きな温室は見たことがなかった。生活費を稼ぐために様々な場所へ行ったので、その先で金持ちが持つ趣味の庭園を目にしたことはある。だがこの温室はそのどれとも比べものにならない。これほど丁寧に世話をされた植物も、地元ではついぞお目にかかったことがなかった。自然はわざわざ作るものではなく、手付かずの脅威として常に身の回りに存在していたからだ。不自由なく育てられた名も知らぬ植物を踏み潰し、ラギーはどんどん奥に進んでいく。

青い香りのする葉をかき分けると、木の下で長身の男が寝そべっていた。

「レオナさーん、昼飯買ってきたッスよ」

ラギーが何度か呼びかけると、男の眉間に皺が寄って、ようやく目が開く。真夏の植物を思い出すような、自信に溢れた緑の瞳だ。しかし左の眉から頬にかけて走った大きな傷がその勢いを削ぎ、アンニュイな印象に変えてしまう。

「もう昼か」

大きなあくびをしたレオナに、ラギーはやれやれとため息を吐いた。

「午前中ずっとここで寝てたんスか？　また必修落としますよ」

「うるせえ……それより頼んだものは買えたのか？」

ラギーが答えるまでもなかった。ライオンを祖先に持つ獣人属のレオナが、獲物の匂いに気付かないはずがない。

「なんだ。今日は上手くやったみたいだな」

「今日は、ね。いつもいつも競争率高いもんばかり頼むのやめてもらえませんかねえ」

そう言いながら、ラギーはレオナに頼まれていたデラックスメンチカツサンドを手渡した。食事をとるなら必要だろうと、途中で買ったアイスティーを渡すことも忘れない。こういうささやかな媚びの積み重ねが、優秀な小間使いには欠かせないのだとラギーはよく知っている。

黙ってそれを受け取ったレオナは、馬鹿にしたように笑った。

「わからねえのか？　手に入れるのが難しいものだからこそ食いたいんだ」

「ふうん、そういうものッスか？　オレはカビさえ生えてなけりゃなんでもいいッスけどねえ」

ナイトレイブンカレッジに入学したことで、ラギーの生活は大きく変わった。その日食べるものも困るようなスラムの暮らしなど、ここにいる自分以外の生徒には想像もできないだろう。

特に目の前のこの男は、死にそうなほど腹を空かせた経験も、それに耐えかね腐った食べ物を口にした経験も、一度もないに違いない。

「まあ、王子様のレオナさんにはわかんないでしょうけど」

「ふん。第一王子ならまだしも、俺は第二王子。王になれる望みもないし、お前みたいな庶民と何も変わらねぇよ」

「変わりますよ！　前にオレん家の写真見て、犬小屋って言いましたよね？」

「そうだったか？」

レオナは平然とそう言って、大きな口でぺろりとパンを平らげた。腹が空いていたのだろう。しかしその食べ方にはどこか品があり、「やはり育ちが違うと、こういったところにも違いが出るのだな」とラギーは感心してしまった。

ラギーとレオナは同じ「夕焼けの草原」の出身だ。ただしラギーはありふれたスラムの育ちで、因習から未だ蔑まれるハイエナの獣人属。レオナは国に二人しかいない王子の一人だった。

ナイトレイブンカレッジに入学して、同じ寮の先輩に自国の王子がいると知ったとき、ラギーは随分と驚いた。そしてすぐに決めた。絶対に、その男に取り入ろう。

強い者。賢い者。生まれながらにして持つ者。そんな者に付いていけば、この先永遠に腹を空かせることはない。

「王族なんていいものじゃない。努力や実力は関係なく、生まれてくる順番で全てが決まっちまうんだからな」

「そんなもんスかねえ」

「そうさ。結局は王と、それ以外しかない。その他大勢に生まれた奴はこびへつらって生きていくだけ。不自由な暮らしだ」

夕焼けの草原でのラギーの暮らしぶりを知っていても、レオナの言葉には少しも配慮がない。しかしここで「傲慢だ」と怒ってしまえばそれまでだ。軽口を面白がりはするが、一度本気で刃向かえば、面倒事を嫌うレオナはすぐにラギーを切り捨てるだろう。

そんなもったいないことするものか、とラギーはほくそ笑んだ。感情に駆られて得を捨てるなんてバカのすることだ。そして恐らく、自分がそう思っていることをレオナは知っている。

レオナはいいボスだ。怠惰だがその分金勘定も杜撰で、人使いが荒い一方、見返りを惜しんだことはない。今日も昼食を買ったおつりは何も問われずこちらの懐に納まる。ラギーが見込んだ通り、褒美というものをよく理解したボスだった。

それになによりレオナには野心がある。ラギーを惹き付けて止まない、黄金の野心が。

「あ、そういや今日は寮長会議ッスよ。議題はマジフト大会の件だとか。忘れずに出てくださいね」

ラギーがそう言うと、レオナは「わかったわかった」とおざなりに頷いた。そうしてまたごろりと木陰で横になる。

「俺はもう一眠りするから、昼休みが終わったら起こせ」

「オレはアンタの目覚まし時計じゃないんスけどねえ」

ラギーはぼやいたが、レオナはもう目を開けなかった。

◆

リドルが鏡の間に入ると、周りの寮長たちがあからさまな視線をよこした。あの日からずっとこうだ。

「こりゃまあ、ハーツラビュルの癇癪お坊ちゃんじゃねえか」席に着いていたレオナが足を組む。「もう体は良いのか？　大人しく取り巻きどものところで休んでりゃあいいものを」

「お気遣いはいりません」

レオナの嘲笑をリドルは毅然とはねのける。

「自分の体調管理ぐらい、自分でできますから」

そうは言ったが、実際のところオーバーブロットをしてからしばらく、リドルは立ち上がることさえ困難だった。魔力とともに、体力と気力も燃やし尽くしたのではないかと思ってしまうほどに全身が重く、痛かった。その上行く先々で人々の視線を感じる。畏怖と、好奇と、侮蔑の眼差しだ。

怒りに我を忘れてオーバーブロットをした魔法士。

寮生に見限られた暴君。

名門魔法士養成学校で前代未聞の醜聞を起こした元優等生。

囁かれるのはリドルの高い自尊心を傷付ける言葉ばかりで、それが事実であるがゆえに、毎日彼を苦しめる。

だがそれも、受けてしかるべき罰だとリドルは自覚している。あれほどの騒ぎを起こしたのだ。まずは退学にならなかったことを喜んだ方がいいだろう。その幸運を叶(かな)えるため、母親がどれだけの抗議を学園によこしたかは、今はまだ考える時ではない。

「ではこれより今月末に行われる寮対抗マジカルシフト大会についての寮長会議を始めます」

学園長がそう言うと、鏡の間に集まった寮長たちがそれぞれ頷いた。

「はじめに、大会運営委員であるオクタヴィネル寮のアーシェングロットくんから報告があります」

「運営委員長のアズール・アーシェングロットです。よろしくお願い致します」

そう言って中央に立ったのはオクタヴィネル寮の寮長、アズール・アーシェングロットだった。リドルと同じく二年生で、今学年から寮長になった男だ。

にこりと微笑(ほほえ)む姿は真面目で、優しそうで、優等生そのものに見える。初めて彼に会う人間なら好感を抱かずにはいられないだろう。しかし本当は彼が計算高く油断ならない男であることを、ここにいる寮長たちは既に知っている。

完璧な笑みを崩さないまま、アズールがマジカルシフト大会の準備状況について報告を続ける。今年も大勢の来賓を招き、盛大な大会になるようだ。

「報告は以上です。皆さん、何かご質問は？」

そう言ってアズールはぐるりと寮長たちの顔を見渡した。誰も何も言わなかった。質問も異論もなしということだろう。アズールが席に着くと、再び学園長が闇の鏡の前に立った。

「さて、次に対戦表の話ですが……私から一つ提案があります」

ごほん、と一つ咳払いをして、口元を引き締める。

「実は今大会から、ディアソムニアの寮長であるマレウス・ドラコニアくんを殿堂入り選手とし、出場を見合わせてもらおうかと思うのです」

鏡の間がざわついた。

「殿堂入り？　そんな前例、今まで聞いたことがないよ」

リドルの問いかけにアズールが肩をすくめる。どうやら運営委員である彼は、学園長から事前にこの話を聞いていたらしい。

その他は全員初めて知る内容のようだ。中でも一際険しい顔をしたレオナが低い声を出した。

「どういうことだ？　説明しろ」

「ドラコニアくんが入学して以来、ディアソムニア寮に当たった寮は無得点のまま完敗しています。そして百を超える点のうち、九割以上が彼一人で決めた得点です」

「そうそう。ゲームバランスぶっ壊れ性能のチートキャラ無双でしたな」

イグニハイド寮の寮長が、自室から機械越しにそう言った。人嫌いの彼は会議でも滅多に姿を見せず、代わりに置いたタブレットから難解な言葉を発する。今回も言葉の意味の大半はわからなかったが、褒めているわけではないということだけはわかった。

「ゲーム？」聞き返した学園長が険しい顔をした。「いいえ、いいですか！　この大会は単なる娯楽ではありません。新たな才能を持つ魔法士を発掘するために世界中が注目しています」

深刻な口調に、この提案の真意をリドルも理解し始めた。

マジカルシフト大会は生徒の進路を左右する。優秀なプレーを披露した生徒はこの大会でプロとしてスカウトされ、卒業後にデビューする。それは決して少なくない数の生徒の憧れであり、目標だ。プロになるための近道としてナイトレイブンカレッジに入学した者もいるだろう。

「それにもかかわらず、対戦相手どころかディアソムニアの選手さえ一度も魔法を披露することがなく試合が終わる。これは異常事態です！」

去年の光景がリドルの脳裏に蘇(よみがえ)る。

学園長が言うように、それはまさに異常な光景だった。知力と体力と魔力を競うはずのマジカルシフト大会を、世界屈指の魔法士であるマレウスは、圧倒的な魔力でもってねじ伏せたのだ。トーナメントでディアソムニアと対戦した選手たちは手も足も出ず、ただ蹂躙(じゅうりん)されるだけだった。

これでは試合も何もあったものではない。呆然としている自分に、副寮長のトレイが「去年もこうだったよ」とため息を吐いたので、更に驚いた。

学園長は気遣わしげな顔をして声を潜める。

「特にサバナクロー寮は、運の悪いことに、二年連続トーナメント一回戦でディアソムニアと対戦し、その結果……初戦で敗退しましたね」

鏡の間にいる全員が、サバナクローの寮長であるレオナを見た。

この学園でマジカルシフト大会が開催されて以来、サバナクローは三位以下に転落したことがない優勝常連寮だった。実際、あのマレウス相手に最後まで粘り、よく食らいついていたとリドルは思う。

しかし実力があるからこそ、たった一人の選手で戦局を変えられたことが悔しいのだろう。完封試合となった瞬間に聞こえた、レオナの悔しそうな叫び声が忘れられない。いつも横柄な彼が滅多に見せない激情だったからだ。

「これではプロリーグ関係者の印象にすら残りません。プロを目指す選手が多いサバナクローの生徒にとっては、未来に関わる問題です」

「……今年も俺たちが、無様に負けるって言いてえのか？」

あのときを思い出させるような凄(すご)みのある声で、レオナが学園長を問い詰める。声こそ荒らげていないが、怒りを抑えきれていない。

「いえ、そうは言っていませんが」

「なにが違う？　聡明な学園長様は、今年も俺たちが惨敗すると思っていらっしゃる。だからマレウスを殿堂入りという形で取り除いて、惨めな俺たちに情けをかけてくださると」

「……私だってこんな提案はしたくありませんでした」

そう言って学園長は目を逸らした。レオナの言葉を肯定しているも同然だった。

レオナが沈黙すると、学園長は「ね、悪い話ではないでしょう？」と殊更明るい声を出す。

「とにかく、殿堂入りの件は既にドラコニアくんに内諾を得ています。後は皆さんの合意を得るだけです」

レオナ以外の寮長が困惑した顔を見合わせた。リドルも同じだった。

殿堂入り？　あのマレウス・ドラコニアが？　異例の措置ではあったが、確かにそれなら去年のような大敗をせずに済む。それどころか、巧みな魔法を披露すれば寮生たちに、いやひょっとしたら世界中に、自分が優秀な魔法士であることを示せるかもしれない。今のリドルにとっては喉から手が出るほど欲しい功績だ。

全てを挽回するチャンスが来た。これを逃す手はないと冷静な心が訴えている。しかし自分の矜持は、それでいいと本当に言っているか？

リドルの迷いを断ち切るような唸り声が聞こえた。

「舐められたもんだな……」

立ち上がったのはレオナだった。

「俺はな、センセー。お前は絶対に一番になれないってハナから決めつけられることが、この世で一番嫌いなんだよ」

学園長に向かうレオナの顔は見えない。学園長の表情もまた、仮面に隠れていて、リドルには判断が付かなかった。

威圧感に満ちた背中が振り返る。声色に反して、レオナは微笑みを浮かべていた。

「お前らもこのままでいいのか？」

低い囁き声が鏡の間によく響いた。

「思い出せ。一昨年、去年と、どんな目に遭わされた？　マレウス・ドラコニア様の力を誇示する踏み台にされて、どんな気分だった？　あいつに勝ち逃げされて良いのか？　このままじゃ俺たちは、マレウスに怯えて逃げた草食動物のレッテルを永遠に貼られたままだぞ」

耳に入り込むレオナの訴えが否応なしに心を揺さぶる。全員の胸に、あの耐えがたい屈辱が蘇った。

優勝してテレビカメラを向けられたマレウスは、特に喜びを見せるわけでもなく、「この程度か」と言いたげに首をかしげていた。リドルたちはそれを苦々しく、そして若干の恐れとともに眺めた。

彼の前ではどんな才能も通じず、披露する機会さえ与えてもらえない。暴風のような魔力に為す術なく地に伏す自分たちの様子は、世界中の人々の記憶に残っただろう。「名門と言われるナイトレイブンカレッジの生徒も、生まれながらに才を持つ者には敵わない」という冷評を目にして、何度歯嚙みしたかわからない。

このままでいいはずがない。世間を見返したいという気持ちはもちろん全員同じだ。だが、あの嵐のような男をどうしろというのだろう。

周囲の困惑した顔に気付き、レオナが「ああ」と天を仰いだ。そしてわざとらしく肩をすくめ、両手を広げる。

「確かに力押しじゃ誰もあいつに勝てない。それは事実だ。だが、おつむの方は違うだろう？」

レオナは一際大きな声を上げた。

「マジフトで一番重要なのは力じゃない。頭だ。ない知恵振り絞って、お前らも考えろ。マレウスを引きずり下ろす方法を！」

「マレウス先輩を、引きずり下ろす？」

呟いたリドルを見やり、レオナが「そうだ」と頷いた。

「可能性があるのに諦めてどうする。もちろん簡単じゃないだろうが、だからこそあの化け物に勝てたなら、そのチームは世界中から称賛されるだろう」レオナの声が楽しげに弾んだ。「ディアソムニアは連勝で油断している。今が好機だ。リスクはあるが、その分最高の褒美が待ってるぞ」

自信に溢れた声は、それを聞く者の不安を晴らしていくようだった。

マレウスに勝つのは難しい。そんなことは誰もが理解している。世界屈指の魔法士に簡単に勝てるはずがない。

しかしレオナの言葉を聞いていると、マレウスに挑まなくてはならないという気持ちがかき立てられるのだ。あの腕の中に明るい未来があるように見える。

「これまで見下していた人間にしてやられるなんざ、マレウスにとっては最高の辱めだろうよ。どうだ、想像するだけで鼻歌が出てくるだろう？　あのお高くとまったスカシ野郎の悔しがる顔が世界中に放映されるんだ。他の誰でもない、俺たちの手によって！」

寮長全員が顔を見合わせる。そして頷いた。

「レオナもたまには良いこと言うわね。アタシも学園長の提案はナンセンスだと思っていたところよ」

ポムフィオーレの寮長が不敵に微笑んだ。己の美しさに誇りを持つ彼のことだ。もとより醜態を晒したままで我慢できるはずがない。

対照的に、一切の邪気なく笑ったのはスカラビア寮の寮長だった。「オレも賛成！」と勢いよく手を挙げる。

「マレウスだけ仲間はずれにするのはよくないもんな。やっぱこういう大会は、みんなで楽しまないと」

「ええ。レオナさんのご提案、素晴らしいと思います」

感激したように、アズールが胸の前で手を合わせる。しかし、眼鏡の奥には抜け目のない光が宿っている。

「マレウスさんが負けるなんて絵面、撮れれば大変な視聴率が見込めますね。話題性たっぷりでしょうし、影響力は計り知れない」

「拙者は別に殿堂入りでもいいと思いますけど」とイグニハイドの寮長はスピーカー越しにやる気のない声を出した。イグニハイド寮は運動系のイベントには消極的だ。だからこそどちらでもいいと思っているのだろう。肯定はしなかったが、否定もしなかった。

気が付けば、初めは迷っていた寮長たちが、レオナの言葉に同意し始めている。返事をしていないのはリドルだけだ。好奇心の滲む視線が一斉に向けられる。

リドルはそれを真っ直ぐに見返した。

「ボクも賛成です。一魔法士として、戦う前からさじを投げるような真似はしたくありません」

「決まりだな」

レオナは満足げに笑った。よくぞ逆境に挑んだと、リドルを褒めるような微笑みだ。

自分は彼の、こういうところが苦手なのだ。リドルは今初めてはっきりとそれを自覚した。

レオナはルールというものを全く気にしない人間だ。寮長という自分と同じ肩書を持っているのに、それを顧みる様子もなく、人間性も生活態度もとても尊敬できるものではない。こんなに不真面目な男がなぜ寮長なのだろう。何度も腹を立て、時には直接非難した。それさえのらりくらりと皮肉で逃げる彼の怠惰さが許せない。そして一番許しがたいのは、そんなレオナがサバナクローの寮生に慕われているということだ。

ルールを無視し続ける人間が、なぜああも仰がれるのか。秩序を守らない人間に価値などない。あっていいはずがないと思っていた。

今ならわかる。レオナは人の気持ちを理解するのが上手いのだ。周りのコンプレックスを刺激しては、その分をピッタリ埋めるような言葉で鼓舞してくれる。湧き上がる喜びを抑えることができない。的確な叱咤と激励がこんなにも人の心を突き動かすものなのだと、リドルは今まで知らなかった。

「というわけで、センセー。マレウスの殿堂入りの話はなしだ」

「やれやれ、わかりました」学園長が首を振る。「ただし、豪語したからには、相応の活躍を見せてもらいますよ」

「ご期待に添えるよう、せいぜい努力するさ」

学園長の忠告にもひるむことなく、レオナは悠々と頷いた。傲慢ともとれるその自信が今日はとても眩しく思える。

自分も周りの弱さをちゃんと理解して、レオナのように接していられたら、今の状況も違ったのだろうか。今更悔やんでもどうにもならないことばかりだ。だからこそリドルは、今年の大会で結果を出して、寮生たちに認めてもらいたい。

⋄

運動場でマジカルシフト大会の練習が始まった。各寮の有力なプレーヤーが集い、与えられた時間の中で熱心に練習をしている。ナイトレイブンカレッジはすっかりマジカルシフト一色だ。どの生徒も大会に出る選手や勝敗の行方について話している。寮対抗という構図が熱狂を煽（あお）っているようだ。

　エースとデュースも毎日楽しそうにマジカルシフトの話をする。リドルを中心に、マジカルシフトの上手い寮生たちは強化練習を行っているらしい。オーバーブロットの余波で寮全体が奔走する中、ますます忙しくなったとエースはぼやいていたが、行事前の非日常感に浮き足立っているのが伝わってくる。

　どうやらのんびりとした空気が流れているのは、優也たちのいるオンボロ寮だけのようだった。

「何もかもやる気が出ないんだゾ」

　ソファの上でグリムが呟いた。うつ伏せになってふてくされているので、声がクッションに吸い込まれ聞き取りづらい。優也が耳を近づけると、小さな声でずっと文句を言っている。

「みんな楽しそうでズルい。オレ様だって、オレ様だって……」

「三日も経ったのにまだ言ってるの？　僕たちでどうにかできる問題じゃないし、諦めようよ」

　そう言って優也がグリムの横に座ると、ゴーストたちが飛んできた。

「最近、グリ坊がやけに大人しいね。そんなにしょぼくれてちゃ、脅かしがいがない」

「何か悲しいことでもあったのかい？」

「そういえば、まだ話してなかったっけ」

もうすぐマジカルシフト大会があるのだと優也が言うと、ゴーストたちは「ああ！」と歓声を上げた。

「マジフトかぁ！」一番大きなゴーストが楽しそうに宙を舞う。「もうそんな時期なんだねぇ。確かにあれは魔法士の花形競技だ」

「すごく賑わうんだってね。みんなも毎年見に行ってる？」

「もちろんじゃ。観戦するだけではないぞ。わしらも九十年前は実際に試合に出て、会場を沸かせておった」

彼らがいつからゴーストとしてオンボロ寮にいるのかはわからないが、九十年前はこの学園の生徒だったらしい。そしてその頃から既にマジカルシフトは人気のスポーツだったようだ。

ゴーストたちが盛り上がっていると、グリムの尻尾が鋭くソファを叩いた。

「ズルい。オレ様も会場をキャーキャー言わせたいんだゾ！」

そのくぐもった声に、優也はゴーストを見て肩をすくめる。

「オンボロ寮にはふたりしかいないから、僕たちは出場できないって言われたんだ。グリムはそれがショックだったらしくて」

「そういうことだったのか。もしも出場するなら、わしらがビシバシ鍛えてやったのに」

ゴーストたちの現役時代の話を聞いていると、誰かが玄関のチャイムを鳴らした。窓の外はもう日が暮れている。

「こんな時間に誰だろう」

「あのハーツラビュルの子たちじゃないかい」とゴーストが言った。時々オンボロ寮に遊びに来るエースとデュースのことだろう。

「今日はなんでもない日のパーティーがあるって言ってたんだけどな」

小走りで玄関に向かった優也が扉を開けると、夜より黒い服に身を包んだ男が立っている。クロウリーだった。

「学園長！　こんばんは」

優也は慌てて頭を下げた。今日も高いシルクハットを被っているので、ただでさえクロウリーよりずっと背の低い優也は、小さな子どもになったような気分になる。

「こんばんは、ユウくん。お邪魔しても？」

「もちろんです、どうぞ」

学園長を談話室に案内しながら、優也の鼓動はにわかに速まっていた。学園長がオンボロ寮を訪れるのは久しぶりだ。それもこんな夜にわざわざやって来たということは、何か重要な話があるのだろう。

もしかしたら、元の世界の情報が手に入ったのかもしれない。家に帰る方法がわかったのではないかと、優也は期待しながらソファを勧める。

座った学園長は向かいで転がったままのグリムを見て、「珍しいですね」と首をかしげた。

「グリムくんがこんなに静かだなんて。寝ているんですか？」

「いいえ。マジフト大会に出られないって言われて拗ねているんです」

「ああ、なるほど。マジフト大会」

学園長が頷いた。

「ちょうどよかった。そのことで貴方たちに話があるんです」

「話？　もしかしてオレ様をマジフト大会に出してやるって話か⁉」

グリムが勢いよく体を起こした。周りを漂っていたゴーストの体がふわっと溶けて、また戻る。

「すごい食らいつきですね……ですが違います」

「なーんだ。んじゃどうでもいいんだゾ」

消沈して再びグリムが横になる。「気にしないでください」と優也は話を促した。

「実は」と切り出した学園長の声は重々しい。

「生徒の間でも噂になり始めているようなので、貴方がたが知るのも時間の問題かとは思いますが……最近、学園内で事故による怪我人が続出しているんです」

「怪我人？」

「はい。階段からの転落や、熱湯による火傷など、原因は様々ですがここ数日で保健室の利用者が急増しています。さっきも転んで足をひねった生徒が保健室に運ばれていました」

そりゃ大変だ、とゴーストが肩をすくめた。

「でも気持ちはわかるよ。マジフト大会が近づくと、浮かれちゃうよね。ドジも増えるさ」

「いいえ、話はここからです。この件、どうにもきな臭い」

少し身をかがめた学園長が、金の細工に包まれた指を立てる。

「実は怪我をした全員が、今年のマジフト大会での活躍を見込まれていた、有力な選手候補なんです」

「それって……」と優也は息をのんだ。恐る恐る問いかける。

「つまり、偶然による事故ではないってことですか？」

「はい。そう考えるのが自然でしょうね」

頷く学園長に言葉を失ってしまう。

マジカルシフトの上手い生徒だけが相次いで怪我をするなんてことは確率的に考えづらい。どの寮もあれほど真剣なのだから、出場を見込まれた生徒は大会に万全の状態で挑めるよう、一際注意をはらっていたことだろう。

事故ではない。ならば故意に起こされた事件ということだ。そして事件なら原因が、もしくは犯人が、存在している。

ゴーストたちも普段とは異なる神妙な顔で黙り込んだ。

「ただし、事件とするには証拠がないんです。全ての事故は人の目があるところで起きていて、しかも目撃者に話を聞くと、本人の不注意にしか見えなかったと証言しています」

「じゃあやっぱり、ただの不幸が続いたんじゃ」

希望も含めて優也がそう言うと、学園長は「今の時点ではなんとも言えませんね」と首を振った。優也たちの困惑した顔に気付くと身を乗り出す。

「気になりますよねえ？　どうにもモヤモヤしますよねえ？　ですので、ユウくんとグリムくんにその調査をお願いしたいんです」

「えっ、僕？」突然の依頼に優也は瞬いた。「でも僕じゃ大した役には立てないと思います」

「そんなことありませんよ。ローズハートくんの件だって、バッチリ解決してくれたじゃないですか！」

「解決したのは僕じゃないんですけど」

もしや今学園に流れている噂の発端は学園長なのではないだろうか。優也は肩を落とした。学園中がマジカルシフト大会に夢中になり、ようやく優也への注目が薄れて落ち着いた生活を手に入れられるかと思っていたら、今度は新しいトラブルが舞い込んできた。それももしかしたら誰かが人に怪我を負わせているかもしれないという悪質な事件だ。

調査の依頼を断ろうと言葉を尽くしたが、学園長は「衣食住を提供しているお礼だと思えば、安いものではないですか？」と迫力のある笑みを浮かべる。

「それは……そうかもしれないです、けど。でも、その……」

「そうでしょう、そうでしょう。私、優しいので！」

ツイステッドワンダーランドでの居場所を与えてくれた学園長には、命綱を握られているも同然だ。ナイトレイブンカレッジの学生という肩書さえ彼の慈悲で得ているに過ぎない。堂々と胸を張られて優也は頷くほかなかった。

しかしそのことを忘れているのか、それとも覚えていてあえて無視しているのか、グリムは

「嫌だね！」とそっぽを向く。

「どーせ間抜けなヤツが自分でドジ踏んだだけなんだゾ。いい気味だ」

「おいおいグリ坊。お前さんだってあんなにマジフト大会に出たがっていたじゃないか。それと同じさ。怪我をした選手もさぞ残念だと思うよ」

ゴーストが優しい言葉をかけるが、グリムはにやにやと笑って腕を組む。

「そんなのオレ様には関係ない。どうせオレ様はマジフト大会に出られないし、それならみんな出られねえ方がいい！　にゃははっ」

「ひどいことを言うなあ」

あまりの潔さに優也はいっそ感嘆してしまう。ゴーストたちも呆れていた。

学園長が黙ったままなので優也は不安になったが、怒っているのではなく考え込んでいるようだった。

「ならばとっておきのご褒美を用意しましょうか」

にっこりと笑った学園長の口から、思わぬ言葉が飛び出した。

「マジカルシフト大会の出場枠、というのはどうでしょう」

「えっ！」グリムが飛び上がった。「今なんて言った⁉」

グリムの大きな丸い目が希望でキラキラと輝いている。先ほどまでの意地悪な顔をしたモンスターとは別の生き物のようだ。てきめんの効果に満足したのか、学園長は嬉しそうに両手を擦り合わせる。

「この事件を解決してくれたら、お礼にグリムくんたちのオンボロ寮を、名誉あるナイトレイブンカレッジのマジフト大会に出場させてあげます。私、優しいので！」

「でも選手が足りないんじゃないですか？　クルーウェル先生にもそう言われました」

「そこは学園長権限で、なんとか良い感じに選手を用意しますよ」

優也の指摘した懸念点もあっさり解決してしまった。こんなに簡単に言えるなら、最初からオンボロ寮の参加を検討できたのではないだろうか。

優也は怪しく思ったが、グリムはそれに気付いていないようで、ソファの上で跳びはね大喜びしている。掃除をしたばかりのソファから埃が舞うほどの喜びようだった。

「やったやった！　オレ様マジフト大会で活躍できるんだゾ！」

「まだ決まったわけじゃありません」学園長が厳しい顔で釘を刺す。「事件を解決したら、ですよ。ユウくんと協力して調査してください。わかりましたね？」

「おう！　そんな事件なんて、オレ様の手にかかればすぐに解決だ」

そう簡単にいくだろうか。マジカルシフトのことはおろか、この学園のこともろくに知らない自分たちでは、まずどこから調べればいいのかもわからない。無邪気に喜ぶグリムを見ていると、優也はどんどん不安になっていった。

今度期待を裏切られたらグリムは想像もできないほどに暴れるだろう。そして何日も落ち込むに違いない。怒ったグリムをなだめるのは苦労するし、こう何度も悲しませるのはさすがに可哀想だと思ってしまう。この数日はそれほどに消沈していたのだ。

優也の心配など想像もしていないのか、上機嫌のグリムが肩を叩いた。

「よかったな、子分。オンボロ寮もマジフト大会に出られるんだゾ」

「うん……そうだね。大会に参加できるように、僕も頑張るよ」

明日になったらまず情報を集めよう。優也はそう決意して、グリムの頭を優しく叩き返した。


「だからキミたち、今年のマジフト大会こそディアソムニアに後れを取らないように！……だって。そう簡単にマレウス・ドラコニアから点取れたら苦労しねえっつーの」

声色まで変えてリドルの真似を披露した後、エースは口を尖らせた。登校して早々、昨日行われたなんでもない日のパーティーの様子を懇々と語られて優也は苦笑してしまう。

先に席に着いていたデュースが「失礼なことを言うな」と眉をひそめた。

「熱いスピーチだったじゃないか。みんなで勝ちたいって気持ちが伝わってきたぞ」

「それが迷惑なんだって。あれじゃパーティーじゃなく決起会だわ。あんな暑苦しい乾杯の挨拶で張り切れるのはお前ぐらいだから」

いつものように二人が言い合いを始めたが、どこかはしゃいでいるようにも見える。すると教室に来てからずっと黙っていたグリムが、くすくす笑い始めた。

「どうせオマエら二人とも大会に出られないのに、毎日騒いでご苦労様なんだゾ」

昨日までとは打って変わり余裕の笑みを浮かべている。二人は「どうしたんだ」と首をかしげた。

「今日は羨ましいってて暴れないのか？」

デュースに尋ねられ、グリムは待ってましたとばかりに立ち上がる。

「もう羨ましくなんかない。だってオレ様、マジフト大会に出られることになったんだゾ！」

「えっ⁉　どういうことだ」

「まだ決まったわけじゃないでしょ」

優也は二人に学園長からの依頼を説明した。二人とも事件のことを知らなかったようで、目を丸くする。

「怪我人？　そういえばこの前、前の席のやつらがそんな話をしていた気がするな。確か、ポムフィオーレの生徒だったような」

「そんなヤバい事件が起きてるなんて、知らなかったんだけど」辺りを見渡してエースが声を潜める。「うちの寮でそんな話出てたっけ？」

「さあ。昨日はそんな話聞かなかったけど……」

自分たちの他に教室でその話をしている者はいないようだった。しかし怪我人が続いていけば、すぐに他の生徒も怪しむはずだ。やがては大きな騒動になることが容易に想像できる。

優也はため息を吐いたが、グリムは意気揚々と胸を張った。

「オレ様がとっととその犯人を見つけてとっちめてやるんだゾ」

「犯人がいるのかどうかはまだわからないけど」と優也は二人に断った。あくまでもまだ、可能性の話でしかない。

「でも調査するってことは学園長と約束しちゃったし、今日の放課後から始めるつもり」

「調査って簡単に言うけど、何をするつもりだ？」

「とりあえず、怪我をした人に話を聞きに行こうと思ってる」

「なるほどな」

頷いてすぐにデュースは顔を少し曇らせた。

「本当は学園の平和のために手伝ってやりたいところなんだが……悪い、今日の放課後は部活があるんだ。入部したばっかりでサボるのも優等生としてよくないし」

「大丈夫だよ。さっきデュースが教えてくれたから、ポムフィオーレに聞き込みに行こうと思う」

ナイトレイブンカレッジの生徒は、全員例外なく、なんらかの部活か同好会に入らなければならない。

デュースは陸上部に入ったそうだ。マジカルホイールという乗り物が好きな影響で、スピードを感じられる部活に入りたかったからだと説明された。理由はともかく、実直に自分に向き合って力を高める陸上競技は彼に合っていると思う。

「エースは？」デュースがひらめいたように横を向いた。「今日お前のところの部活は休みじゃなかったか」

「なんでオレが手伝わなきゃなんねーんだよ。グリムが調子に乗るための手伝いなんてわざわざしたくないし」

エースはバスケットボール部に入った。理由は簡潔で「格好よくてモテそうだから」とのことだ。これもまた、実にエースらしいと思う。

「そっか。残念だけど仕方ないね」

心のどこかで二人の手伝いを期待していた優也は肩を落とした。デュースは目を眇めている。

「なんだよその顔は」とエースは悪びれた様子もなく頬杖を突いた。

「やっと休みになったんだからゆっくりさせてくれよ。うちの部活ホントに大変なんだって」

「下らない理由で入部するからそうなるんだ。練習内容も事前に調べなかったのか？」

「いや部活の内容がっていうより、先輩の癖がスゲー強くて」

デュースと話していたエースが、優也とグリムを顎で指した。

「っていうか軟派とか言ったらユウとグリムの方がダメだろ」

「やっぱりそうかな……」

優也とグリムは同じ部活を選ぶようにと、事前に学園長から連絡を受けていた。ふたりでひとりという入学条件上、仕方のないことだと思うし、グリムの監督役として彼を見張らなければならない。そのことについては異論ない。

しかし困ったことに、申込期限のギリギリまで部活が決まらなかった。見学に行ったほとんどの部にグリムが興味を持たなかったからだ。実験の一環として料理をするサイエンス部や休憩でお菓子の出る軽音部など、いくつかの部活についてはやる気を見せたが、我が儘な性格が仇となって向こうの顧問や部員に入部を拒否された。食べ物を前にしてグリムが我慢できるわけがない。

悩んでいたところ、複雑な手続きは必要になるが自分で同好会を作る生徒もいるとクルーウェルに教わり、新しい会を作ることにしたのだ。ふたりが作った同好会の名前は「美食研究会」。もちろんグリム発案だ。

「なにがダメなんだ？　最高の部活じゃねーか。うまいもん食い放題なんだゾ」

「その美味いもんが、簡単に手に入れば良いけどね」

金銭的な余裕のない自分たちでは、そもそも美食に触れることが難しい。雑草の食べ比べをしようというグリムを説き伏せて、今は学園の中で一番美味しい林檎の木を探す活動をしている。学園中に生えている林檎の木をリスト化していることを説明した時には、エースとデュースに大笑いされた。

「今日は同好会の活動はしなくていいのかよ」とからかって、エースは少し声のトーンを落とした。

「まあとにかく、オレらは手伝えないぜ？　変な騒ぎ起こさないように、自分でなんとかしろよ」

エースの忠告に、優也は「もちろん」と頷く。

「大丈夫だよ。グリムと話を聞きに行くだけだし」

エースは黙ったまま肩をすくめた。「それが一番ヤバいだろ」とデュースに言われて、優也は再び頷くしかない。

不安な気持ちで放課後を迎えたが、グリムはこれまでに見たことがないほど協力的だった。人の話を聞くという退屈な調査を嫌がる様子もなく、それどころか「早く行こう」と優也の手を引っ張り、率先して鏡舎に向かっている。「すごいやる気だね」と言えば、大きな口で歯が見えるほどにっこりと笑った。

「だって大会に出られたら、オレ様たちもナイトレイブンカレッジの生徒になったって感じがするんだゾ」

跳びはねるような足取りのグリムを見ていると、気の重かった優也にも頑張ろうという気持ちが少し湧いてくる。

鏡舎に着き、デュースに聞いたポムフィオーレ寮に続く鏡に向き合う。大きな孔雀とその羽根で包まれた優美な鏡だった。

鏡の先にある寮の建物も優雅で、ハーツラビュルの可愛らしい外観とはまた違った美しさを感じさせる。繊細で、どことなく学園の本校舎に似ていた。荘厳な空気のせいか、知っている人がいないせいか、優也は自然と尻込みしてしまう。

意を決し、門の近くにいた生徒に「先日怪我をした生徒に会いたい」と伝えると、談話室へと通された。グリムとともに大きなソファに座って待つとすぐに数人の生徒がやって来る。そのうち一人は見覚えがあった。

「アンタたちが怪我人を尋ねてきたっていう客ね」

「なんか、スゲーキラキラしたヤツが出てきたんだゾ……」

一番背の高い生徒を見て、グリムが眩しそうに何度も瞬く。「アタシを知らないなんて」と男は眉間に皺を寄せたが、不機嫌そうにしなる眉さえも美しい。

目を焼くような忘れがたい美貌。入学式の時に見かけた男だ。

「アタシはポムフィオーレの寮長、ヴィル・シェーンハイトよ。そしてこっちが副寮長のルーク・ハント」

ルークと紹介された生徒は、大きな羽根の付いた帽子を手に取り胸に当て、「お見知りおきを」と軽く顎を引いた。

怪我をした生徒に会いに来たのに、わざわざ寮長と副寮長がやって来るとは思わなかった。優也は慌ててルークよりも深くお辞儀をする。

コミュニケーションに不慣れだった優也も、エースたちと会話を交わすうちに、人と話すこと自体には緊張しなくなってきた。しかしそれでも風格のある先輩たちに囲まれると萎縮してしまう。

「こんにちは。僕はユウです。一年A組で……」どう言ったものか困り、結局そのまま口にする。「その、オンボロ寮の生徒です」

ヴィルがふっと鼻で笑った。

「当然知ってるわ。入学式で目立っていたし、それにあんな事件があったらね」

「噂のトリックスターに会えるなんて、光栄だよ！」優也と握手したルークが少しかがむ。

「キミはグリムくんだろう？　こちらも話せて感激だ……よろしくね」

「にゃははっ、オレ様そんなに有名人なのか。良い気分なんだゾ」

優也にとっては嬉しくない評判だが、グリムは満足したようだ。

ルークはそんなこちらをにこにこと見ている。突然の訪問にもかかわらず歓迎してくれているようだ。

「怪我をした生徒に会いに来たんだろう？　彼がそうさ」

ルークの手招きで前に出た生徒は二年生だという。彼との挨拶も満足に済まないうちに、ルークが「ああ」と天を仰ぐ。

「なんという悲劇だろう。薬草を煮出していた鍋を素手で掴んでしまうなんて！」

「はあ？　あっつあっつの鍋を自分で掴んだってことか？」

怪我をした生徒が神妙な顔で頷くと、グリムが噴き出した。

「なーんだ、ただのドジ野郎じゃねえか」

「違うんだ！」

声を上げるなり、生徒は両手で目元を覆う。巻かれた包帯が痛々しい。

「私は十分に気を付けていた……信じてください、寮長、副寮長！」

「もちろん信じるとも。それに責めてなどいないよ」ルークが二年生の肩を優しく擦った。

「ただあんなにも懸命に練習に励んでいたキミの心境を思うとどうしてもやりきれなくてね」

「ルーク副寮長……私はまだ諦めていません。確かにベストコンディションは逃してしまいましたが、きっと代表選手入りしてみせますよ！」

「おお。怪我をものともせず戦うキミの姿、実に美しい(ボーテ)！」

ルークと二年生の生徒が、今にも抱き合わんばかりの熱量で語り合っている。身振りも大きく、まるで劇をしているようだ。

呆気(あっけ)にとられる優也の前で、ヴィルが「そういうのは後にしてくれる？」と冷めた目で言った。

「アンタたちが聞きたいのは、怪我をした時の状況でしょう？」

優也が頷くと、ヴィルが顎をくいと上げた。ルークの後ろから彼にすっぽりと隠れてしまうほど小柄な生徒が現れる。

優也とグリムはあんぐりと口を開けた。立っていたのは驚くほどに可愛らしい、ラベンダー色の髪をした少年だった。顔の作りは何もかもが華奢(きゃしゃ)で、触れば崩れる砂糖細工のようだ。ヴィルの美貌とはまた違い、幻のごとき儚(はかな)さを持っている。

ヴィルが少年に問いかけた。

「エペル、怪我した現場を見ていたんでしょう？　説明して」

こくんと頷いてエペルと呼ばれた少年が口を開く。見た目に相応しく、小さな声も可愛らしかった。

「放課後に、僕は魔法薬学の課題をしていました。先輩も授業の復習をしていたみたいです。隣の実験台で、それぞれ薬品を扱っていたんですけど……そしたら先輩が、いきなり鍋をガッと掴んで！」エペルははっと何かに気付いて、慌てたように首を振った。「僕……とってもびっくりしちゃった、かな？」

「なーんだ。んじゃやっぱり、ただぼーっとしてただけじゃねえか」

グリムに言われると、怪我をした生徒がまたも大きな動きで否定する。さっきと同じやり取りを眺めていると、隣に来たヴィルが小さな声で言った。

「わざわざ聞き込みに来たってことは、やっぱりただの事故じゃなかったってことかしら」

「えっ」と目を見開く優也に、ヴィルは「気付かれないとでも思ったの」と腕を組む。

「怪我の話を聞きたい、なんて不自然極まりないわ。聞けば、知り合いでもないらしいじゃない。何かあるって疑う方が自然でしょう」

「ええっと、あの……はい。実は事情がありまして」

優也が学園長の話を説明するとヴィルは険しい顔をした。

「学園長……こんな小ジャガに頼む前に、アタシたち寮長に事情を伝えるのが筋ってものじゃないかしら」

怒りを露わにしたヴィルは依然として美しいままで、だからこそ常人にはない迫力がある。優也が「すみません」と謝ると、更にむっとした顔になった。

「なんでアンタが謝るの？　アタシは学園長に言ったのよ」

再度謝罪を口にした優也に呆れたようなため息を吐くと、ヴィルはつんと横を向いた。

「アンタたちに話せることはこれ以上ないわ。アタシはアタシの寮を守る。アンタたちの事情はアンタたちでなんとかしなさい」

ポムフィオーレで得られる情報はもうないようだ。「ありがとうございました」とお礼を言って、優也たちは鏡舎に戻った。

「うーん。さっきのヤツの話はあんまり参考にならなかったんだゾ」

グリムが大きく伸びをした。事前に学園長に聞いていた通り、得られた証言を聞く限りは自身の不注意としか思えない。

「やっぱりただの事故なのかもよ」

「それならそれでいいから、早く学園長に報告してオレ様たちのマジフト大会出場を認めさせねーと」

優也とグリムが話しながら鏡舎を出ようとすると、勢いよく入ってきた誰かにぶつかった。

「おいっ、あぶねーだろ!」怒鳴ったグリムは、上を見て目を見開く。「って、なんだ。エースとデュースじゃねえか。二人揃(そろ)ってどうしたんだ?」

二人ともどこか焦った様子で、優也とグリムに気付くと声を上げる。

「お前ら、ちょうどいいところに。それがさ、困ったことになったらしくて」

「クローバー先輩が、階段から落ちて怪我したらしいんだ」

「えっ。トレイ先輩が⁉　どうして」

「詳しいことは僕たちにもわからない」

同じ部活のハーツラビュル生から話を聞いたデュースが、教室に残っていたエースに伝えたらしい。

「今は部屋で安静にしてるらしい。これから様子を見に行くところなんだけど、お前も一緒に来ないか？」

二つ返事で頷いて、優也とグリムはハーツラビュルに続く鏡を通り抜けた。


黒い扉をノックすると、すぐに返事があった。部屋の持ち主であるトレイの声だ。

「失礼しまーす」

「クローバー先輩、大丈夫ですか？」

「二人揃ってどうした。もしかして見舞いに来てくれたのか？」

扉を開けたエース、気遣わしげな顔をするデュースに続いて部屋に入ると、ベッドに座っていたトレイは「おっ」と驚き、すぐに微笑んだ。

「ユウとグリムまで。わざわざ来てもらって悪いな」

「いえ。階段から落ちたって聞いて、心配で」

「オマエのしょぼくれた顔見に来てやったんだゾ！」

こら、とグリムを叱るが、トレイは気にした様子もなく「そりゃどうも」と笑っていた。右足に着けたギプスが気になるが、その他は変わりなく見える。命に関わる怪我ではないらしい。優也は胸をなで下ろした。

ベッドの横に置かれた椅子には、トレイと同じ三年生のケイトも座っている。ケイトは顔の横でひらひらと手を振りながら「奇遇だね」と言った。

「オレもちょっと前に来たとこだよ」

ベッドサイドにある机の上に購買部の紙袋が置かれている。それがケイトからの見舞いの品だと一目でわかったのは、小さな袋を包む明るいオレンジ色のリボンが部屋の中でとても目立つからだ。

他には雑貨やお菓子など無駄なものはほとんど置かれていない。机の上でさえ、本が整然と並んでいるだけだった。トレイの部屋はよく整理されていて広々として見える。赤と黒がベースとなるハーツラビュルらしい内装に、所々置かれた濃い緑の小物が似合っていた。

広くて素敵な部屋だと褒めて「エースとデュースの部屋もこんな感じ?」と聞くと、「そんなわけないだろ!」と二人が同時に叫んだ。どの寮も一年生は四人部屋、二年生は二人部屋、三年生になってやっと一人部屋が与えられるらしい。例外は寮長だけで、学年によらず一人部屋となるそうだ。

エースが顎(あご)でデュースをさした。

「オレとデュースなんか、同じクラスってだけじゃなく部屋まで同じなんだぜ。寮でも教室でもコイツの顔見なきゃならないなんて、ホント勘弁してほしいわ。二年になったら部屋を別にしてもらえるよう、寮長に頼む予定」

「それは僕のセリフだ。勉強をしているといつも邪魔されるし、今すぐにでも部屋を替えてほしい」

「あはは。一年生あるあるの揉め事だね」

ケイトはトレイにウィンクをした。

「こんなに賑やかだと元気出てきたんじゃない？　エーデュースコンビにユウちゃんとグリちゃんまで来てくれるなんてさ。カワイイ後輩たちに慕われて先輩冥利に尽きるね、トレイくん♪」

「なんすか、そのエーデュースって」とエースが嫌そうな顔をする。

「同(おな)クラ、同(おな)部屋の仲良し二人組の名前をまとめてみちゃった。どう、呼びやすくない？」

「こんなやつと一緒にしないでください！」

憤慨したデュースがエースを指さす。それに言い返しながら、エースはちらりとトレイの足元を見た。

「っていうか、トレイ先輩の怪我ってどんなカンジなんですか？　見た目は結構ヤバそうなんですけど」

「うーん、それがなあ」トレイは困ったように頭を掻いた。「落ちた時に受け身を取り損ねて、右の足首を派手にやっちまったみたいで……しばらくは松葉杖生活になりそうなんだ」

エースが「えっ！」と声を上げる。デュースも驚いているようだ。優也もグリムと顔を見合わせ、顔をしかめた。

「すごく痛そうですね……」

「そんなに心配しなくても大丈夫だよ」トレイは肩をすくめる。「足以外はどこも異常なしだったから。ただこの時期っていうのがなあ。残念だけど、今年のマジフト大会は見学になりそうだ」

「もー、マジ困っちゃうよ」

ケイトが肩を落とした。

「トレイくんはうちの代表選手の有力候補だったのに。大会に出られないなら、また候補探しから始めることになりそう」

「選手候補だったんですか？　トレイ先輩はスポーツが得意なんですね」

優也が言うと、トレイは「いやいや」と照れくさそうに眉を下げた。

「普通だよ。それに元々うちの寮は、そこまでマジフトが強いってわけじゃないし」

「痛いところ突いてくるなあ」ケイトが笑った。「それでもトレイくんはいつも他のプレーヤーのアシストをバッチリ決めてくれるじゃん？　欠けるってなるとかなり痛手だよ」

「褒めすぎだ。どうせ万全の状態でも代表には選ばれなかったさ」

そんなことはないとケイトがトレイに話している。トレイは代表選手に執着がないようで、随分とあっさりしているように見えた。冗談っぽく笑い、ケイトをからかう余裕もあるようだ。

「それよりも、ケイトが代表選手になる可能性が上がったんじゃないか？　飛行術の腕は俺より上なんだし、箒を使うポジションに行けばいい線狙えるかもしれない。俺がみんなに後押ししてやろうか」

「えー、それは勘弁して！　あんなきつい練習詰め込まれるとか、けーくん耐えられない」

両腕を抱えてケイトが震える。選手選びに困ると言っていたが、怪我をしたトレイ本人のことは責めないよう、上手くおどけているように思えた。

「大変そうだけど、無事でよかったね」

優也はエースとデュースに小さく声をかけたが返事がない。見れば二人とも驚いた顔をしていた。エースの喉が小さく鳴る。

「選手選び……」

それがどうかしたのかと尋ねたが、返事の前にまたノックの音が聞こえてうやむやになった。よく通る声がドア越しでもはっきり聞こえる。

「ボクだよ」

自分たちの時と同じようにトレイが「どうぞ」と返事をする。すぐにドアが開き、寮服姿のリドルが現れた。優也たちを認めると眉を寄せる。

「なんだい、キミたち。怪我人の部屋にどやどやと集まって」

「すみません」反射的に謝った優也は頭を下げる。「お邪魔してます。こんにちは」

「うわっ、怒りんぼリドルが来たんだゾ」

リドルはグリムに何か言い返そうと目線を合わせたが、「それどころじゃないんだった」とすぐに顔を上げた。

「トレイ、具合はどうだい。何か食べたいものや飲みたいものはある？　欲しいものがあったら遠慮せずに言うんだよ」

「それ、昼間も同じことを聞いたじゃないか。もう十分だよ。大丈夫」

「大丈夫なものか。そんな足で……」

言葉こそ厳しいが、リドルは悲しそうに顔をしかめている。その後もあれやこれやとトレイに提案しては「必要ない」と返され、複雑そうな表情を浮かべていた。あまりに食い下がるので、トレイにも苦笑されている。

「なんか寮長、随分とトレイ先輩に優しくないっすか？」

優也だけでなくエースも気になっていたらしい。はっきり本人に聞くところが彼らしいと思った。

「自己管理がなってない！　とか言って怒るんじゃないかと超ハラハラしてたんですけど」

「グリムといいエースといい……そんなことで怒ったりしないよ」

不服そうに言ったリドルは、そこで目を伏せる。

「それに、トレイが怪我をしたのはボクのせいだ。尚更(なおさら)責められるものか」

「ローズハート寮長のせい？　どういうことですか」

デュースの問いかけに、リドルはトレイと一瞬顔を見合わせた後、静かに説明を始めた。

「マジフト大会のことで相談しなければならないことがあって、昼休みにトレイと廊下を歩きながら話していたんだ。そしたら、ボクが階段から落ちそうになって、トレイはそれを庇おうと……」

トレイは咄嗟にリドルの腕を摑み、すぐ後ろの踊り場まで引っ張り上げたそうだ。しかしその反動で代わりにトレイが階段から落ちてしまった。それからリドルが慌てて保健室へと運んだらしい。

説明を終えたリドルは、悔しそうに顔を歪めた。

「普段ならこんなことはないのに。あのときどうして階段を落ちそうになったのか……本当にごめん、トレイ」

「お前なら、仮に階段から落ちても魔法で衝撃を和らげるなり何なり対処できていたかもしれない。俺が勝手にやって勝手にしくじっただけだから、もう気にするな」

トレイはとても大人だ。怪我までしたのに、リドルが気にしないようにと優しい言葉を選んで微笑んでくれる。リドルはそれが殊更辛いようだった。

「最近キミに迷惑をかけてばかりで……ボクは自分が許せない」

「まあまあ。トレイくんもこう言ってるんだし、リドルくんも元気だして。そんなにしょんぼりされちゃ、どっちが怪我人かわかんなくなっちゃう」

ケイトがそう言うと、ぎこちないながらもリドルがようやく笑みを見せた。

「少しでも足しになればと思って、筋肉と骨にいい食材を調べてきたんだ」リドルはポケットから畳んだ紙を取り出した。「トレイ。このリストにあるものを毎日食べて、早く怪我を治すように」

「わかったわかった。努力するよ」

ゆっくりと休息をとってもらおうと、全員でトレイの部屋を出る。ドアが閉まるとデュースとエースが一緒に口を開いた。

「なあ、さっきの寮長の話を聞いて思ったんだが……」

「今朝ユウが言ったことと、なんか関係ありそうじゃね？」

「うん。僕もそう思ってた」優也は二人の言葉に頷いて、グリムを見る。「これってやっぱり……」

「ユウちゃんの話？　どういうこと？」

優也ははっと振り返った。ケイトとリドルが不思議そうな顔をしている。いたずらに騒ぎを広めるつもりはないが、リドルは既に事件の当事者だ。リドル、トレイと仲の深いケイトにも今後協力を求めることがあるかもしれない。学園長の話は二人にも伝えておいた方が良いだろう。

優也が「少し長い話になるんですが」と言うと、リドルが頷いた。

「わかった。それなら談話室に行こう。どうやら複雑な話のようだし、他の生徒たちには席を外させるよ」

全員でハーツラビュル寮の談話室に移動する。広さはオンボロ寮の談話室と同じか、それより少し大きいぐらいだったが、こちらの方が比べるまでもなく豪華だ。大きな暖炉、赤いダマスク模様の壁紙、同じく真紅で染められた革のソファ。それだけだと古めかしい印象を受けるかもしれないが、談話室の半分ほどはガラスで覆われ、大きなサンルームのようになっている。

ガラスに向かう形でソファに腰掛けると、庭に並ぶ薔薇(ばら)の木がよく見えた。今は陽が落ちて仄(ほの)かな明かりだけだが、昼間なら燦々(さんさん)と日光が入り込み、爽やかな雰囲気になることだろう。

出された紅茶をすぐに手に取ったグリムの横で、優也は学園長から依頼があったことや聞き込み調査の結果を話した。説明を終えた頃には優也の分の紅茶もほどよく冷めて、グリムによって空にされていた。

「……なるほどね」

長い沈黙の後、リドルが言った。ケイトとともに険しい顔をしている。

「怪我人が出たという話は、他の寮長からも聞いてはいたんだ。どうも頻度がおかしいと思っていたが、まさかそれほどの事態になっているとは」

「選手候補ばっかりが怪我するって不自然だし、リドルくんに限ってうっかり階段から落ちるってことはないよね。ってことは……」

再び沈黙が流れる。ケイトが最後まで言わなくても、これが何を意味するかは優也も、他のみんなもわかっていた。

やはり一連の怪我は単なる事故ではない。どこかに選手を狙って、この事件を引き起こした犯人がいるのだ。

恐れていた通りの事態になってしまった。

「おいユウ、大丈夫か？」

エースに声をかけられてはっとする。心配されるほど酷い顔色をしていたらしい。

優也は大丈夫だと答えながら、弱気を振り払うように数度首を振って正面に座るリドルを見た。一刻も早い解決のために、事件の時の状況を彼から聞かなければならない。

リドルとこんなに近くでゆっくり話すのは、オーバーブロットの後に開かれたお茶会の時以来だ。見た目はもうすっかり元の通りで、元気そうに見える。ケイトが言うにはだいぶ雰囲気が丸くなったということだが、相変わらず緊張感の漂う人だと思った。

「ええっと、階段から落ちそうになった時の話を聞かせてもらえますか？」

「そうだね……少なくとも、足をかけられたり背中を押されたりといった、物理的な違和感は感じなかったな。なんというか、ただ体が勝手に動いたような感覚だったんだ」

リドルの証言を聞いたグリムが「他のヤツと同じじゃねえか」と白けた顔をする。

「どうして怪我をしそうになったかはわかんねえってことだろ？　オレ様は犯人を知りたいのに、そんなあやふやな話じゃ役に立たねーんだゾ」

「確かに犯人は特定できないし、ボクを階段から落とそうとした手段もわからない。でも選手候補を狙っている以上、犯人の狙いは明らかだ」

リドルは一口紅茶を飲んで、音も立てずソーサーにカップを戻した。

「犯人は、マジカルシフト大会でのライバルを減らすために、強そうな選手を狙っているんだ。世界中が注目する大会だし、それぐらいのことをする奴がいてもおかしくない」

「でも、マジフト大会に恨みを持つやつの犯行って可能性もあるんじゃないですか」デュースが低い声を出した。「気に食わない大会を台無しにしてやるって考えたとか」

「それなら狙う相手が違うよ」

リドルがふっと涼しげに笑った。

「質を問わなければ選手はいくらでもいるんだから、大会そのものを破壊したいなら実行委員や主催の学園長を狙うべきだ……できるかどうかはともかくね」

デュースは「なるほど」と頷いた。

「マジフト大会でライバルになるヤツを狙う……あ！　じゃあ誰も怪我人が出ていない寮を捜せばいいんじゃや？」

「犯人もそこはちゃんと考えているみたい」ケイトがスマートフォンから顔を上げた。「今ざっとマジカメで情報を探ってみたんだけど、全部の寮から怪我人が出てる。怪しまれないためのカモフラージュかもね」

リドルが「そもそも」と顔色を変えずに口を開く。

「ライバルとなるのが他寮の者だけとは限らないよ。寮の威信をかけている以上、あり得ないとは思うが……犯人は、自らがマジフト大会に出るために同じ寮の選手を狙っている不届き者という可能性もある」

「やだー。リドルくん、怖いこと言わないで」

冗談めかしてケイトは言ったが、目は笑っていない。仲間であるはずの寮内に犯人がいるとは、誰も考えたくないだろう。

疑えば疑うだけ怪しい人が増えていく。あれこれと考えてみたが、犯人を絞り込むことはできなかった。手口がわからず、犯人となり得る者が多すぎるのだ。

お手上げ状態となった優也に、リドルが助言をくれた。

「犯人を捕まえるためには、こちらが先手を打つしかない」

「先手？」グリムが首をひねった。「そんな簡単に言われても、どうすりゃいいんだゾ？」

「次に狙われそうな生徒を見張るんだよ。そうすれば犯人の手口がわかるだろう？　それにひょっとすれば現場でその不届き者に遭遇できるかもしれない」

確かに犯人の先回りをすることができれば、色々とわかることは多そうだ。それに運が良ければ誰かの怪我を未然に防ぐことができる。

いい案だと思ったが、優也には心配なことが一つあった。

「すみません、僕は学園に知り合いがほとんどいなくて……誰が狙われそうなのかがわからないんです」

「そこはけーくんに任せてよ」ケイトがスマートフォンを振った。「選手候補の情報ならどこの寮もバッチリ揃ってるからさ♪　とりま狙われそうな人を教えてあげるね」

「ケイトは情報通なんだ。他の寮のことでも学年のことでも、よく知っているんだよ」

リドルがこれほど言うのなら、よほどの精度なのだろう。ケイトは「それほどでも」と八重歯を見せて笑った。

「んじゃ、後は教えてもらったヤツを見張るだけだな！」

「うん、そうだね」

グリムと頷き合って、リドルとケイトに頭を下げる。

「お二人ともありがとうございます。教えてもらった人をしっかり見張って、何か犯人に繋がることがないか調べます」

「あれ、意外。ビビらねえの？」エースが首を捻った。「ユウのことだから、こんな事件に巻き込まれたくないーとか言うかと思ったのに」

「確かに怖いけど、もう学園長と約束しちゃったし…………僕が先に解決できていたら、トレイ先輩が怪我をしないで済んだかもしれないって思うと……」

「ユウのせいではないよ。責任は全部ボクにある」

リドルはそう言ったが、優也は「いいえ」と固い決意で首を振った。

「それにこんな酷い事件、一日でも早く解決したいです」

グリムがこんなにやる気を見せている以上、パートナーの優也とてもはや他人事ではない。これからマジカルシフト大会まで常に争い事がつきまとうなんて、絶対に嫌だ。到底耐えられない。

だから少しでも早く解決したいのだと優也が言うと、「そういうことかい」とリドルが呆れていた。そして少し笑って、肩をすくめる。

「理由はともかく、キミの意気込みはわかったよ。ユウ、それにグリム。ボクも犯人捜しに協力しよう」

「リドルくん、気が合うね。オレもそう言おうと思ってたとこ♪」

「本当ですか！」

リドルとケイトの申し出に優也は思わず腰を上げる。リドルと目配せをしたケイトは、気負わない様子でウィンクをした。

「寮生が狙われたっていうのに、黙ってるわけにはいかないしね。精いっぱい、お手伝いいたしましょう！」

先輩たちに手伝ってもらえるならこんなに心強いことはない。優也が何度もお礼を言っていると、突然エースが手を挙げた。

「はーい。オレも手伝ってやるよ」

「えっ⁉」

優也はさっきよりもっと大きな声で驚いてしまった。

「僕も協力するぞ。クローバー先輩のお礼参りだろ？」

「デュースまで……」

思わず二人をまじまじと見てしまう。今朝はっきりと「手伝いたくない」と言ったエースの言葉とは思えないし、デュースもただ敵討ちをするにしてはやけに張り切っているように見える。

「なんか怪しいんだゾ」とグリムも怪しんでいたが、エースはしれっと肩をすくめた。

「いやー、困ったときはお互い様、的な？」

「あ、わかった」ケイトはにやっと笑った。「さては二人とも、空いた選手枠を狙ってるな？　寮長にいいところをアピールしようって作戦でしょ」

「あ、バレました？」

「い、いいや。僕は違いますよ。ただ卑怯な真似をするやつが許せないってだけで！」

少しも悪びれないエースと対照的に、デュースは「そんなことは考えていない」と首を振ったが、その慌てようは肯定しているも同然だった。

リドルが「やれやれ」と首を振る。

「そんな動機とは、感心して損をした。まあ、活躍によっては選手選びの際に考慮してあげてもいいよ」

エースとデュースは二人揃って「やった！」と拳を握った。理由はともかく、手伝ってくれるのはありがたいと優也は苦笑する。グリムも意気込んで両腕を上げた。

「んじゃさっそく明日から張り込み開始なんだゾ！」

「そうだね。放課後に選手候補を見張ろう」

リドルの言葉に全員が頷く。

「とはいえ、一人で行動するのは危険だ。なにせ相手は手段を巧妙に隠して何人にも怪我を負わせた凶悪犯なんだからね。犯人に対峙する可能性を考えて、複数人で行動しよう」

そのてきぱきとした説明に感動してしまう。談話室に来てからずっと、リドルの話は根拠に基づいた強い説得力がある。

強力な助っ人が現れてくれたものだ。優也が新しく注がれた紅茶をありがたく飲んでいると、思わぬ言葉が耳に飛び込んできた。

「ユウはボクと行動しよう」

「えっ。『ユウはボクと』？」

優也はぽかんとした顔でリドルを見て、彼の言葉を繰り返した。

「それは、もしかして二人で調査をするってことですか」

「そうだよ。一番いい組み合わせだろう」

「えっ、いえでも、えっと……僕は魔法が使えないし、ご迷惑をおかけしてしまうと思います」

「だからこそボクと組むんだよ。魔力や学園への理解度が一番高いボクがキミを補う形で一緒に行動するのが、今回の作戦における最適解だ」

「でも他の人とでも大丈夫じゃないかと」

一人、二人と立てる指を増やしながら、リドルは淡々と説明した。

「ケイトはグリムとペアだ。ケイトならどんな相手とでも上手く連携をとれるだろうし、言動に不安のあるグリムを上手くカバーできる。残るエースとデュースには、二人で寮の仕事を分担し合いながら調査をしてもらうよ。上学年はマジフト大会の準備で忙しくなって、一年生はなにかと寮の仕事が多くなる時期だからね」

やはりリドルの言うことには筋が通っている。しかし斟酌というものが少しもない。優也は頭を抱えたくなった。

これまでリドルと優也が交わした言葉は多くない。そしてそのわずかな会話の大部分さえ友好的とは言いがたいものだ。それなのに突然二人きりになって、どう接すればいいと言うのだろう。エースやデュースにするように気軽に話しかけるのははばかられるし、トレイやケイトのように向こうから優しく話しかけてくれるとも思えない。

「何か異論でもあるのかい」

口ごもる優也にリドルは不思議そうな顔をした。これほど露骨な態度をとってしまったというのに、嫌がられていることに少しも気付いていない。

正直に言ってしまえば、優也はリドルに恐れを抱いている。リドルが暴君と呼ばれていた頃より今の方が、むしろその思いは強いかもしれない。オーバーブロットした彼の姿を見たせいだ。

人間とはあんなにも強い怒りや悲しみを抱けるものなのだろうか。衝突を避けて穏やかに生きてきた優也にとって、リドルという人間はあまりに苛烈で、理解しがたい。

ほんの一カ月前に対立した者についてリドルは何も思わないのだろうか。二人になるのが気まずいと思うのは自分だけなのか? 優也は助けを求めてデュースとエースを見たが二人とも肩をすくめている。声は出さないが、口の動きでなんと言っているかはわかった。

「悪い、ユウ」

「止められそうにねーわ」

「そんな」と慌てて隣に座るグリムを見るが、先ほど紅茶とともに出てきたクッキーに夢中だった。幸せそうに頬を膨らませて、優也の話など聞いてもいない。

残るケイトはといえば、リドルの横に座ったまま、困ったような顔で笑っていた。

「うーん、まいったな。でもまあ、リドルくんがどうしてもそうしたいって言うなら……」

リドルが力強く頷くとケイトはまた苦笑する。仕方がないね、とでも言いたげに優也を見てウィンクした。

「確かにユウちゃんの安全や効率を考えると、その組み合わせが一番いいかも。グリちゃんのことはオレに任せてよ」

「よし。キミたちも異論ないね?」

「しょうがねえな。オレ様がケイトの面倒を見てやるんだゾ」

「うーっす!　了解です」

うろたえる優也を横目にエースが元気よく返事をした。さっきからずっと口元がにやけているのは、優也とリドルの組み合わせを面白がっているからだろう。

「ではそろそろ解散だ。明日に備えて全員しっかり休むように」

待ち合わせの場所を決めて作戦会議が終わる。事態は進展したが、優也は肩を落としてハーツラビュルを後にした。

◆◆◆

「やあ、ユウ。時間ぴったりに来たね」

「はい。よろしくお願いします」

授業を終えて中庭で落ち合ったリドルは、昨日と同じようにハキハキと大きな声で喋った。ただの挨拶に気圧され、優也は緊張しながら頭を下げる。

「それじゃあさっそく調査を開始しよう」

リドルが取り出したスマートフォンを一緒に見る。ケイトから送られたリストにはいくつかの名前が載っており、一行目にはこう書かれていた。

『☆オクタヴィネル寮、二年のジェイド&フロイド・リーチ兄弟。連係攻撃が強力で、対戦相手の寮が手を焼いたとの情報アリ』

たちまちリドルが顔をしかめ、優也の心臓がびくりと跳ねた。理由はわからないが、柔らかそうな眉間に深い皺が刻まれている。

「どうかしましたか」

恐る恐る聞くと、リドルは「あの二人はどっちも厄介なんだよ」と忌々しそうに言った。

「ジェイド・リーチとフロイド・リーチ。二年生にいる双子の生徒だ。ジェイドはオクタヴィネルの副寮長をしていて、ボクと同じクラス。慇懃無礼という言葉がぴったりな食えない男だよ。フロイドの方は……まあ、見ればわかる」

ケイトの情報によると、この時間二人は学園内にある運動場で練習をしているそうだ。寮ごとに決められた練習時間があり、現在オクタヴィネル寮の選手候補は全員そこにいるらしい。リドルとともに運動場に向かう。

ナイトレイブンカレッジの運動場は正門の近く、体育館の隣にあるので、本校舎からは遠い。運動場自体も青い芝生が広々と展開されており、目を凝らさなければ端を見ることもできない。おまけに奥には馬術部が使用する厩舎まで設置されている。

歩いている間は二人とも無言だったが、体育館が見えてくると「最初に言っておくことがある」とリドルが口を開いた。

「ジェイドとフロイドを見つけても声をかけずに様子を見よう。いいかい、穏便に事を済ませたいのなら間違っても彼らに気付かれないように」

事件のことを無闇に広めないためだろうか。それにリストの人々を怖がらせないためにも、本人に直接「怪我をする可能性がある」などと伝えるべきではないだろう。良い心遣いだと思って頷き、二人で体育館の裏に隠れる。

「あそこに、一際背の高い二人組がいるだろう」

リドルが指さしたグラウンドには、確かに頭一つ飛び抜けた生徒が並んでいた。どちらも運動着姿で親密そうに何かを話している。

「右にいるのがジェイド、左にいるのがフロイドだ」

「双子とは聞きましたけど、本当にちょうど同じぐらいの体格ですね。ここからじゃ見分けがつきません」

「近くで見ても、初見ではどちらがどちらか区別がつかないと思うよ」

片方の生徒は箒を持っている。もう片方は箒ではなく小さな何かを振っていて、手元のそれにキラッと日の光が反射した。恐らく持っているのはマジカルペンだろう。魔法でディスクが飛んでいくのが見えた。

「ふむ。今のところ不審な者は見えず。対象に異常なし」

リドルはそう言うと、再度スマートフォンに目を落とした。

「しかし……リストに載っていたから来てはみたけれど、本当にこの二人を警護する必要があるんだろうか。いささか疑問だね」

「選手になりそうにないってことですか？」

「いや、ケイトの情報自体は間違っていない。ただ、あの二人に手を出す者はそうそういないんじゃないかと思うんだ」

どういう意味か考えていると、片方の生徒がこちらを向いた。優也たちはすぐにしゃがんで隠れたが一歩遅かったようで、「あー！」とグラウンドに響くほどの大声が上がった。

「そこにいるの、金魚ちゃんじゃない？」

「しまった……見つかった」

リドルが心底嫌そうな顔をした。声を上げた彼は長い足ですたすたとこちらに向かってくる。

「こんなとこで何してんの？　かくれんぼ？　ダメじゃん。そんな目立つ頭してるんだから、やるならもっとちゃんと隠れないと」

あっという間に目の前にやって来た男をそろりと見上げる。近くで改めて見ると、ぎょっとするほどに背が高かった。細身の体のせいか余計に長身に感じる。

ターコイズブルーの髪は、右の一房だけが黒く長い。その隙間から覗いた目は金色に輝いていた。反対側の左目はオリーブのような薄い緑色で、太陽の下だと透き通って見える。

左右で色の異なる、眠たそうな目が眇められた。

「んで？　こっちは誰」

「こ、こんにちは」

見られているだけで背中に冷や汗が流れる。背丈のせいなのか、のみ込まれてしまいそうな雰囲気だ。

「はじめまして。一年生のユウです」

「ユウ……あ、カニちゃんが言ってたオンボロ寮のヤツ？」男の威圧感がふっと消えた。「ふーん。噂聞いてどんなヤツかと思ってたんだけど、なんかフツーそうでガッカリ」

「カニちゃん……?」

「そ。カニちゃん。バスケ部で一緒なんだよねえ」

言っている内容がいまいちわからない。そもそも、人に理解させようという気がないように感じる。

助けを求めてリドルを見ると、大きなため息とともに「恐らくエースのことだよ」と言われた。

「彼がバスケ部に入って大変な思いをしていると聞いたことがあるからね。フロイドは人に変なあだ名を付けるという悪癖があるんだ」

「金魚ちゃんは小さくて赤いから金魚で、カニちゃんはオレンジの髪が横にツンツンしてるからカニちゃんじゃん。ピッタリでしょ?」

もしやエースが言っていた『癖の強い先輩』とはこのフロイドのことだろうか。気分屋で、理不尽で、とても怖い先輩がいると何度も聞かされたことがある。

ひとしきりリドルとフロイドが言い合っていると、もう一人の男もこちらにやって来た。

「リドルさんにオンボロ寮の一年生さんではありませんか」

こちらの男はフロイドとは反対に左の髪が長く、金色の目をしていた。そして右目は、あの若いオリーブの色。見事に二人で左右対称だ。

「お初にお目にかかります。僕はジェイド・リーチと申します」

「あ、はじめまして。僕は……」

「ユウさんでしょう。お噂はかねがね。話題の新入生にお会いできて光栄です」

どうぞお見知りおきを、とジェイドは胸に手を当てて腰を曲げた。非常に丁寧な挨拶で、穏やかな物腰だ。フロイドによって高められた緊張感が一気に緩む。

ほっと力を抜いた優也に、ジェイドがにっこり微笑んだ。

「ところで、リドルさんとユウさんはここで何を？　各寮の練習内容はマジフト大会において秘匿性の高い情報なのですが」

ジェイドは顎に手を当てて眉をハの字に下げた。困惑を示すそれとは裏腹に、口が裂けたのかと思うほど、笑みが深く横に広がる。

「もしやスパイ行為でしょうか。困りました……大人しそうな顔をして、怖いことをお考えになりますね」

「いえっ、滅相もないです！」

優也がブンブンと首を振ると、ジェイドが表情を変えずに詰め寄る。口調は丁寧なままなのに、目は少しも笑っていない。

「では理由をお伺いしても？」

「それは、ちょっと言えないんですけど……でもスパイじゃないんです」

「おや」ジェイドは目を丸くした。「理由が言えないとは、ますます怪しいですね。今すぐ寮長に報告しなければならないかもしれません」

「なあに、コイツら悪巧みしてんの？　そんならオレがギュッて絞めていい？」

「し、絞める？」

物騒な言葉に震えると、フロイドもまた大きな口でにいっと笑った。

「そ、絞めるの。思いっきりギュ～ッてしたら……隠してることも正直に喋りたくなるんじゃね？」

二人は並んで優也とリドルを見下ろしている。双子というだけあってそっくりだと優也は戦慄した。外見だけでなく、纏う危険な空気までよく似ている。直接的な暴力や暴言とは違う、だからこそ恐ろしくなる寒々しい雰囲気が、フロイドとジェイドにはある。

「やっぱりだ！」

じりじりと後退する優也の前に立ったリドルが、二人を睨み上げて怒鳴った。

「キミたちのように陰湿な者に手を出す人間がいるとは思えない。どんな報復をされるかわかったものじゃないんだからね」

「なんの話？」フロイドが嬉しそうに右耳のピアスを触った。「っていうか、急に褒められたら照れんだけど」

「褒めていないよ！」

リドルが初めに嫌そうな顔をしていた意味がよくわかった。頑固なリドルと気分屋なフロイドは、相性が良くないのだろう。

反論をかわされたリドルが一方的に苛立ちを募らせている。フロイドの方はあえて挑発しているように見えた。とても楽しそうで、リドルと喧嘩をしたがっているとしか思えないような態度だ。

「金魚ちゃんってば、いつもそんなプリプリ怒って疲れねぇの？」

「誰のせいで怒っているとお思いだい。キミには一度、常識というものを教えてあげないといけないようだね」

「アハッ、口だけは威勢いいじゃん。でも今の弱った金魚ちゃんを相手にしてもつまんねぇしなー」

「ボクが弱っているだって？」

リドルの顔がみるみるうちに怒りで赤くなる。

「そうか、キミにはそう見えるのか。その目が節穴だってことを、思い知らせてあげよう！」

「リドル先輩。待ってください！」

仲裁に入ろうとした優也の前に、ジェイドが「まあまあ」と立ち塞がった。

「良いじゃありませんか。二人とも楽しそうにしていますし」

そう言うジェイドの方こそ誰よりも楽しそうな顔で、二人の喧嘩を観察している。

今にも取っ組み合いが始まりそうな雰囲気に、優也は両手で拳を握った。リドルが一際声を荒らげたとき、勇気を振り絞ってそれよりも大きな声を上げる。

「すみません、色々と勘違いでした！」

「は？　勘違い？　なにが」

怪訝な顔をするフロイドに愛想笑いをし、面白そうにこちらを見ているジェイドにも何度も頭を下げて話を誤魔化す。リドルの制服を摑んで引っ張った。

「リドル先輩、行きましょう。時間もないですし」

「……そうだね。これ以上ここにいても時間の無駄だ」

二人で足早に運動場を立ち去る。止められたらどうしようかとハラハラしていたが、ジェイドもフロイドも追ってくる様子はなかった。ただ背後からくすくすと不気味な笑い声がする。

「あーあ。もう行っちゃうの？　つまんね」

「ふふ、いい休憩になりましたね」

なぜかずっと近くで聞こえているような気がして、とても振り返ることができない。メインストリートまで来て、「無事に逃げられて本当によかった」と優也はようやく胸をなで下ろした。

「すまない、止めてくれて助かったよ。つい熱くなってしまった」

リドルが不機嫌そうに髪を搔き上げた。

「あの二人は一年の時から得体が知れなくて苦手なんだ。関わるといつもろくなことにならない」

「そうなんですね」と頷きながらも、優也は先行きが不安で仕方がなかった。

オーバーブロットを経て、最近のリドルは随分と優しくなったとケイトが言っていた。トレイも嬉しそうに頷いていたので、これまでと比べると明らかな違いがあるのだろう。しかしさっきのフロイドに対する態度で柔和になったと言うのであれば、以前のリドルの気性はどれほど荒々しいものだったというのか。優也にはもはや想像もできない。

「ジェイドとフロイドの調査はここまでだ。次の対象の調査に行こう」

目の前の華奢な男への恐怖心を募らせながら、優也はリストに書かれた次の項目を見た。

『☆ディアソムニア寮、二年のシルバーくん。キラキラ王子様系の見た目を裏切るパワープレーで注目度急上昇中！』

「次はディアソムニアか」スマホを片手にリドルが呟く。「マレウス先輩がいるからどうしても他の選手は影が薄くなるけど、確かにシルバーは力と体力もあるし選手に選ばれてもおかしくないね」

「今度の人もお知り合いですか？」

優也は不安な思いで尋ねたが、リドルの反応は先ほどとは反対だった。

「シルバーはボクと同じ、馬術部の部員なんだ。練習態度もきちんとしていて勤勉な生徒だよ。あれで居眠り癖さえなければもっと評価できるのだけれど」

最後に苦言は忘れないが表情は柔らかい。シルバーという生徒は非常に真面目な人なのだろう。

シルバーは日頃から体をよく鍛えているそうで、放課後に部活がないときも鍛錬をしているそうだ。場所は様々だが、学園の裏にある森の中にいることが多いらしい。

リドルとともに森に向かうと、大きく枝を伸ばす林檎の木の向こうに人影があった。共に隠れたリドルがしたり顔で頷く。

「やはりボクの読み通りだった。あそこにいるのがシルバーだよ」

小声で示した先では、銀色の髪を持つ男が一心不乱に剣を振っていた。刀身は黒く刃先がないので、持っているのは模擬刀のようなものだろう。近くの木々に集まった小鳥たちのさえずりが聞こえる。

「こんなところで、一人だけでトレーニングをしてるんですか?」

「一年生のセベク・ジグボルトがいることも多いのだけれど、今日はいないようだね。シルバーとセベクは同じ寮で同郷、それに部活も同じなんだ。あとはよく、三年生のリリア先輩と一緒にいるところを見る。みんなマレウス先輩と同じ茨の谷出身だ」

「こんなところで何をしておるんじゃ?」

「うわあっ!」

突然耳元で見知らぬ声がして、優也は飛び退いた。

「くふふ、良いリアクションじゃのう」

いつの間に近づいたのか、背後に小柄な少年が立っていた。切り揃えられた前髪に、ショッキングピンクのメッシュがよく目立つ。さすがのリドルも驚いたのか胸元を押さえていた。

「リリア先輩……突然気配もなく現れないでください!」

「すまん、すまん。二人が何をしているのかつい気になって」

リドルがリリアと呼んだ男が茶目っ気たっぷりに笑う。どこかで見覚えがあると思ったが、入学式でも会った人だと優也は思い出した。そのときもこんなふうに突然現れて学園長を驚かせていた。彼は確かディアソムニアの副寮長ではなかっただろうか。

「気配がすると思ったらリドルだったのか。こんなところで何をしているんだ」

優也たちの声を聞きつけてシルバーもこちらにやって来る。

事情を話すべきだろうか。それとも正直に話せばやはり余計な不安を煽ってしまうだろうか。迷う優也を目で制し、リドルは「大したことではないよ」と言った。手のひらを向けて優也を二人の前に案内する。

「たまたま通りかかったんだ。ここにいるユウが、ナイトレイブンカレッジの歴史を知りたいとボクのところに来てね。この森を案内してあげていたところだ」

「そうか。二人とも感心なことだ」

真面目な顔で答えるシルバーに突然影がさす。優也が空を見上げると、小さな鳥たちがくちばしで摘んだタオルを運んでくるところだった。シルバーは「ありがとう」と自然な動作でそれを受け取り、トレーニングで汗の滲んだ額を拭う。鳥が返事をするように一声鳴いた。

これも何かの魔法だろうか。見とれていると、優也の紹介をリドルから聞き終えたシルバーが「なるほど」と言ってこちらを見つめた。

「見知らぬ土地では苦労するだろう。俺も力になる。何かあれば言ってくれ」

必要最低限の言葉だけだったが、温かく頼もしい声だ。小鳥たちに接する態度を見ても、優しい人なのだということがわかる。

「ありがとうございます」

優也がしみじみと礼を言うと、シルバーが深く、力強く、頷いた。

「そういえば」とリドルが何気ないことのように話を切り出す。このまま調査を続けるつもりらしい。

「最近何か変わったことはあったかい？　気を付けるべきことがあったら、ユウにも教えてあげないとね」

「変わったこと？　特にないな」

シルバーが即答する。話を振られたリリアも何も思い当たらないようだ。「そうじゃのう」と少し考え込んで、すぐににやりと笑った。

「強いて言うなら、お主らが先日の寮長会議に呼び忘れたマレウスが、またへそを曲げておったぐらいじゃ」

「それは……申し訳ありません」リドルがばつの悪そうな顔をする。「次こそ気を付けます」

「そうしてやってくれ。ああ見えてあやつは寂しがり屋なんじゃ」

「マレウス先輩が？　まさか」

リリアの言葉をリドルは鼻で笑った。

「招集を忘れたことは謝罪しますが、あの人が他の魔法士のことを気にしているとは思えません。きっとボクらのことなど歯牙にもかけていませんよ」

話を聞きながら、まだ見ぬマレウス・ドラコニアという生徒について、優也の中で想像が膨らんでいった。

噂を耳にすればするほど規格外の人物であるとわかる。妖精族の次期王。世界屈指の魔法士。たった一人でマジカルシフト大会を制圧した生徒。エースやデュースにも入学してすぐの頃「あの人には近づくな」と言い聞かせられたし、今も折に触れて忠告されるほどだ。

このナイトレイブンカレッジでそこまで恐れられるとは一体どんな人物なのか。幸いにしてまだマレウスに会ったことはないが、どんな恐ろしい姿をしていても驚かないだろう。

しかしシルバーは真剣な顔をして首を振った。

「そんなことはない。マレウス様はとても繊細なお心を持つ方だ。お前たちも一度ゆっくり話をすればわかるだろう」

「うむ、シルバーの言う通りじゃ。わしらは茨の谷におった頃からの仲。わしなんか、マレウスがこーんなに小さい時からよく知っておるんじゃぞ。どんと信じるがよい」

リリアが豆粒を摘むような仕草をする。二人とも三年生ならば同じ年齢のはずだから、きっとリリアなりの冗談なのだろう。快活で愉快な人だ。小さな体に見合わない大きな身振り手振りに優也は思わず笑ってしまった。

「ディアソムニアの皆さんは仲が良いんですね」

自然とそう口にすると、シルバーが「嬉しいが、仲が良いというのは恐れ多いな」とかすかに微笑んだ。

「俺はマレウス様のことを尊敬しているんだ。茨の谷の外でもこうしてお供でき、光栄に思っている」

シルバーの言葉に、リリアはただただ事実であるというように頷いた。そして年齢に見合わぬ老熟した表情で優也とリドルを交互に見る。

「種族や立場の違う者が一堂に集い、共に暮らしを営む。そう考えると学生生活というのも簡単なものではない。わしらがそれを楽しく為すことができているのは、寮長であるマレウスの力あってのことよ。あやつは優れた長じゃ。噂通りの男ではないと、お主も会えばわかるじゃろう」

自分と二つしか歳の離れていない者の言葉とは思えないほど、リリアの口調は落ち着いていた。達観したような顔つきが話により説得力を持たせている。

噂の真偽はわからないが、少なくともリリアにとってマレウスは良い寮長であり、良い王子なのだろう。同郷の二人の様子を見れば、マレウスがただ恐れられるだけではない、強いカリスマ性を持つ人物であるということがわかる。

自分の中にある偏見を咎(とが)められたようで申し訳ない。優也が深々と頷くとリリアは大人びた笑みから一転し、大きく口を開けて笑った。

「ただ人間の文化にまだ慣れておらぬゆえ、時々思わぬ厄介事を引き起こすのは事実。そこは愛嬌(あいきょう)ということで一つ、許してやってくれ！」

そう言って何度も背中を叩かれる。思った以上の力強さに、優也は揺れる頭で「はい」と頷いた。

「……そろそろ行こうか」

少し離れたところに立っていたリドルの声が聞こえた。振り返って「いいんですか？」と言葉に出さずに尋ねると、小さく「ああ」と返事がある。

「シルバーなら大丈夫だろう」

そう耳打ちすると、リドルは二人に「お邪魔しました」と一礼して背を向けた。優也も倣って頭を下げると、リリアとシルバーが手を振ってくれる。

「また、いつでも来てくれ」

「うむ。ディアソムニアに遊びに来ても良いんじゃぞ！」

優也ははにかみ、もう一度挨拶をしてリドルの後を追った。

林檎の森を抜けて開けた場所まで戻ると、時折後ろを見る優也にリドルが言った。

「シルバーを心配しているのかい？」

頷くと「必要ないよ」と落ち着いた口調で答えられる。

「よく考えてみたら、シルバーはセベクやリリア先輩、それにマレウス先輩の側にいることがほとんどだ。あの四人が一緒にいれば容易に手を出せる人はいないだろうし、狙われる可能性は非常に低いと思う」

「なるほど。そういうことだったんですね」

「ああ。時間もないし、次の選手候補の様子を見に行こう」

そう言って制服のポケットに手を入れたリドルは、スマートフォンを取り出しながらふと呟いた。

「いつかマレウス先輩に、良い寮長とはどういうものだと考えているか、聞いてみたいものだね」

優也は「えっ！」と声を上げてしまった。

「なんだい、その顔は」

驚く優也に、リドルは心外だと言わんばかりの顔をする。

「ああ。言っておくけど、マレウス先輩を良い寮長であると言っているわけではないよ。あの人はいつも大切な会議に来ないし、時間にだらしないところがある」

思わず周囲に人がいないか確認してしまう。生徒がほとんど通らない場所にいるとはいえ、誰が聞いているともわからない往来でマレウスへの不満を堂々と口にできるのはさすがリドルだと言わざるを得ない。優也の知っている生徒たちは皆、怖がってそんなことはしない。物事をハッキリと言うエースでさえ警戒している。リドルという人間の自負心がよく表れた言葉だと思った。

「でも、副寮長であるリリア先輩にああまで言われるということは、彼らの間には強い信頼関係が存在しているはずだ。シルバーもマレウス先輩を尊敬していると言っていたし、今のボクが学ぶべき点があると思っている」

　そして今度は少しも表情を変えないまま、マレウスを非難したのと同じ声色で自分の話をする。同意も否定もできず、優也はただ黙ってリドルを見返すことしかできなかった。

「ああ、すまない。関係のないことを話してしまった。ユウに言っても仕方がないのにね」

「いえ、そんな」

　咄嗟に否定しようと思ったが、続けた言葉はどんどん細く不明瞭になり、結局意味のない小さな呻き声として消えてしまう。自ら例の事件に触れるリドルという人間のことが一層わからなくなった。

　相変わらず他人に厳しく、今も以前と変わらず自信に溢れているように見えるのに、その一方でこんな殊勝なことを言ってみせたりもする。どちらが彼の本音なのだろう。何か間違った答えをすれば怒られてしまうのではという怯えで、自然と口が重くなる。優也から返事がないと知り、リドルはスマートフォンに目を戻した。

　次の候補者の名前を読み上げる前に、スマートフォンが短く振動する。

「ん？　メッセージだ。ケイトからだね」

　ケイトからの連絡は、重要な情報を手に入れたのでサバナクロー寮に集合してほしいというものだった。

「サバナクローか」

　リドルが困惑したように呟いた。

「どうかしましたか」

「この後も校舎の周りで調査を進めるつもりだったんだ。サバナクローは広いから、あそこに行ったら想定の時間までに戻れないかもしれない」

サバナクロー寮もハーツラビュル寮も、移動するには鏡舎にある鏡を使う必要がある。別の寮に行ってからハーツラビュルに戻るとなれば確かに時間はかかるだろう。

「この後何か予定があるんですか」

リドルは「ああ」と深刻そうに眉を寄せた。

「ハートの女王の法律第三四六条『午後五時以降は庭でクロッケーをしてはならない』を違反している者がいないか、確認しなければならないんだ」

「あ……法律、ですか」

思わず頬が引きつる。あれほど寮生の反発を招いてなお、リドルにとってハートの女王の法律は依然遵守(じゅんしゅ)すべき規則らしい。

「……もちろん、前とは違ってかなりルールを緩くしているつもりだよ」

優也の表情を見てリドルが付け加える。

「違反者を見つけても、よっぽどでないかぎり口頭注意に止(とど)めるつもりだし、以前のようにすぐに首をはねるようなことはしない」

そう言って、「安心しろ」とばかりに胸を張る。本人の中では改善しているつもりらしい。

優也はぎこちなく相槌(あいづち)を打った。

端から見れば、リドルは今も頑固な寮長のままだ。これではオーバーブロットの件を反省していないとなじられても仕方がないのではないだろうか。そして周囲の人々の心境を考えれば、その反応も一概には非難できないように思えた。リドルが苦労しているであろうことは想像に難くない。

「よし、ケイトに連絡を取った。ユウ、とりあえず鏡舎でみんなと落ち合おう」

踵を返す堂々とした後ろ姿に、優也はおずおずと付いていった。

鏡舎に着くと、ケイトとグリム、エースとデュースの二班が既に集まっている。それまでの沈黙から一転して、たちまち賑やかになった。

「ユウ！　おっせーんだゾ」

「うん、ごめんね」

グリムの憎まれ口にもほっとしてしまう。

「それじゃあ、後はよろしく頼んだよ」

自分の寮に戻るリドルを見送ると、エースとデュースが優也を挟むように近寄って来た。

「で、どうだった？　寮長と二人っきりで過ごすのは」エースがにやにやと笑って優也を肘で突いた。「オレらが普段どれだけ窮屈な思いしてるか、ちょっとはわかったんじゃねーの？」

「窮屈ってわけじゃなかったけど……正直、かなり緊張はしたかな」

「わかる。迫力が半端ないもんな」

デュースが深刻な顔をして頷く。エースは「わかれば良いんだよ」と何故か満足そうだ。

「ユウのところがどんな感じだったかはだいたい予想つくけどさ、グリムのとこはどうだったんだよ。調査は進んだ？」

「当然だ！　オレ様の命令通りにケイトがやったから、調査なんて簡単だったんだゾ」

エースの問いかけに、グリムは腰に手を当ててふんぞり返る。リドルの予想通りケイトが上手くグリムをコントロールしてくれたようだ。さぞいい雰囲気で調査ができたのだろう。優也だけでなくエースとデュースも「羨ましい」とグリムを恨めしげに見た。

リドルがいなくなった途端、意気揚々と話す優也たちを見てケイトは「真面目なのもリドルくんのいいところだよ」と笑う。

「エーデュースコンビの進捗はどうだった？」

「ぜーんぜんダメっす。あとそのエーデュースっていうのやめてください」

ケイトの質問に、エースが憮然（ぶぜん）として答えた。

「リストにあったポムフィオーレのルーク先輩とかいう人のところに行ったんすけど、全然強そうに見えませんでしたよ」

「そう？　ルークくんああ見えてかなりやるんだけど……まあ確かに、狙われるほど目立つ選手って感じではないかなあ」

エースとデュースは、昨日会ったルークの様子を見に行ったらしい。確かにあの柔らかな物腰はあまりスポーツに向いているようには思えない。他にも様々な選手の様子を見に行ったが、変わった点はなかったとのことだった。優也も同じく調査の結果を伝えると、ケイトは「そっかー」と眉を下げた。しかし悲壮感はない。

「オレとグリちゃんも大した収穫はなし。でも、調査中に耳寄りな情報手に入れちゃったんだよね」

そう言ってウィンクをする。

「入学早々、圧倒的なフィジカルで注目を集める期待の新星！　サバナクロー一年生のジャック・ハウルくん。過去のマジフト大会の情報がないからリストを作った時にはノーマークだったんだけど……すごい実力者だって噂を聞いたんだ」

「ジャック？」

デュースがはたと呟いた。心当たりがあるようだ。

「デュースの知り合い？」

「知り合い……って言っても、ほとんど話したことはないけどな。陸上部で一緒なんだ」

陸上部で行っているのは個人競技ばかりだから大した接点はない、とデュースが言った。それぞれが己の記録を高めるために活動しており、部員同士の交流は希薄らしい。

「でも、確かにあいつならマジフトの選手になってもおかしくないな。狼の獣人属で、運動神経がすごいんだ。他の運動部からもスカウトがあったらしいけど、チームプレーが嫌で陸上部に入ったって聞いたことがある」

「チームプレーが嫌いな運動部の実力者？　なんか面倒臭そうなヤツだな」

「まあまあ、会ってみたらわかるでしょ。ってわけで、出発♪」

そう言うと、ケイトはサバナクロー寮に繋がる鏡に飛び込んだ。骨と岩に囲まれた、豪快で少し恐ろしい鏡だ。ためらいを見せないグリムに次いで、優也もえいやと鏡に入る。

鏡の先は、広大な大地だった。端が見えぬほど広がる砂地に、まばらな緑地が存在している。

初めは砂漠のようだと思ったが、不思議と空気は澄んでいて、乾燥もしていなかった。子どもの頃を思い出すような、清々(すがすが)しい草っ原の香りがする。よく見ると遠くに川があり、砂ばかりと思った地面の半分ほどは黄金色の草で覆われている。水平に枝を伸ばした木の下に涼しげな木陰が揺れていた。

「うわ。寮の中にマジフト場があるじゃん！」

エースに言われて高台を見ると、その上に円状のゴールが見えた。観客席の屋根も見える。マジカルシフトの強豪寮らしく、自分たちのスタジアムを持っているようだ。サバナクロー寮が一体どれほどの敷地を持っているのか、いよいよ計り知れない。

「あっちには、ゴツゴツした岩みたいな建物があるんだゾ」

グリムが指さした方向を見ようとして、眩しい太陽に目を眇める。頭上にあるのは雲の少ない空だ。ケイトが手のひらで目元に陰を作りながら言った。

「あれがサバナクローの寮だよ。野性味を感じるっていうかワイルドだよねぇ」

「ウチの寮とは全然雰囲気違うなあ……」

エースがぽかんとして呟くのも無理はない。寮の入り口には巨大な生き物の骨が置かれている。湾曲した大きな牙が二本、寮を訪れる者に向かってそびえていた。

象か、それよりももっと大きい生き物のものだろう。レプリカの飾りにしては並々ならぬ迫力だ。生半可な気持ちでこの寮に立ち入ることは許さないという、サバナクロー寮の勇猛無比な誇りを感じる。入り口からして、ハーツラビュル寮やポムフィオーレ寮とはまた違った趣向だった。

「さてさて。肝心のジャックくんはどこにいるかなー」

「いつも、寮でもトレーニングをしているって話を聞いたことがあります」

デュースもサバナクローに来るのは初めてらしく、物珍しそうに辺りを見ながらケイトに答えた。

「トレーニング？　噂に違わぬ真面目くんだねえ」

「真面目なだけならいいんですけどね……。マジフト場の方にいるかもしれないです。今日は運動場が使えなかったんで、その分走り込みをしているんじゃないかな」

「オッケー！　じゃあこっそり様子を見に行こう」

長い階段を上り、マジカルシフトのフィールドを目指す。サバナクローは何もかも一つ一つの作りが大きい。階段も優也たち全員が横並びになって余裕で上れるほどの広さだ。息が切れ始めた頃にやっと視界が開けた。

「うわっ、ムキムキのヤツらがいっぱいいるんだゾ」

広大なグラウンドでは運動着姿のサバナクロー生たちが汗を流していた。それも両手で数えきれないほどの人数だ。何メートルも離れて向かい合った屈強な生徒たちの間で円盤が飛び交っている。キャッチボールのようにディスクの投げ受けの特訓をしているように見える。

皆集中しているのかこちらにはまだ気付いていない。ケイトが小声で問いかけた。

「デュースちゃん、この中にジャックくんはいる？」

「ええと」とデュースが口を開いたとき、横を小さな影がすり抜けた。

「デラックスメンチカツサンド！」

「えっ。ちょっと待って、グリム！」

なんとグリムが食べ物の名前を叫びながら、フィールドに突進していくではないか。驚いた優也は引き留めようと手を伸ばしたが、四つん這いで駆けていくグリムは逃げ去る猫のように素早く、優也だけでなく誰の制止も間に合わなかった。

「いたっ！　なんだあ!?」

そうしてグリムが体当たりしたのは、痩せた獣人属の生徒。食堂でグリムとパンを交換したラギーだった。

「あれっ、オンボロ寮のモンスターくんじゃないスか」ラギーが脚をさすりながら首をかしげる。「なんでうちの寮にいるの？」

「オレ様のデラックスメンチカツサンド！　あのときはよくもやってくれたな」

「なにかと思えば……まだあのときのこと根に持ってるんスか？　しつこいなあ」

　ラギーは鼻で笑った。

「この世は弱肉強食。自分の食い物ぐらい自分で守らなくてどうすんの？　恨むんなら、まんまと食いぶち奪われた間抜けな自分を恨むことッスね」

「なんだと！　開き直りやがって、絶対に許さねえんだゾ」

「あーあー。アイツ、食べ物の恨みのせいで何のためにここに来たか忘れてねえ？」

　懲りずに食ってかかるグリムにエースが呆れていた。

　あのときの落胆のほどを見ていれば恨みの深さも理解はできるが、これではこっそり調査をするどころではない。案の定、騒ぎを聞きつけたサバナクロー生たちが集まってきた。

「なんだ、このちんちくりんは」

　首根っこを掴まれそうになり、グリムは「なにすんだ」と優也の足元まで逃げ戻った。

「もしかして噂のオンボロ寮の奴か？」背の高いその生徒は、グリムから優也へと視線を移す。「ってことは後ろにいるのは、オーバーブロットを止めたっていう……」

「それにハーツラビュルの奴らもいるじゃねえか。どうしてここに他寮の奴らがいるんだ」

　優也たちを取り囲む生徒は、ヒトも獣人属もみな体格が良く、寮カラーである濃い黄色のTシャツが筋肉で張り上がっていた。年齢に対して平均的な体つきをしている優也と比べると、あらゆる部位の大きさが二倍は違っているように見える。

　木の幹のような腕を組んだ獣人属の生徒が獰猛（どうもう）に笑う。歪んだ唇の間から鋭い牙が見えた。

「サバナクローのフィールドまで乗り込んでくるとは良い度胸だ。俺たちの縄張りにずかずか踏み込んで、無事に帰れるとは思ってねえだろうなあ」

「すみません！　お邪魔するつもりはなかったんです」

優也は何度も深く頭を下げたが、ラギーは無慈悲に「いやいや」と首を振った。

「そっちからつっかかってきたのに、今更それはないでしょ。ぶつかってきた落とし前はちゃんとつけてもらわないと」

わざとらしくグリムがぶつかった太ももを擦りながら、ラギーがにじり寄ってくる。デュースが拳を構えるのが見えた。今にも飛びかかろうとするグリムを、優也は必死に両手で押さえている。いつ喧嘩が始まってもおかしくない雰囲気だ。

「なんとか、逃げる方法を探さないと」

優也がわなわなくと、エースとケイトも「賛成」と頷いた。

「そうだね。デュースちゃんとグリムちゃんはやる気みたいだけど、このままじゃ勝ち目はなさそうだし……」

活路を探してケイトが視線を彷徨わせていると、集まったサバナクローの寮生たちがざわめき始めた。生徒たちの中からどこかで聞いたことのある声がする。

「おい。何騒いでるんだ、テメェら」

さっと分かれた群衆の中から現れたのは、小さな獣の耳を持つ褐色肌の男だった。ラギー同様、彼にも以前デュースとともに会ったことがある。サバナクローの寮長。ライオンの獣人属のレオナだ。以前の寮服とは違い今は運動着姿で、ジャージの上着を緩く腰にくくりつけている。長い髪が無造作に結ばれ、ほどけ落ちた部分はシャープな頬に張り付いていた。

　優也とデュースはもちろん、レオナと面識のないはずのエースやグリムでさえ、息をのんだ気配があった。確かにはっとするほど美しい顔立ちをしているが、その雄々しい美貌だけが理由ではない。服装は周囲の生徒たちと変わらないのに、レオナには明らかに他とは異なる風格がある。たとえ何十人、何百人の中に埋もれたとしても、この人はすぐに見つけられるだろう。佇(たたず)むだけで場を掌握(しょうあく)する威圧感がある。

「テメェらに遊ぶ暇があるのか？　真面目に練習しねぇなら選手に指名されることはないと思え」

　その鋭い眼光に寮生たちはたちまち黙り込んだが、ラギーだけはヘラッと笑い、レオナに小走りで近づいた。

「レオナさん、違うんスよー。サボってたわけじゃなく、ちょっとトラブルがあって」ラギーは腰を曲げて、後ろにいる優也たちを両手で示した。「コイツらを見てください。乗り込んできて、いきなりオレらに絡んできたんス」

　まるで獲物を献上するかのような恭(うやうや)しい仕草だったが、肝心の主は捧げ物に興味がないらしい。気のない素振りでこちらに首を傾けて、レオナは傷跡によって少し欠けた左の眉をついと持ち上げる。

「ケイトじゃねぇか。ここで何してる」

「やほ、レオナくん。ちょーっと野暮用ってとこかな」

同じ三年生だからなのか、二人には面識があるようだ。手を振るケイトを鼻先であしらい、レオナは冷たく笑った。

「野暮用ね、そりゃ羨ましい。俺なら時間も惜しんでマジフト大会に向けた練習をするところだが、そちらさんは随分と余裕があるんだなア」

あからさまな皮肉にケイトも失笑する。ここぞとばかりに、サバナクローの生徒たちが訴えた。

「寮長、こいつらきっとうちの寮の偵察に来たんですよ」

「縄張り荒らされて、簡単に帰すわけにはいかねえ！」

「サバナクローの怖さ、このよそ者たちに教えてやりましょう」

額に青筋を立てた寮生を見て、レオナは深々とため息を吐く。

「全く、血の気の多い……本当にしょうがねえ奴らだな」

周囲の熱気をよそに、レオナだけが一人、ゆっくりと落ち着いていた。彼の周りは静かで、纏う空気でさえ煮詰められたように重たく見える。

これほど冷静なレオナならば、こちらの事情を理解して、無事にここから帰してくれるかもしれない。そんな期待を込めて優也はケイトを見たが、彼は予想外に険しい目をしていた。レオナが現れる前にはあった余裕が完全に消え失せている。

「どうかしたんですか」とたじろぐ優也たちを振り返らずに呟いた。

「残念なんだけど、レオナくんが出てきた以上もう逃げられそうにないかも」

「ああ。お前みたいに物わかりの良い奴は嫌いじゃない」

レオナが腰をかがめてケイトの顔を覗き込む。そしてデュース、エース、優也とグリムと一人一人の顔を順番に見渡し、笑った。

「話を聞いてみりゃ、先にこいつらを刺激したのはそっちらしいな。俺はお前らに恨みがあるわけじゃないが、物事にはけじめってやつが必要だと思わねえか？」

無関心と許容は別の物だ。かつて一度は自分たちを助けてくれたレオナだったが、それが寛容さによるものでなかったことを優也は今更思い知った。

「ひ弱なネズミに鼻先くすぐられて、おめおめと逃がした腰抜けだなんて思われちゃ、俺も困るんだよ」

レオナは優也たちに興味を持っていない。視野に入れる価値もないと思っているのだろう。しかしだからといって、無礼を許してくれるほど優しいとは限らない。

「で、でもそれで喧嘩なんて」震える声で、優也はしどろもどろに逃げ道を探した。「先生たちに知られたら大切なマジフトの大会に出られなくなるかもしれません。やめた方が良いと思います」

「喧嘩？」

レオナがきょとんとした顔で耳を立たせる。すぐに小さく肩を揺らした。

「おいおい、人聞きの悪いことを言うなよ。俺はただ、マジフトで稽古をつけてやろうって思っただけだぜ」

「マジフトで？」

首をかしげる優也たちに、周囲の寮生たちもくすくすと笑い始める。笑い声はさざ波のように徐々に大きくなっていった。

「シシシッ！」ラギーの笑い声は、体から空気が逃げ出したような、独特の音だ。「レオナさんってば意地悪ッスねえ。こんな弱そうな奴ら、ワンゲームと保たないッスよ」

「なんだと。そこまで言われちゃ引き下がってられねえんだゾ。オレ様がオマエらをコテンパンに負かしてやる！」

「グリム、自信満々だけどマジフトやったことあるのか？」

「ないんだゾ」と元気の良い返事を聞いて、デュースがガクッと肩を落とす。グリムの頭をぐりぐりと強く押さえた。

「それでよく、そんなに偉そうなことを言えるな……」

「やったことはないけど、詳しいことはゴーストのおっちゃんたちに説明してもらったもんね。勝てる気しかしねえんだゾ」

だから大丈夫だとグリムは胸を張った。マジカルシフトを実際にプレーできるのが嬉しいらしい。ずっとエースやデュースが寮で練習をしている話を羨ましそうに聞いていたので、二人に華麗なゴールを見せつけてやるのだと鼻息荒く語っている。

エースがむっつりとした顔でスラックスのポケットに手を入れている。

「いつの間にか完全に試合する空気になってるし。なんでオレまでこんな面倒事に巻き込まれるわけ？」

「まあ、確かに突然だったけど……喧嘩にならなくて本当によかったよ」

ため息を吐くエースに優也は笑顔で応えた。

サバナクローはマジカルシフトの優勝常連寮だ。優勝を逃し続けているとはいえ、寄せ集めのチームではもちろん勝つのは難しいだろう。しかし喧嘩をするよりは、危険のない試合の方がずっといい。

優也が慰めるとエースが肩をすくめた。

「まあ、それもそうだな。サバナクローとケンカなんてしたくないし」

デュースがそれに応えようとした時、突然エースとともに二人が光の粒に包まれた。身に着けていた制服が運動着に変わる。以前も見たことのある光景なのでケイトの魔法だとすぐにわかった。

優也が振り返るとケイト自身も既に運動着に着替えている。ハーツラビュル寮のカラーである赤いTシャツが似合っていた。

「ケイト先輩も頑張ってください」

優也が声をかけると、ケイトは眉を下げた。

「うーん。そうだね」

その困ったような笑顔が何故か胸をざわつかせる。「先輩？」と調子を尋ねたが、緩く首を振られただけで答えはない。

「こうなったらしょうがない。ユウちゃんは安全なところで見てて」

斯くして模擬試合が始まる。ケイトたちが四人なので、相手チームも四人しかいない、簡易ルールでの試合だ。サバナクローチームのメンバーは、ラギーを含む初めに優也たちと会話した生徒三人と、寮長のレオナの四人だ。

最初にケイトチームに攻撃の機会が与えられた。デュースがエースに向かって左腕を振る。運動着の左袖にはマジカルペンを収めるポケットがあるので、魔法石のある腕を振った方が魔法を使いやすいのだろう。それでもディスクは大きく右に逸れて飛んでいく。

相変わらずデュースは魔法のコントロールが苦手なようだ。優也が思わず目を覆うと、エースの罵声が聞こえた。

「どこ投げてんだよ、ノーコン！」

「し、仕方ないだろ！　ディスクは操るのが難しいんだ！」

サバナクローの生徒に危うく捕られそうになったディスクを、寸前でケイトがキャッチした。

「ナイストライだよ、デュースちゃん」

こちらのチームの中で唯一箒に乗っているケイトは、素早く上昇し、獲得したディスクを安全な頭上で保持する。一瞬潜考(せんこう)の間があって、何かに気付いたようにディスクを鋭く投げた。

その先にはエースが立っている。相手チームのマークを上手く外れた場所に先回りしていたらしい。チーム戦における要領が良い。さすがバスケ部といったところだろう。

エースに向かって走りながら、ラギーが息も切らさずに笑う。

「おっ。いいとこいるねえ、一年くん」

「エースっすよ、センパイ！」

余裕たっぷりのラギーに苛立ったのか、エースは走りながら勢いよくゴールを指さした。ディスクが指の示す方向へと飛んでいく。

「あらら。こっからゴール狙うのはさすがに無謀かなー」

ラギーの言う通り、ディスクはみるみるうちに減速していった。魔力によって補助されていた軌道が、すぐに弱々しい放物運動に変わってしまう。魔力を吸うというディスクの性質によって、魔法が打ち消されてしまったのだろう。クルーウェルが黒板で見せてくれた通りだ。

落下するディスクをキャッチしようと、サバナクローの生徒がその近くで構える。

「させないぞ！」

すかさずデュースがその選手の前に回り込んだ。それでも相手は飛び上がってディスクを受けようとしたが、同じく跳躍したデュースの妨害で失敗。宙を舞ったディスクは、またもケイトのコントロール下となる。

デュースは相手選手にぶつかった勢いでフィールドに倒れ込んだが、すぐに起き上がったので優也はほっと胸をなで下ろした。

マジフトではラフプレーによる接触は反則とゴーストたちに教わったが、バスケやサッカーのように競り合った上での接触は問題ないらしい。体力のあるデュースらしい体を張ったブロック方法だ。

再びエースにパスを出そうと、ケイトが箒を低く構えた。しかしそのとき、箒の先にあったディスクが消えてしまう。

「オレ様だって活躍したいんだゾー！」

「ええっ⁉」

グリムが味方のディスクを奪い、頭上に浮かせて走り始める。

ケイトは声を上げて驚いていたが、それは相手チームも同じだったらしい。意表を突かれたサバナクローの寮生たちは慌ててグリムを追いかけたが、あちこちに走り回る素早いグリムに攪乱（かくらん）されている。結果的によい攻撃となったとケイトが苦笑した。

ケイトは三年生らしく、一年生に比べると全ての動きに無駄がない。特に飛行術の軽やかさは見事で、サバナクローの同ポジションの生徒よりも技術力は勝っているように見える。そんなケイトにサポートされながら、グリムがフィールドを駆け抜ける。

ゴールまであと十メートルほどのところでエースが叫んだ。

「よっしゃ、グリム。そのままゴールだ！」

「待って！」というケイトの制止は間に合わなかった。

グリムが投げたディスクの行く先に厚い防壁はない。レオナが一人で立っている。

「冗談だろう。舐めてんのか？」

レオナはそう言うと、手のひらを上にしてグッと拳を作った。その瞬間、勢いよくゴールに向かっていた円盤がピタリとレオナの前で止まった。レオナの魔法にディスクを奪われてしまったのだ。

「オ、オレ様のウルトラ格好いいキメ技が……」

「この程度でゴールを狙えると思ったのか？　楽観主義もそこまでいくと尊敬するぜ」

レオナはそう言うと、止まったディスクに向かって指を振る。途端にディスクが目にもとまらぬ速さで空を切った。つむじ風を起こして、グリム、ケイト、そしてデュースとエースの目前をわざわざ横切る。

「いっ……！」

ケイトが片手で耳を押さえた。優也が目を凝らすと、耳に触れた手に赤いものが付いている。ディスクがかすめた際に耳を切ってしまったようだ。

ひゅっと喉を鳴らした優也の目の前で、レオナの放ったディスクをラギーが難なくキャッチした。

「シシシッ。さすがレオナさん、ナイスパス」

ディスクがゴールに吸い込まれる。ラギーが笑う。サバナクロー生の歓声が響く。だが優也にとってはどれも些細なことだ。全身から血の気が引いていくのをまざまざと感じていた。

「レオナくんさあ、ちょっとは手加減してくれてもよくない？」

「それじゃあ練習にならないだろう」苦笑するケイトに、レオナは猫なで声を返した。「勝負はこれからだ。楽しい試合にしようぜ」

それからは、目を開くことも苦痛に感じるような時間だった。

「ふなーっ、こんなの無理なんだゾー！」

ディスクに食らいつき、しかし摑み損ねたグリムが、地面をずずうっと滑り転がる。土埃の中でゼエゼエと鼻水交じりの呼吸音が聞こえた。

「ひい……はあ……限界だぁ」

大の字になって掠(かす)れた声で叫ぶ。体のあちこちが汗や土にまみれてボロボロに汚れている。他の三人も似たり寄ったりの有様だった。フィールドに両膝を突き、玉のような汗を額に滲ませたデュースが、悔しそうに地面を叩く。

「なんなんだ、あのフォーメーション！　どこから攻めてもブロックされるし、飛んでも走ってもすぐに追いつかれる。ディスクに触ることもできないぞ！」

「一点も、入んねえ」その横に座り込んだエースは、グリムと同じように息も絶え絶えだ。「ここまで歯が立たないなんてことあるのかよ。最初の時は完全に手を抜かれてたってことじゃん」

箒から降りたケイトは両手を膝に付けてかがんでいる。息を正そうとしているのか、背中が大きく上下していた。いつしゃがみ込んでもおかしくないように見えたが、苦しそうにようやっと体を起こすと、気怠(けだる)そうに頰の汗を拭った。

「さすが、レオナくん。天才司令塔って言われてるだけあるね……ちょっとこのメンツじゃ、太刀打ちできねーわ」

ケイトの言う通り、レオナが率いるサバナクローの団結力は圧倒的で、急ごしらえのチームでは到底太刀打ちできない。特に経験の浅い一年生は、まともにプレーをさせてもらえていなかった。

頭上をかすめるディスクを追いかけて、グリムたちは徐々に、しかし確実に疲弊していく。そうして弱ったところを巧みに誘導され、気付いた時には自チームから孤立している。味方から切り離されれば後はもう為す術なくいたぶられるしかない。レオナたちが見せるマジカルシフトは狩りのようだった。無駄がなく、優雅で、容赦がない。獲物を取り囲んだサバナクローの選手たちはいたずらに目標をもてあそんで笑っている。

陽の落ちかけたフィールドを照らす照明が、悲惨な光景を白く、爛々と浮かび上がらせていた。またもグリムと相手選手の体が接触し、小さな体が風に吹かれた埃のように地面を転がる。

「グリム！」優也はフィールドに向かって叫んだ。「ねえ、大丈夫⁉」

「大丈夫なわけねーだろ！」とグリムが叫び返す。気力こそまだあるようだが、試合を始める前に満ちていた自信はすっかり消えてしまっている。

「オレ様もうムリなんだゾ……ユウ、交代してくれ」

「おい。お前が一番ノリノリだっただろうが……」

立ち上がろうとしたエースがふらついたのが見えて、「危ない」と手が伸びた。

フィールドに入ろうとした優也の前にラギーが身を割り込ませる。

「こらこら。部外者が試合の邪魔しちゃだめじゃないッスか」

「でももう、みんなあんなにボロボロで……！」

「だから？」ラギーは白々しく首をかしげた。「真剣にマジフトやってりゃ疲れるに決まってるじゃん。それにスポーツに怪我はつきものッスよ」

「で、でも、さっきグリムにぶつかったのは……わざとに見えました」

「えっ、もしかして転んだのはこっちのせいだって言いたいの？　言いがかりはやめてほしいなあ」

勇気を振り絞って食い下がっても、ラギーには軽くあしらわれてしまう。グリムを撥(は)ね飛ばした選手も声を上げて笑った。

「そうそう！　こっちはヘタクソに練習つけてやってんだから、感謝しろよな」

「くそっ。舐めやがって」

転んだ際に口の中を切ったのか、デュースが薄茶色の唾液を吐き捨てた。口を拭った手で作った拳を、ケイトが掴んで止める。

「手を出したら、それこそ向こうの思うつぼだよ。みんな、ディスクを追うよりもまずは味方から離れないようにして、安全第一でいこう」

「そりゃいい作戦だ。できるもんならな」

悔しそうなデュースたちを見下し、レオナがくつくつと笑った。

「立てよ、草食動物ども。こんなんじゃうちの練習にならねえだろう？　せめてディスクの的ぐらいにはなってもらわないと」

マジカルシフトは時間制のスポーツだ。試合が終わるまでまだかなりの時間が残っている。既に満身創痍のケイトたちが無事に耐えられるとは思えなかった。

これはワンサイドゲームを超えた、弱い者いじめだ。優也は出口に向かって体を翻した。

「すぐに誰か呼んでくるから、待ってて！」

「おい、どこ行くつもりだよ！」

周囲のサバナクロー生たちに強く肩を掴まれる。痛みと恐怖で悲鳴を上げてしまったが、予想外にもレオナが彼らを止めた。「別に構わないぜ」と優しい声色とともに優也を見る。

「誰でも呼べば良い。一体誰が来るのか興味があるな」レオナは指を折って数える。「頼りになるセンセー？　クラスの素敵なオトモダチ？　それともハーツラビュルが誇る、世間知らずの暴君か？」

さっとケイトの顔色が変わる。少しして、リドルを指しているのだと優也にもわかった。

「誰であろうと好きにしろよ。俺らはただ試合をしているだけだと、是非とも証明させてもらうさ。まあお前がそいつを呼んで来るまでの間に、こいつらとの試合がどれだけ白熱するかは知らないがな」

これほどわかりやすく脅されているにもかかわらず、誰も、何も、言い返すことができない。優也だけでなく全員が悔しさで顔を歪める。

NRC3-B05

レオナの言う通り、これは試合だ。ただただサバナクローが強く、一方的なゲームが行われているだけ。どれほど傷付けられても暴力によるものだと証明する術はない。レオナは初めからこうやって痛めつけるつもりだったのだろう。

安易に挑むべき相手ではなかったのだ。影が焼きつきそうなほど白く光るフィールドを見て、強い無力感が優也の心臓を叩いた。魔法が使えない自分では選手を代わってあげることはできないし、今すぐに試合を止められるような力も知恵もない。

それでもこんな暴力に等しい光景を、争い事を、黙って見ていることなんて恐ろしくてできない。深く深呼吸して優也は決意を固めた。なんとしても、この喧嘩を止めてくれる人を呼んでこなければ。

出口へ一歩踏み出すと、サバナクローの黄色いシャツが優也の視界を覆った。またかと咄嗟に目をつぶるが、今度はいつまで経っても腕を掴まれることはない。代わりに低い声が聞こえた。

「どいてろ」

群衆を抜いて、ぬっと優也の前に出る生徒がいた。見上げるほどに身長の高い獣人属の男だ。肩や胸板も分厚く、サバナクローの中でも一際体が大きい。白銀の長い尻尾を小さく揺らして、堂々とフィールドに入っていく。

その姿を見たデュースが「あっ」と声を上げた。

「ジャック……！」

筋骨隆々とした、いかにもスポーツマンといった風貌の生徒。大きな耳をピンと真上に立てた獣人属のサバナクロー生。彼こそが、優也たちの捜していたジャックらしい。

「何してんすか、あんたら」

ジャックはレオナの正面に立って腕を組んだ。高身長のレオナと並んでもまだ大きい。周りに集まったラギーたちなど、頭一つ分も違うように見えた。そして堂々とした雰囲気が体格以上の迫力を加えている。

「見てわからないか？」レオナは悠然と微笑んだ。「許可もなく縄張りに踏み込んできたよそ者と、ちょっとばかりマジフトで遊んでやっているんだよ」

「……そいつら、ほとんど初心者だろ。弱い奴いたぶって、何が楽しいんすか」

苦々しい顔をするジャックを馬鹿にするかのように、ラギーが「シシシッ」と笑う。

「さっすが期待の新入生、ジャックくん。正義のヒーローみたいで格好いいッスねえ。オレにはとても真似できそうにないなあ」

「俺はただ、みっともなくて見てられねえって言ってるだけっす」

フィールドに座り込むケイトたちのことは見向きもしない。ジャックはただただ真っ直ぐにレオナを睨み付けている。

「これ以上ダセえ真似するってんなら黙ってられねえ。こっちにも考えがあるぜ」

たちまち湧き上がった罵声がフィールドを震わせた。

「一年のくせに生意気なこと言いやがって。何様のつもりだ、引っ込んでろ！」

「テメエも痛い目に遭いてえのか！」

寮生たちに凄まれてもジャックは平然としている。しばしの間、沈黙するレオナと睨み合っていた。レオナの眼差しは怯むほどに冷たいものだったがジャックは引かない。声を上げてからずっと、彼には揺らぐ様子がない。

やがてレオナがため息を吐いた。うんざりした様子で緩く首を振る。

「つくづく白けたことばかり言う奴だ。空気を読むって言葉を知らねえのか？」

ジャックは睨んだまま返事をしない。レオナが肩をすくめた。

「まあいい。草食動物の相手はここまでにしよう」

「えっ。いいんスか、レオナさん」

そう言ってラギーが何かをヒソヒソと続ける。レオナは「どうでも良い」と手を振った。

「こんな雑魚ども、これ以上相手にする価値もねえ。少しはうちの奴らのストレス解消になるかと思ったんだが」

そう言われて、ラギーや周りの寮生は渋々と、しかし素早くレオナの指示に従った。グリムたちを囲んでいた選手がさっと側を離れる。

「俺の気が変わらないうちに、さっさとあの可愛らしいお家(うち)に帰ることだな」

レオナはケイトにそう告げると、ラギーたちを引き連れて練習へと戻っていった。

優也は急いでフィールドから抜け出たケイトたちの元に駆け寄る。みんな擦り傷を作っているが、しっかりとした足取りだ。優也は側に佇むジャックを見上げた。

「本当にありがとうございました」

しかしジャックは厳しい目つきで、舌打ちをする。

「礼なんて言ってる場合かよ。てめーらもてめーらだ。こんな緊迫した時期にのこのこやって来て、ボコられても文句言えねえぞ。これに懲りたら二度とサバナクローに立ち入るんじゃねえ」

強い拒絶とぶっきらぼうな物言いに、グリムが怒って跳び上がった。

「うるせえ、元はと言えばオマエのせいなんだゾ！　オマエが悪いヤツに狙われるかもしれねえから、わざわざ守りに来てやったのに！」

「俺を守る？」ジャックが初めてしかめ面を解いた。「どういう意味だ」

優也たちは顔を見合わせて頷き合った。ここまでの騒ぎになってはもう隠せない。「実は」とデュースが切り出す。

「最近学園内で、マジカルシフト大会の選手候補が怪我をさせられるって事件が続いているんだ」

「んでオレたちはその犯人を捜してんの」エースがジャックを指さす。「お前も選手候補なんだろ？　見張ってりゃ、犯人が姿を現すんじゃないかなーって思って」

「怪我……」

ジャックの視線が揺れる。「怖い話だよね」と言って、ケイトが首をかしげた。

「ジャックちゃんが怪我しないように、しばらく見張らせてもらいたいんだけど。どう？　協力してくれるかな」

　少し間があった。

「……断る」

　その低い声を聞いて、エースが「はあ？」と声を荒らげる。

「あのさあ、オレらの話聞いてた？　別に断る理由なくね」

「お前らに守ってもらう必要はない。それよりさっさと出ていけ」

「でも、一人でいると危ないかもしれないですよ」

　決して迷惑はかけないから協力してくれないかと優也は何度も説明するが、ジャックは頑なだった。

「必要ないって言ってるだろ。びびって群れるのはゴメンだ」

　そう言ってくるりと背を向ける。歩き出す直前、ぼそりと一言呟いた。

「それに、俺が狙われることはない。……多分」

「え？」優也は首をかしげる。「それって、どういう意味ですか？」

　ジャックは何も答えない。後は知らないとばかりにフィールドへと向かっていった。

　初めと同じように、遠くで練習をするサバナクロー生たちを見る。レオナを中心に全員で何かを話している。大会のための作戦を立てているのだろうか。先ほどのラフプレーを見ては、とてもあの集団の元に戻る気にはなれなかった。

　残されたケイトが困ったように笑う。

「あーあ、断られちゃったね。直球すぎたかなあ」

グリムはまだ腹を立てているようだ。

「なんかぶっきらぼうでカンジ悪いヤツだったんだゾ」

「いつもああなんだ」デュースが苦笑する。「先輩に喋りかけられても頷くだけで、ほとんど喋らない。でもあそこまで無愛想だとは知らなかったな」

「クールキャラってヤツ？　頭ガチガチって感じで、つまんなさそー」

そう言って鼻で笑った後、エースは自分の体を見下ろしてやれやれと肩を落とした。

「てかオレら、泥だらけじゃん。今日のところはもう寮に帰りません？」

「そうだね。暗くなったし、今日はここまでにしよう」

ケイトに促されて鏡舎へと向かう。さっきの試合のせいで、優也以外は階段を下りるのも一苦労だった。

「そういえばケイト先輩、怪我は大丈夫ですか？」

優也は赤くなったケイトの耳を見た。既に血は止まっているようだったが、優也はこんなに激しいスポーツをしたことも、見たこともないので、先ほどの衝撃が忘れられない。

「寮に戻る前に保険室に行った方が良いんじゃないですか。他のみんなも……」

「ユウちゃんってば大袈裟。こんなのかすり傷だって」

マジカルシフトでは珍しくないことだと笑われたが、優也にとっては慰めにもならない。なんと恐ろしい競技なのかとただただ恐怖が募る。

「本当にすみませんでした。僕、結局見ているだけで……」

「いやいや、それで正解。レオナくん相手じゃ、先生を呼ぼうが誰を呼ぼうが、上手いこと逃げられるだけだよ。むしろこの騒動自体をこっちのせいにされてたかも」

そうだな、とデュースが隣で頷く。

「ユウのせいじゃない。あんな反則まがいのプレーをされたのに、何もできなかった自分が悔しい……次こそはお礼させてもらわねぇと」

「やめろって！」

エースがデュースの肩を拳で叩いた。

「痛っ。何するんだ」

「お前もグリムも、どうしてそう喧嘩っ早いわけ？　どっちもホント単純すぎ。二度と考えもなくヤベぇヤツに喧嘩売るなよ」

「僕とグリムを一緒にするな！」

「そうだ、デュースなんかと一緒にするな。オレ様の方が賢いもんね」

「お前ら自分たちが同レベルだって気付いてねぇの？　見てみろよ、ユウのこの呆れた顔」

「みんな、まだそんなじゃれる元気があったの？　一年生はホント元気だね」

ケイトが力無く笑った。普段通りの騒々しさに、優也も今回ばかりはほっとする。

鏡舎に戻り、明日の約束をしてみんなと別れた。

「それじゃあ僕たちも、オンボロ寮に帰ろうか」

グリムは「おう」と返事をしたが、声に覇気がないように思えた。先ほどの試合でどこか痛めたのかと心配したが、あれぐらいなんてことないと首を振られる。

グリムは優也の先を歩きながら、「あーあ」とため息を漏らした。

「いっぱい活躍できると思ったのに……マジフトって、やってみたら思ったほど楽しくなかったんだゾ」

そう言って暗がりを歩く姿は丸く、拗ねているように見える。

オンボロ寮までの道のりは明かりが少なく、途中からはほとんど夜空の光に頼るところとなる。寂しい夜道を歩きながら、優也はグリムの頭をぽんぽんと叩いた。

「さっきのは特別だと思うよ。実際に大会に出られたら、今日の試合よりはずっと楽しいはず」

「そうかあ……？」グリムが首をひねった。「まあいっか。次はアイツらにも勝てるように、今のうちにゴーストのおっちゃんたちと練習しとこう」

鬱蒼とした木々の隙間にぼんやりと明かりが見える。オンボロ寮を示す曇ったガラスの門灯。古ぼけたその光が今日はとても目映く、優也は心から安堵した。

◆・◆・◆

完全に陽が落ちた。煌々とフィールドを照らす照明を見上げ、ジャックは顔をしかめた。ああするほかなかったのだとわかっていても、未だ不快な苛立ちが滞り続けている。

ジャックは自分のことを公正な人間だと思っている。勉学でも、運動でも、もちろんまだまだ未熟なところはあるけれど、誓って卑怯な真似をしたことはなかった。そういう人間になろうと、常に努めていた。

だから先ほどの、自分を心配していた他寮の生徒のことが、小さな棘のように胸に残っていた。嘘はついていない。しかしこれで本当に、世間に恥じることは何もないと言えるだろうか。

よそ者の消えた練習場でレオナとラギーが何かを話している。レオナがふと顔を上げた。

「なんだ？　その面は」

ジャックの視線に気付いて目を眇める。気付かぬうちに二人を睨んでしまっていたらしい。

レオナの言葉で周囲の寮生たちが一斉にジャックを見る。まるで一つの生き物のように動く、ボスに従順な群れだ。いつ命令が下ってもいいように全員虎視眈々とこちらを狙っている。

レオナはわざとらしく眉を下げて、肩をすくめた。

「先輩に対して良い度胸じゃねえか。さっきの生意気な口も一年坊だから見逃してやったっていうのに、俺の優しさが伝わらねえとは悲しいことだ」

痛いほどの視線を感じながら、この群れの中で異質なのは自分だけなのだと思い知る。しかしだからといって自分の信念を曲げることはできない。

ジャックは感情を押し殺しながら、食いしばるような声で問うた。

「理由が知りたい。あんたたちは、何故こんなことをするんだ」

「さあ。なんのことを言っているかわからないな」

「とぼけるな！」

ジャックが吠えると、周りの獣人属の生徒たちが各々唸り始めた。いかに力の強い狼の獣人属とはいえ、これだけの数に囲まれては勝ち目がない。

群れの真ん中で、ボスのレオナがつまらなそうに口を開く。

「こんなことっていうのは、俺らが大会に向けて熱心に『準備』していることか？」

ジャックの無言の肯定に、「それなら答えは簡単だ」と表情なく続ける。

「俺たちは二年連続でマレウス率いるディアソムニアと一回戦でぶつかった。その結果はご存じの通り、初戦敗退。優勝候補と言われたサバナクローは目も開いてない子猫みたいなもんだった。その結果、どうなったと思う？」

二年生も三年生も、過去の試合を思い出したのか皆揃って苦い顔をしている。晴れの舞台でどれほどの屈辱を味わったのか、説明されなくてもわかる気がした。

「マレウスに惨敗して、サバナクロー寮生へのプロリーグや一流企業からのスカウトはゼロ。将来有望とされていた当時の卒業生たちは、明るい未来への道を閉ざされた」

「それは、でも……自分たちの力が足りなかっただけだろ」

「そう、それだ」

レオナは笑みを浮かべ、ジャックを褒めるように頷いた。

「わかってるじゃねえか。お前の言う通り。去年までの俺たちはできること全てをやってはいなかった。力を尽くしていなかったんだ」

そして吐き捨てる。

「あんな化け物相手に真っ向勝負を挑むなんざ、考えなしの馬鹿のやることだ」

レオナのこういうところが一番嫌いだ。何もかもを諦めてしまったような態度をとるところ。気が付くとジャックは渾身の力で叫んでいた。

「違う、本気のあんたならディアソムニアと戦える。あんたの三年前のプレー、俺は今でも覚えてる！」

三年前、まだミドルスクールに通っていた頃のことだ。ナイトレイブンカレッジのマジカルシフト大会をテレビで見て、ジャックは目を奪われた。見事なチームワークで他を圧倒するサバナクロー寮。その中の一人の選手からずっと目が離せなかった。

判断力、素早さ、技術、何もかもが卓越していて、彼を中心にチームがまとまっているのがすぐにわかった。それがまだ一年生で、当時入学したばかりのレオナ・キングスカラーだった。

（ナイトレイブンカレッジには、あんなスゲえ人がいるのか）

ジャックはその試合をすぐに録画して、何度も、何度も、繰り返し見た。自分が相手のチームだったらレオナとどう戦うか。反対に同じチームだったら、どのように立ち回って共闘するか。想像するだけで楽しかった。

次の年、あのマレウス・ドラコニアが入学した。大会は始まる前から多くの注目を集め、そして予想通り、マレウスというたった一人の才ある者によって完封された。

無残に負けたサバナクロー寮を見て、しかしジャックは失望などしなかった。むしろ胸が熱くなるのを感じた。全力で戦い、そして負けたレオナたちに、深く感動したのだ。

確かにあの大会を見た者は口を揃えてマレウスの話しかしない。他の選手のことなんて、一人も印象に残っていないだろう。それでもそんな強敵に正面から立ち向かい、力を尽くしたサバナクローの威風は見事なものだった。いかにマレウスの力が凄まじかろうと、チームという視点で見れば、レオナをボスにしたサバナクローがどこよりも優れている。悔しそうに吠えたレオナにジャックは込み上げるものを感じていた。

あんなに強い人と、いつか自分も戦ってみたい。

「あのときの本気(ほんき)のあんたは本当にすごかった。だから俺は……！」

「新入りが知ったような口を利くんじゃねえ！」

レオナの怒号が響き、この場にいる全員に緊張が走った。

ライオンの咆哮(ほうこう)にはどんな生き物も萎縮する。腹心とも言えるラギーでさえ息をのんだ。

「本気を出せだ？　馬鹿馬鹿しい。それで何か、変わるのか？」

レオナの怒りは激しく、のしかかる威圧感は苦しいほどだ。いつも斜に構えている男の滅多に見せない気迫に、ジャックの背を汗が伝う。

「大切なのは本気かどうかじゃない。結果だ。それが全てだ」

ジャックは後退りしそうな足を気力で抑え込み、レオナを正面から見つめた。

「……いいや。あんな卑怯な真似、絶対に間違ってる」

ナイトレイブンカレッジからの入学許可証が届いたとき、千載一遇のチャンスだとジャックは思った。学年差からレオナとは同じ大会には出られないと思っていたが、彼は留年をして二年生を繰り返した。自分が一年生になった時でもまだ寮対抗戦に出られるはずだ。一緒に戦える。だからきっとレギュラー選手になろうとジャックは入学してから、いや、入学する前から懸命に努力していたのだ。

それなのに、今のレオナはどうだ？

「間違ってる？　俺はな、お前たち寮生のことを一番に考えてやってるんだぜ」

こうしてまた、皮肉で全部を誤魔化してしまう。さっきのように怒ってくれた方がまだ良かった。今のレオナはもう自らの怒りに向き合うこともしない。怠惰で、卑怯で、薄っぺらい安寧にしがみついている。ジャックはそれが歯がゆくて仕方がない。

「俺たちのことを考えてくれてるって言うなら、本気の勝負をやらせてくれよ。俺だって戦える。今年はディアソムニアに勝てるかもしれねえじゃねえか！」

「ひとたびマレウスが試合に出れば、他の奴はプロになれる実力があっても、それを十分に披露する場を与えてもらえない。そうなりゃ今年もサバナクローへのスカウトはゼロだ。それをテメェは安い正義感で潰すって？　先輩たちの未来を台無しにしたいのか」

「だったら……」

ジャックは唇を噛む。

だったら、全力で挑めば良い。結局堂々巡りだ。理屈でレオナに勝てるわけがない。だって、この人はいつも言い訳ばかり考えているのだから。

「俺は群れを飢えさせるような、無能な王じゃない」

ジャックは打ちのめされた気分だった。

なぜレオナがこんなにも勝つことに貪欲で、それでいてはなから全てを諦めているのか、矛盾するその二つの気持ちがジャックにはどうしても理解できない。何もかもちぐはぐなのにそんな自分の心から目を背けている。いや、気付いてもいないのかもしれない。

なんて滑稽なんだろう。自分が抱いた憧れは全て幻だったのだと、現実を突き付けられているようだった。こんな腑抜(ふぬ)けた人間を自らの長と認めるわけにはいかない。苛立ちと悲しみでジャックは拳を握り締め、黙って寮へと戻った。これ以上、幻滅したくなかった。

◆・◆・◆

一年坊め、余計なことを言いやがって。

ジャックの背中を見ながら、ラギーは心の中で毒づいた。レオナの機嫌が目に見えて悪くなった。何も知らない一年生が、安っぽい正義を主張したせいだ。怒れるライオンのプレッシャーは凄まじく、寮生たちはみな顰蹙（ひんしゅく）を買うまいとひっそり距離をとっている。

自らがどんな嵐を起こしたのかも気付かないまま、ジャックが去っていく。ラギーは得意の笑顔を張り付けて手を擦り合わせた。

「あいつ、危険ッスね。オレが片付けましょうか？」

「いい、いい」レオナがおざなりに手を振る。「どうせ証拠は何もない。あいつ一人がどれだけ喚（わめ）こうが無駄なことだ。それにあいつの能力は潰すには惜しい。もう少し様子を見る」

下手を打っただろうか。そんなこともわからないのか、と言わんばかりの口調にひやりとする。

しかし、先陣を切って危険に飛び込まなければ宝は得られない。多少のリスクは覚悟の上だ。

「それもそうですね。さすがレオナさん」ラギーは一際明るい声を出した。「それじゃあ生意気な一年は後回しにして、オレは今夜のうちにもう一仕事済ませてくるッス」

「ああ……お前は気が利くな、ラギー」

ようやくレオナの納得いく返答ができたのだろうか。

「そりゃもう！　レオナさんのためならお安いご用ッスよ」

「よく言うぜ。自分のためにやってんだろ？　お前は」

図星でもあるし、心外でもあった。返事に困ったラギーは一瞬固まる。

ほっとした勢いでついお世辞を口にしたが、よく見ればレオナは冷ややかな目のままだ。嫌な汗が手のひらに滲む。

「やだなあ。オレたちのため、ッスよ」ラギーは慎重に言葉を選んだ。「サバナクローを舐めた奴ら全員に一泡吹かせて、世界をひっくり返してやりたいのは、オレたちみんな一緒ッスから」

「ふん。そりゃ頼もしい話だな」

レオナの大きな舌打ちの音に、周りの寮生たちがびくっと肩を揺らす。まださっきの苛立ちが収まらないらしい。

この人にしては珍しいことだ、とラギーは笑顔の裏で思った。レオナは見た目の割に鷹揚(おうよう)だ。無気力と言った方が正しいか。怒りを引きずるなんて無駄なことは滅多にしない。

「……あの一年坊。兄貴みてぇなこと言いやがって」

地を這うようなその言葉を聞いて、ラギーはさっさとこの場を離れることにした。いくら宝が欲しくても、わざわざ獅子(しし)の尻尾を踏みに向かうような真似などするものか。

もやの中で何かが動いている。たくさんの動物だ。彼らは足並みを揃(そろ)えて淀(よど)みなく、熱に浮かされたように一カ所を見つめ、行進をしている。

〈スカー〉　そして俺が王になる！

〈バンザイ〉　いいぞ王様万歳！

〈ハイエナたち〉　王様万歳！

〈スカー〉　牙と野心なら誰にも負けない

覚悟しておけ！

〈スカー〉　天地がひっくり返り新しい時代が始まるんだ

〈シェンジ〉　あたいたちハイエナは？

〈スカー〉　最後まで聞け

シンバを殺すんだ 父子もろとも

夜がどっぷり深まった頃、酷い筋肉痛によって優也は目覚めた。寝返りを打つだけで手や足が痛む。オンボロ寮に戻ってから、グリムと一緒にマジカルシフトの練習をしたせいだ。

くぐもった声が聞こえて隣を見ると、毛布を一人で巻き取ったグリムが寝言を口にしていた。

「んぐぐ……見たかあ……オレ様のスーパーシュート……」

夢に見ているのはきっと、寝る前にゴーストたちと行ったマジカルシフトのことだろう。

『イッヒッヒ！　がむしゃらにツッコむだけじゃダメダメ』

『ディスクを持ってる選手は全員から魔法で狙われる。もっと周りをよく見ないと』

ゴーストの指導に四苦八苦するグリムだったが、優也が『どんどん上手くなってるよ』と褒めると『オレ様は才能の塊だからな』と笑顔になった。最後はゴーストたちにも『初心者にしては上出来だ』と認められてとても満足そうだった。そのおかげか、幸せそうに涎を垂らして眠っている。マジカルシフトについて悪い印象は残らなかったようだ。

そうだ、マジカルシフト。未だ鮮やかな恐怖が蘇り、優也はそれを振り払うように強く目をつぶった。明日もあるのだから早くもう一度眠らなくては。そう思いはすれど、いくら待っても眠気は一向に訪れない。それどころか焦りのせいでどんどん目が冴えていく。

このまま身じろぎしていてはグリムまで起こしてしまいそうだ。優也は思い切って、しかしゆっくりと体を起こし、ベッドから降りた。外の空気を吸えば今より少しは落ち着くだろう。パジャマの上に薄手のカーディガンを羽織り、踏むだけで音の鳴る床を慎重に進む。談話室にゴーストたちはいなかった。いつものように学園のどこかで他のゴーストたちと夜を楽しんでいるのだろう。そのまま静かに玄関の扉を開ける。

月が薄い雲の中で滲んでいた。思いっきり息を吸うと、秋特有の植物の匂いを濃く感じる。盛りが終わり、冬に備え始めた、少し寂しい生き物の香りだ。

転びかけて、月が出ているというのに足元が見えないことに気が付いた。薄暗い夜を建物の影が更に暗くしているのだ。暗がりを早足で抜けだした優也は、ほっと息を吐いてオンボロ寮を見上げた。その外観は相変わらず巨大で重々しい。新しく取り替えた雨戸だけが月明かりでもわかる程ピカピカと光っている。

優也はなんとも言えない気持ちでそれを見ていた。どうしてだろう。みんなで一緒に修理をしていた時はあんなに楽しくて嬉しかったというのに、以前よりも住みやすくなったオンボロ寮が、今はこのツイステッドワンダーランドから抜け出せない兆候のように思えてしまう。

学園長に会うたびに、元の世界に戻る方法が見つかったのではないかと心の中で期待をしている。そして「まだなんの情報も掴めていません」と言われるたび、落胆するのが辛かった。いつになったら進展があるのか。もしも永遠に同じ答えだったらどうしよう。最近は学園長に尋ねるのもためらわれる。先のことを考えると不安になるからだ。特に、こんな時は。

目をつぶると今日のサバナクローでの出来事を思い出してしまう。今でもまだレオナの冷酷な声が耳に残っていた。あんな争い、グリムやエース、デュースと知り合う前の自分だったら直視もできなかったに違いない。

「……駄目だ」

そう呟いた優也は、ぎゅっと小さくなって門扉へと続く階段に腰掛けた。一人の時に怖かったことばかりを思い出しても仕方がない。いくらだって悪い想像が浮かんできてしまうからだ。

何か他のことを考えようと、夜空を見上げて雲の流れを見ていると、一際分厚い雲が月を覆った。

「そこにいるのは誰だ？」

「うわあっ」

暗闇の中で突然声がした。咄嗟に立ち上がろうとして、優也は尻餅をついてしまう。「痛っ……」と顔をしかめていると再度声が聞こえる。

「ゴーストではなさそうだな。人の子か？」

今にも消えそうな門灯を頼りに声の主を探すが、姿は見つからない。階段を下りた先から発せられているようだ。

「ここで何をしている？」

暗闇が問いかけた。低く、深みのある、美しい男性の声だ。優しい口調ではなかったが、不思議と落ち着く響きがある。優也は自然と口を開いていた。

「眠れなかったので、ちょっと外に出ていました」

「外？　お前はもしやここに住んでいるのか」

男はそこで一度口をつぐんだ。

「この館はもう長いこと廃墟だったはず。一人で静かに過ごせる僕だけの場所として、気に入っていたのだが。そうか……人が居着いたか」

最後の呟きは少し寂しそうだった。相手にも自分は見えないだろうと思いつつ、優也は小さく頭を下げる。

「はい。この寮に住むことになった、黒木優也といいます」

「優也……ああ、ユウというのはお前のことか」

「僕のことを知っているんですか？」

そう聞いて、さほど不思議な話ではないなと思い直した。今やこの学園では優也とグリムのことを知らない人の方が少ない。代わりに相手のことを尋ねる。

「あなたは誰ですか。生徒？　それとも先生でしょうか」

答えがないのは失礼なことを言ってしまったからだろうか。相変わらず周囲は暗く、向こうの姿が見えないので、返事がないと不安になる。

「すみません、暗くてよく見えなくて……」

キイと鼓膜をくすぐるような音がした。錆びた門の開く音だ。コツコツと短い階段を踏む高い音が聞こえて、二、三歩先の暗闇の中、か細い門灯を遮るように、何かが動いているのを感じる。優也は必死に目を凝らした。そのとき、ちょうどよく雲が動いて辺りが少し明るくなる。

階段の中程に、男が立っていた。ナイトレイブンカレッジの制服を着ている。予想はしていたが、やはり生徒だ。襟足を長く伸ばした黒髪が、暗がりの中でよく目立っていた。夜よりも濃い漆黒だったのだ。そしてその人の頭には同じく黒い角が生えている。

ついまじまじと優也はその角を見つめてしまった。形の良い頭を包み込むように、緩やかなカーブを描いている。そしてぎょっとするほどに大きい。

ふと目線を下げると、その人はじっとこちらを見返していた。優也はすぐに顔を伏せる。あの角の正体がなんであれ、体の特徴を無遠慮に見られるのは、気分の良いことではないだろう。悪いことをしてしまったかもしれない。

角が生えているということはこの人も獣人属なのだろうか。そう考えてみると山羊や羊の角にも似ている気がした。ツイステッドワンダーランドでは珍しくないことだとしても、元の世界ではあり得なかったものを見ると、優也は未だに驚いてしまう。

頭を上げて、なるべく友好的に、笑顔で問いかける。

「ええと、初めまして。先輩でしょうか」

すると男は虚を突かれたように目を見開いた。

「……もしや、僕が誰か知らないのか?」

「はい」と優也が頷けば、何故か相手は呆然としていた。

「それはそれは……珍しいな」

男は口端を持ち上げた。薄い唇は白く、血の気がほとんどないことに気付いてぎょっとしてしまう。肌も蠟のように青白い。光るライムグリーン色の目と相まって、血の色さえ自分とは

違うのではないかと思ってしまった。

男はひとしきり笑うと、満足したように息を吐いた。

「愉快なこともあるものだ。僕の名前は」一度、言葉が途切れた。「いや、やめておこう。お前の世間知らずに免じて、好きな名前で呼ぶことを許す」

思わぬ申し出に困惑してしまう。初対面の人をあだ名で呼べるほど、優也は人と話すことに慣れていない。

「あの、失礼になるといけないので、ちゃんとお名前を……」

「僕がいいと言ったんだ。聞こえなかったか？」

突然鋭い冷気が肌を撫(な)でた。ついさっきまでは穏やかだった夜の闇が今は茨のような緊張感で体を締め付け、少しの身動きもできなくなる。我を忘れるほどの恐怖に襲われて優也の心臓が早鐘を打った。

目の前の人に逆らってはいけない。生物としての警告が心身を支配する。

ふっと夜が薄くなった。優也は大きく息を吸い込んで、すぐに何度も何度も首を縦に振った。気付かないうちに息をするのを忘れていたらしい。ばくばくと心臓が跳ねていた。

優也が逆らわないとわかり、男は機嫌を直したようだ。再び優雅に微笑(ほほえ)むと、オンボロ寮の方を見てぽつりと言った。

「しかし残念だ。人が住み着いてしまったということは、この廃墟はもう廃墟ではないな」

「そう、かもしれないですね」

「ならば夜の散歩に相応しい場所を新しく探さなくては。では、僕はこれで」

そう言うと、優也の返事も聞かずに男が消えた。魔法を使ったのか、忽然と、溶けるように姿が見えなくなる。

小さな光の粒が見えた気がしたが一度瞬きをするとそれも消えてしまう。後は元通りの、ぼやけた夜の景色だけが残っていた。


「それで、すごくびっくりしたせいか、結局朝まで眠れなかったんだ」

次の朝、優也が身支度をしながら昨夜のことを話すと、グリムが「へっ」と鼻で笑った。

「相変わらず、ユウはびびりなんだゾ」

ベッドに座ったまま、優也の頭もすっぽり入りそうなあくびをする。グリムは優也と違って水で顔を洗わないし、着替える必要もない。いつもすぐに朝の準備が済む。

「夜中に知らねえヤツに会ったからって、そんなに怖がるなんて。ゴーストの方がよっぽど怖えじゃねえか」

「そうなんだけどさ。角がある人は初めて見たから、驚いちゃって」

部屋を出て、階段を下りながら、グリムが振り返って優也を見上げた。

「そいつ、名前はなんて言うんだ？」

「教えてくれなかったんだ。好きな名前で呼べって言ってたよ。腕章の色からして、ディアソムニアの人だと思うんだけど」

黒いラインの入った黄緑色のリボンは、リリアやシルバーと同じディアソムニアの寮カラーだ。噂のマレウス・ドラコニアが治める寮なら、あんなに迫力のある寮生がいてもおかしくはない。

「それじゃあ捜しようがねえなあ。ツノが生えた人間、オレ様も見てみたかったのに」グリムが言った。「他に特徴はねえのか?」

言葉に困った。一言では、とても言い表せない。

レオナやヴィルのような一目で分かる美貌ではないが、切れ長の目がいつまでも脳裏に残る、浮世離れした顔立ちだった。それにあの、他の誰にも持ち得ないようなオーラ。どんな言葉で表せば、あのときに感じた気持ちを伝えられるのかわからない。

なんと説明しようかと悩む優也の横で、グリムはさっさと結論を出してしまった。

「まあいいや。名前がわかんねーんなら、とりあえずそいつのことは、ツノ太郎って呼ぶんだゾ」

「ツノ太郎?」優也は目を剝いた。「そんな庶民的な雰囲気じゃなかったよ! ツノ太郎なんて呼んだら絶対に怒られると思う」

「ソイツが好きに呼べって言ったんだから、別にいいじゃねえか。怒る資格はねえだろ?」

「それはそうだけど……」

どうやらグリムはこの話に飽きてしまったらしい。いかにもおざなりに言った。

「次にツノ太郎を見つけたらオレ様に知らせろ。オンボロ寮は廃墟じゃねえってことを叩き込んでやるから」

「グリムはツノ太郎に会ったことがないからそんなことが言えるんだよ」

優也はやれやれと肩を落としたが、うっかり自分も口にしてしまったツノ太郎という呼び名に笑ってしまう。話をしたおかげで少し落ち着いてきた。

グリムには悪いが、きっともうあの男に会うことはないだろう。優也はほっと小さく息を吐いた。この学園は広いし、自分がクラスメイト以外と顔を合わせる時間はほとんどない。相手がこちらに会おうとしない限り、「ツノ太郎」だなんて失礼な呼び方をする機会もないはずだ。

「早く教室に行こう！」とグリムに急かされて、優也は小走りでオンボロ寮を出た。

「ユウ、グリム、おはよう」

「はよー」

「二人とも、おはよう」

前の席に座るデュースとエースにいつも通り挨拶をする。二人とも少し気怠そうだ。まだ昨日の疲れがとれていないのかもしれない。

「昨日はあの後、リドル先輩と話したんだよね？」

別れる前に、寮に戻ったら調査の報告をすると言っていた。優也が尋ねると、頬杖を突いたエースが顔をしかめる。

「そう。ジャックの調査でどうなったか話したよ。このバカが、包み隠さずね」

そう言って、ばつの悪そうなデュースを小突いた。

「そんでオレらがサバナクローでボコボコにされたって知った瞬間、面子を潰された寮長が大激怒。また顔真っ赤にしてたわ」

「あんなに怒るとは思わなかったんだ」デュースが肩を擦りながら言った。「うちの寮生に手を出すとは良い度胸がおありだね！　だってさ。今にもサバナクローに乗り込みそうな勢いだったな」

「ええっ。それで、大丈夫だったの？」

デュースが頷いた。

「クローバー先輩が止めてくれた。さすがだよな」

「つまり、いつも通りだったってコト」エースが肩をすくめる。「疲れて帰ったらまた一騒動。ケイト先輩は笑ってるだけだし、ホント参ったわー」

「あの怒りんぼ、相変わらずなんだゾ」

グリムは呆れていたが、優也は何も言うことができなかった。昨日、リリアたちと別れた後にリドルが呟いた言葉を思い出していたからだ。

「三人のこと、心配したんだと思うよ」

優也がそう言うと、エースが大袈裟に顔をしかめて顔の前で手を振った。デュースもその横で苦笑している。

「寮長が？　ないない！　そうだとしたら、怒る前にまずオレらに大丈夫かどうか聞くでしょ」

いい寮長とはどういうものか。エースたちはリドルが己のプライドのために怒ったと思っているようだが、そんなことを呟く人間が、はたして自分の怒りを優先させるだろうか。

黙り込んだ優也の態度をどう受け取ったのか、エースは「おい」と眉を寄せる。

「今日の昼はみんなで作戦会議だけど、ユウもグリムも逃げないで参加しろよ？　寮長だってさすがにもう怒ってないだろうし、そうビビるなって」

「オレ様はびびってねーんだゾ！」

優也はエースとデュースに昨日のことを説明しようと口を開き、結局やめた。どう説明しても、リドルのプライドを傷付けることになる。

「うん、わかってるよ」

優也が返事をすると、デュースも笑顔になって頷いた。

「よし。それじゃあ昼になったら食堂に集合だな」

そう言うとデュースは前を向き、一限目の準備を始める。ホームルームが終わったら魔法史の時間だ。トレインの授業は難しい上に厳しく、予習が欠かせない。

真面目なデュースをエースが鼻で笑った。

「うわ、抜け駆けじゃん。まあ成果は全然出てねえみたいだけど？」

「うるさい。それに抜け駆けって思うならエースもやればいいだろ」

「いやー。オレ、暗記科目は嫌いなんだよな」

「うんうん。オレ様もなんだゾ」

教科書を出しもせずエースと遊ぶグリムを見て、近くに座るハーツラビュルの生徒が声をかけた。

「グリム、今日はトレインに指名される日じゃないか？」

はっとグリムが真顔になる。

「今度トレイン怒らせたらいよいよヤバいぞ」という忠言に、その通りだと何度も頷く。お礼を言うと「ユウも苦労するな」と困ったように笑っていた。

「ほら、ちゃんと勉強しないと。今日こそ補習になるかもよ」

「ええー……めんどくせえ」

嫌がるグリムを半ば無理矢理机に向かわせ、優也も参考書を開く。「ツイステッドワンダーランドのことを知るために」とトレインに貰った分厚い本も、ようやく残りのページ数の方が少なくなった。まだ一度読んだだけなので中身はほとんど覚えられていないが、地球とは全く違う世界地図を見たときの衝撃はよく記憶に残っている。大きな国の名前程度ならわかるようになってきたし、身近な人の出身地も覚えた。

ナイトレイブンカレッジが建っているのは、「黎明の国」に属した「賢者の島」だ。小さな島だが、ナイトレイブンカレッジと、そのライバルであるロイヤルソードアカデミーという名門校を二つも擁している。

エースとデュース、それにトレイとリドルは「薔薇の王国」の出身だ。賢者の島の東にある群島らしい。ケイトは最も広い国土を持つ「輝石の国」の出身で、家族の仕事の事情で頻繁に転勤をしていたと言って、色々な街の名前を教えてくれた。

昨日会ったレオナは「夕焼けの草原」の王族だと、以前デュースから聞いたことがある。優也が目の前の本で改めて確認したところ、夕焼けの草原は賢者の島から見て南に広がっている。詳細を辿れば「広大な土地と豊かな自然を持つ国」と書かれており、その横には気候を示す、青い空と草原の写真が載っていた。

本には他にも夕焼けの草原が持つ特色が書かれていた。昔は王の政治が行き届かず、法の及ばない区域があった。現在都市部は美しく整備されている一方、大きなスラム街も存在しており、貧富の差が大きい。国民の過半数が獣人属。稀少な野生動物が多数生息している。自然を尊重して無闇な開発を行わないため、人間が生活できる地域は限られている。

優也が地図を眺める横で、グリムは今日習う範囲を眺めて「全然頭に入ってこねぇ」と呻いていた。

しかし予習のかいはあったのか、午前中の授業は大きなトラブルなく乗り越えることができた。エースに言われた通り、みんなで食堂に向かう。

相変わらず人が多い。ランチメニューを選んで席を見渡していると、ピッと真上に伸ばされた手が目に付いた。

「みんな、こっちだよ」

リドルが呼んでいる。授業で挙手をしているような、学食に不釣り合いな様子に、エースが後ろで噴き出した。「おい、笑うなよ」と言うデュースの声も少し跳ねている。

「みんなお疲れ♪　早かったね」

リドルの隣にはケイトもいる。デュースがその隣に座りながら言った。

「お疲れ様です。クローバー先輩は一緒じゃないんですか？」

「食堂まで来るのも一苦労だろうし、教室で食べられるように、購買で買ったご飯を届けてあげたよ」ケイトは向かいに座る優也とグリム、そしてエースに向かってウィンクをした。「リドルくんが、是非そうしろって言うからさ♪」

「当然のことだ。無理をしては怪我の治りが遅くなるからね」

リドルはこほんと咳払いをして、スプーンを手に取った。優也たちにも「食べながら聞くと良い」と食事を促す。

「さて。改めて、昨日の話をゆっくり問いただそうかと思っていたのだけれど、その前に見過ごせない新情報がある」

「新情報？」夢中でマカロニチーズにふーふーと息を吹きかける、その合間にグリムが問いかけた。「なんなんだゾ。もしかしてもう犯人が見つかったのか？」

「いいや。そんなに良い知らせではない。昨晩また、一人怪我人が出たらしい」

「ええっ、また被害者が？」

優也は目を見開いた。エースとデュースも初めて聞いたようで、驚いた顔でリドルを見ている。

情報を得たのはケイトらしい。ナイトレイブンカレッジに多く飾られている、動く肖像画から聞いた話だと声を潜める。

「肖像画くんの情報によると、怪我をしたのはスカラビア寮の二年生、副寮長のジャミル・バイパーくん。食堂の調理場で事故に遭ったらしいよ」

「えっ！　ジャミル先輩が？」

エースが声を上げた。ジャックに続き、今度はエースの知り合いだろうか。

「バスケ部の先輩なんだよ」優也の問いにエースが頷く。「結構上手い人、だと思うんだけど……どっちかっていうとプレーより、フロイド先輩と揉めてる印象の方が強いかも」

デュースが「ううん」と考え込む。

「スカラビアの副寮長？　多分見たことあるとは思うけど、僕はほとんど記憶にないな」

「ああ。ジャミルはあまり目立つタイプではないからね」

リドルが頷いた。

「特徴は……長い黒髪かな。半分を編み込みにして結んでいる。寮長であるカリムと一緒にいることが多いね。カリムは白い髪にバンダナを巻いている。スカラビアの寮カラーは臙脂と黄。この二色の腕章を着けているはずだ」

「あっ」とパンを飲み込みながらエースが一点を見つめた。

「あそこにいるの、ジャミル先輩じゃないですか？」

エースの視線の先、三つ離れたテーブルに黒髪の生徒とバンダナを巻いた生徒が並んでいる。二人ともスカラビアの腕章を着けていた。

振り返って確認したケイトとリドルが「本当だ」と意外そうな顔をする。

「ジャミルくんとカリムくんだ。噂をすれば、だね」

「あの二人を食堂で見かけるのは珍しい気がする。運が良いね」

「おっしゃ！　さっそく話を聞いてみるんだゾ」やっと冷えたマカロニをスプーンに乗せて、グリムが言った。「もちろん、これを食い終わったらな」

全員急いで昼食を流し込んで、ジャミルたちのいるテーブルへと向かった。

「やあ、ジャミル。カリム。食堂で会うとは思わなかったよ」

白い髪の生徒が「お！」と満面の笑みを浮かべた。カリムの方だ。

「リドルじゃないか。それにケイトと……一年生！　わあ、みんな可愛いなあ」

近くで見ると、カリムの髪はただの白ではなく、真珠のように輝く明るい灰色だった。キラキラと弾けるような笑顔で挨拶をした後、優也とグリムを見る。

「あっ。もしかしてお前ら、オンボロ寮のふたりか？」

「おう、オレ様はグリム様だ」グリムが胸を張った。「こっちは子分のユウなんだゾ」

「そっか。グリム、ユウ、オレはスカラビア寮長のカリムだ。こっちは副寮長のジャミル。仲良くしてくれ！」

黄金の耳飾りを揺らしてカリムが顔中で笑う。天真爛漫とはこのことだろう。とても人懐っこい性格をしているようだ。

優也がおずおずと差し出された手を掴むと、「よろしく！」と握手をぶんぶん上下に振られた。ナイトレイブンカレッジでこれほど快活な挨拶をしてもらったのは初めてだ。心から歓迎されているのが伝わってきて、優也も自然と笑顔になる。エースとデュースなどはあまりの距離の近さに戸惑っていた。

カリムの隣に座る生徒は、黙ってその様子を見ていた。スープを飲み干すと、ことりと静かにスプーンを置く。

「……で、なんの用だ」

賑やかなカリムとは対照的に、ジャミルは落ち着いた人だった。じっと優也たちを見る目は強く、心の内を探るような鋭さを感じて、ひやりとした心地になる。

たじろぐ優也の代わりにエースが口を開いた。コミュニケーション能力の高い彼らしく、ぱっと明るい笑顔を浮かべて片手を上げる。

「ども、ジャミル先輩。お疲れ様っす！　怪我したって聞いたんですけど、大丈夫ですか？」

「もしかしてわざわざそれを聞きに来たのか？　エース」

「はい。もーオレ、先輩のことが心配で心配で」

「そんなに話したこともないだろう」

年上なら可愛がらずにはいられないような、従順な後輩らしくエースは振る舞うが、ジャミルは信じる様子がない。ただ悪い気はしていないようだ。「お大事にしてください」と言われると、かすかに笑って頷いた。

「それにしても、随分と情報が早いんだな」

「ちょっと小耳に挟んでね。詳しい話を聞かせてもらえないかい」

リドルの言葉に、ジャミルは目を細めた。

「何故そんな話を聞きたがるんだ？」

せっかくエースが緊張を解いたのに、また警戒させてしまったらしい。任せてくれ、とばかりにケイトが人当たりの良い笑顔を浮かべてリドルの横に立った。

「実はさあ、学園長に頼まれちゃって。ほら、ハーツラビュルもお茶会の準備で、たまに食堂の調理場を使うじゃん？　不備がないか確認しろって。だから怪我をした時に何があったか教えてもらってもいい？」

「……まあ、いいでしょう」

信じたわけではなさそうだが、隠す必要もないと思ったらしい。ジャミルは頷くと、昨夜の話を始めた。

「昨夜、二十時過ぎだったかな。カリムに夜食を頼まれて、羊肉の揚げ饅頭（まんじゅう）を作っていたんです。あれ、結構匂いがするので……わざわざ食堂まで来てね」

「なんだ、そのうまそうな食いもんは……！」

グリムが涎をすする。カリムが身を乗り出した。

「そうそう、ジャミルの作る揚げ饅頭はほんっとに美味（うま）いんだ！　今度食いに来いよ」

「いいのか⁉」

「おいグリム、今それどころじゃないだろ」

デュースがグリムを注意すると、ジャミルがため息を吐く。静かになったのを待って、説明を続ける。

「……夜ですし、食堂にはゴーストもいませんでした。それで一人で具材を刻んでいた時に、手を切ってしまった。縫うほどじゃないけど、浅いともいえないぐらいの傷で、塞がるまではあまり動かさないようにと言われています」

ジャミルは包帯の巻かれた手を持ち上げた。親指と人さし指の間に、大きなガーゼが当てられている。「痛そー」とエースが顔をしかめた。

「器用なキミにしては不注意だったね」傷を見つめながら、リドルが言った。「マジフト大会の準備で疲れていたのかい？」

「いや。その程度で俺はこんなミスはしない」

ジャミルがきっぱりと言い切ると、カリムも「そう！」と誇らしそうな顔になった。

「ジャミルの包丁さばきは、うちのコック長も舌を巻くレベルなんだぜ。揚げ饅頭以外の料理も全部すげえ美味くて、俺、大好きなんだ！　いつも作ってもらってる弁当も楽しみでさあ」

「……ああ！　だから今日は食堂で昼食をとっているんだね」

その手で料理は難しいだろう。リドルがそう言うと、カリムが悲しそうに眉を下げた。

「うん。ジャミルはこれぐらい大したことないって言ったんだけど、心配だし、早く治してほしいから」

　ジャミルはといえば、表情を変えずにそれを聞いていた。感情表現が豊かなカリムの横にいるせいか、落ち着いていて大人っぽい人という印象を受ける。またも話が途切れたのを黙って待ち続け、口を開いた。

「特別疲れていたわけじゃない。ただ調理中に一瞬、意識が遠くなったような感覚があった」

「目眩、とかですか？」

「いいや」ジャミルは優也の問いかけに首を振る。「他の奴ならそう思うかもしれないが……俺にはわかる。あれはユニーク魔法の一種だ」

「ユニーク魔法？」

　ジャミル以外の全員が声を揃えた。

　ユニーク魔法。他人の魔法を封じるリドルの「オフ・ウィズ・ユアヘッド」、自分の分身を作るケイトの「スプリット・カード」のように、魔法士が持つその人独自の魔法のことだ。それを使われたとするならば、誰かが意図を持って魔法でジャミルを傷付けようとしたということになる。

　リドルたちの顔つきがたちまち険しくなる。緊張感が高まる空気の中で、ケイトが「ちょっと待って」とやんわり制した。

「ジャミルくんを疑うわけじゃないけど、どうしてそんなことがわかるの？　何か理由があるのかな」

確かに他の被害者は誰も、ユニーク魔法の話はしなかった。ジャミルがやけに確信を持ったように語る理由も気になる。

カリムが大きく口を開けて「あはは」と笑った。

「そりゃあジャミルならわかるさ！」

よほどジャミルのことを信用しているのだろうか。堂々としたカリムの肩を、ジャミルが摑んだ。

「今は俺の話はいいから」

これまでとは違い、カリムの言葉を遮る強い制止だった。ジャミルはカリムの肩を摑んだままケイトを見る。

「とにかく、犯人が使ったのは、他人の行動を操作できるような魔法だと思います。まあ信じなくても俺は構いませんが」

「ううん、もちろん信じるよ！」ケイトが笑顔で言った。「ごめんね、ちょっと気になっただけだから。話してくれてありがとう」

「いいえ。大したことではありません」

そう言うと、「カリム、行こう」とジャミルが席を立った。

「あ。待ってくれよ、ジャミル！」

「またゆっくり話そうな」と笑顔で手を振るカリムと、一度も振り返らない黒髪が見えなくなると、ケイトが小声で言った。

「なるほどね。他人の行動を操作できるユニーク魔法、か」

「えぇー。アイツの言うことそんなに簡単に信じていいのか？」

グリムが怪しんでも、「うん」と難なく頷く。

「どうしてわかったかはともかく、嘘をつく必要がないもん。だから周りからは本人の不注意にしか見えなかったって思うと、これまでの証言も納得もできるし」

「操作、か……」

リドルが腕を組んだ。

「でもボクが階段から落ちかけた時は、操られていたようには感じなかった。一瞬のことだったしね。ジャミル以外の被害者は、自分の不注意か操られたのか判別が付いていないのかもしれない」

「それじゃあ見つけようがないじゃないっすか」

エースが眉を寄せる。優也も途方に暮れていた。やっと進展があったと思ったら、ユニーク魔法とは。リドルやトレイ、ケイトの見せてくれた見事な魔法を思い出す。手がかりなくあれを暴くとなれば、簡単なことではないだろう。

「そもそも、人を操るなんて便利なユニーク魔法があり得るんですか？」

「驚くような話でもない」優也の疑問をリドルがあっさりと肯定した。「例えば……そうだね。これは強弁だけれど、一瞬でも人に睡魔をもたらす魔法と物理的に物を動かす魔法を掛け合わせれば、ひょっとすると人を望み通りに動かす魔法になるかもしれない」

「いやいや。そんな魔法を器用にいくつも使うって、超難しそうなんですけど」

「それはもちろん、簡単ではないよ」

口を尖(とが)らせたエースに、当たり前じゃないかとリドルが笑う。

「誰にでもできることではない。でもユニーク魔法の基になるのは、往々にして、さして珍しくない基本的な魔法だ。それを魔法士が必要に応じて掛け合わせたり、改良をして作る」

「研究を重ねないと、ユニーク魔法は生まれないってことですか？」

優也が尋ねると、リドルは少し悩む様子を見せた。

「一概には言えないけれど、ボクの場合はそうだね。他には、魔法士の特質によって発現する事例もある。それに偶然のひらめきの結果、ということもあるかもしれない」

リドルは食堂を見渡した。昼食のピークを過ぎても、周囲にはまだたくさんの生徒がいる。この場に集う人々のユニーク魔法について思いを馳(は)せているのだろう。少し微笑んで言った。

「どちらにせよ、他の人が同じ魔法を使うことは滅多にない。本人の特性や技術の賜(たまもの)。だから個性魔法(ユニーク)なんだよ」

グリムが「はあ～」とうっとりしたため息を漏らす。

「いいなあ……憧れるんだゾ。オレ様も格好いいユニーク魔法が欲しい！」

「気持ちはわかるぞ。魔法士だったらみんな、自分のユニーク魔法を持つのが夢だもんな」

拳を握ったデュースに、リドルが「それなら基礎を学ばなくてはね」と優しく言った。一年生が憧れを語る姿を微笑ましく思っているのかもしれない。

リドルが「オフ・ウィズ・ユアヘッド」を習得したのはわずか十歳の時だ。厳格な母親の下で研鑽を重ねた結果だとトレイが教えてくれた。

彼が「他人の魔法を封じる」というユニーク魔法を手に入れるに至るまでには、どんなことがあったのだろう。きっかけも、経緯も、努力の程も、何もわからない。魔法が使えない優也にわかるはずもなかった。ただ恐らく、楽しいことばかりではなかっただろうということは想像できる。

それでも魔法について説明するリドルは普段より表情が柔らかい。喜んでいるようにさえ見えた。ただ母親に強制されていたわけでなく、本当に魔法が好きなのかもしれない。

エースもグリムたちと同じように、ほうと息を吐いた。

「他人の行動を操作できる魔法か。いいなあ。オレがそんな便利なユニーク魔法手に入れたら、先生操って毎日自習にするのに」

「それって意味ある？」優也は笑ってしまった。「だったらいっそのこと、学校を休みにした方がいいんじゃない？」

「お、それもいいね。毎日遊び放題」

視線を感じて、はっと二人でリドルを見る。先ほどまでとは打って変わって、眉間に深い皺が寄っている。真面目なリドルには許しがたい発言だったようだ。

「僕だったら、宿題を……」少し遅れてリドルの形相に気付いたデュースが慌てて手を振った。「いやっ、なんでもありません！　優等生らしくなかったな、忘れてくれ」

「一年生ってほんと初々しくて可愛いねえ。リドルくんもそう思うでしょ？」

「全く思わない。もっと品良く、真面目に、学業に向き合ってもらいたいものだね」

声を上げて笑うケイトの横で、グリムもにこにこと夢を膨らませていた。

「オレ様だったら、学園中のヤツらに毎日食い物をプレゼントさせるんだゾ」

「はは、グリちゃんらしいね」

「おう。そしたらオレ様がランチも購買の菓子もパンも独り占め！　珍しいデラックスメンチカツサンドだって、食べ、放、題……？」

グリムが首をひねった。

「……ああっ！」

突然、食堂中に響くような叫び声を上げる。周りの生徒がじろりとこちらを見た。咄嗟にグリムの口を塞いだ優也が「すみません」と頭を下げると、それぞれの会話に戻る。

「どうしたの、急に大声出して」

「オレ様、知ってるんだゾ！　そのユニーク魔法使うヤツ！」

優也の手を剝がして、グリムが真剣な顔をする。

「ラギーだ！　あのムカつく泥棒野郎が犯人なんだゾ」

「えっ、ラギー先輩？」

「そうだ」グリムが大きく頷いた。「この前、オレ様がここでデラックスメンチカツサンドを小さいあんパンと交換させられたヤツ！　あのときオレ様は絶対にやりたくなかったのに、操られたみたいに体が勝手に動いたんだゾ。ラギーの仕業に違いねぇ」

確かにあのときのグリムの行動には違和感があった。優也と同じように、エースとデュースも驚いている。

「えっ、あのときマジで自分の意思じゃなかったの？」

「でもグリムのすぐ側(そば)にいたのに、見ていて全然違和感はなかったぞ」

「リドル先輩とケイト先輩はどう思いますか」と優也は先輩二人を見る。

「……けーくん的には、かなりいい線いってそうな気がするな」

リドルも頷いた。

「そうだね、看過できない証言だ。ラギーを捕まえて話を聞き出そう」

「でもそう素直に話しますかね」片手を顎に当ててエースが尋ねた。「昨日話した限りだと、かなり食えない人って感じでしたけど」

「ああ。キミの言う通りラギーは悪知恵が回るし、一筋縄じゃいかない。証拠を集めるのにも時間がかかるだろう。だからこそ、まずは彼を揺さぶって、様子を見ようじゃないか。ボロを出せば僥倖(ぎょうこう)、知らぬ存ぜぬで通したとしてもこちらに損はないからね」

リドルが不敵に笑った。

「やり方はいくらでもある。脅すか、魔法を封じるかすれば、さすがのラギーも本心を見せるだろう」

「えっ、脅す？」話の雲行きが怪しくなり、優也は声を上げる。「話を聞くだけなんじゃないんですか？」

「もちろんそのつもりだ。相手が大人しくしていれば、ね。ちょうど昨日のお礼もしないといけないと思っていたところだし、聞きたいことがたくさんある」

リドルのグレーの目が濃く、闘志に燃えている。昨日の一件で激怒したという話は、嘘ではなかったらしい。

「すぐ力に物言わせようとするし……さっき品良くとか言ってませんでした？」

呆れた顔をするエースに近づいて、腕を掴み、優也は小声で訴えた。

「このままじゃ喧嘩になっちゃうって！　エース、リドル先輩を止めて」

「いやいや、オレには無理！」エースは前を向いたまま肩をすくめた。「見ろよ、すっかりやる気じゃん。それに昨日のあの怒りっぷり見たら、止めようなんてとても思えないわ」

「諦めろ」と肩を叩かれる。デュースはといえば、にやりと笑って、拳を手のひらに叩き付けていた。

「よし！　ブッチ先輩のところにぶっ込みかけましょう」

「ああ。放課後、ラギーの教室に集合だ。みんな、いいね！」

「おう！」とグリムが大きく腕を上げる。こちらも昨日の、それともデラックスメンチカツサンドの復讐をできると思ったのか、威勢が良い。ケイトがやれやれと首を振っているのが見えた。

どうか長引いてくれないかと思っていた午後の授業が、今日に限って定刻通りに終わる。

「よし、出発なんだゾ」

ラギーは二年B組の生徒だ。引きずられるようにして、教えられた通り教室の前に行くと、既にリドルとケイトが立っていた。全員揃ったのを確認して、リドルが頷き教室の扉を開ける。最初に飛び込んだのはグリムだった。

「たのもー！　ラギー・ブッチはどこなんだゾ！」

ざわっと教室が騒がしくなった。

「うわっ、オンボロ寮のモンスターだ。噂のヤベー一年生もいる！」

「後ろにいるの、この前騒ぎを起こしたリドル・ローズハートだろ？」

痛いほどの視線を浴びているが、グリムはもちろんリドルも怖じ気づく様子はない。

「また君らかあ」

ゆらりと席を立つ者がいた。ラギーだ。飄々と、気負うこともなく、毛を逆立てたグリムの目の前までやって来る。

「オレになんの用ッスか？」エースとデュースを見て、いつもの笑い声を上げる。「今日はリドルくんまで連れてきちゃって、もしかして保護者同伴で昨日の恨みでも晴らすつもり？」

「それについてはまた追い追い。まずは、キミに聞きたいことがある」

怒りを抑えているのか、リドルは低く、小さな声で告げた。

「ラギー・ブッチ。今校内で起こっている、選手候補連続傷害事件について話を聞きたい」

「ええっ、なんスかそれ」ラギーが己の腕を擦る。「そいつは穏やかな話じゃなさそうッスねえ」

「しらばっくれるな！　オマエの仕業だろ」

怒るグリムを片手でいなして、ケイトが言った。

「とにかく、ここじゃなんだしさ。人のいないところに行かない？　そっちの方がお互い助かるでしょ」

「ふーん。まあ、いいッスよ」

あっさりと頷いたラギーとともに、教室を出て中庭に向かう。廊下を歩く間中、この後の展開について思いを巡らせているのか、誰もが無言だった。

一階の廊下から中庭に出ると行き交う人々の話し声で賑わっている。誰も優也たちのことを気にしておらず、思い思いに放課後の時間を楽しんでいた。

大きな林檎の木の下にベンチがあった。木の葉を手で払って座る。ラギーにも席を勧めたが、「オレはいいよ」と断られた。長居をするつもりはないということだろうか。

ベンチに座るなり、ケイトが「それじゃさっそく」と口を開いた。

「単刀直入に聞くけど、この件について、ラギーくんは何も知らない？」

「知らないッスねえ」

動揺した様子はない。とても堂々とした態度だった。本心を語っているようにしか見えず、エースとデュースも判断に困っている。

　立ったままのリドルが腕を組んだ。

「もう一度聞くよ。マジカルシフト大会の選手候補が相次いで怪我をしている件について、本当に何も知らないのかい」

「何度も言わせないでよ。知らないってば。確かに、最近怪我した人が多いって話は聞いたことあるけど、本人の不注意でしょ」

「そう。しらばっくれるつもりなんだね」

「あれあれ、もしかしてオレを疑ってるんスか？」ラギーは挑発的な笑みを浮かべた。「オレが怪我させたって証拠、あるの？　目撃者がいるんスか？　それで、写真に撮ったりしたんスか？　あるわけないよね。証拠があったら問答無用で捕まえてるはず」

「そうだね。証拠はない」

「ほら！　とにかくオレは無関係ッスから」

「そうかい。それなら、キミの魔法を封じさせてもらっても構わないね？」

　そこで初めてラギーは動きを止めた。「は？」と片眉を上げ、大きな瞳をぎょろりと動かしてリドルを睨む。

「それはなしでしょ。理由もなく魔法を使えなくさせられるなんてあんまりッス」

「確かにキミの言う通りだ」リドルはすぐに頷いた。「それならしばらくボクたちと行動を共にしよう。しばらく一緒にいれば、キミが犯人でないと確認できる」

それが狙いかと、ラギーが一瞬顔を歪めたように見えた。すぐに薄い笑みを取り戻し、はっきりと、冷たく答える。

「断る。オレに得がないもん」

「得はなくとも損はないはずだ。一緒にいるだけで、汚名をそそぐことができるんだよ」

「アンタたちといたら息が詰まりそうだし。お断りするッス」

「なに、ほんの二、三日で十分だ。その間、キミは勉強でも、マジフトの練習でも、なんでも、好きに過ごせば良い。キミだって疑われたままは嫌だろう？」

「こちとら君たちお坊ちゃまとは違って、疑われるのは慣れてるんで」

「随分と頑なだね。何か不都合でもあるのかい？」

剣呑な雰囲気が濃くなっていく。二人が言葉を交わすごとに、ひりひりと肌を刺すような空気に変容していった。

自らにかけられた嫌疑を晴らせるというのに、行動を見張られることをとても嫌がっている。態度一つとっても明らかにラギーは怪しかった。しかしこちらの提案を断ることが罪だとはもちろん言えない。しばしの間、二人は互いの探り合いを続けていた。

リドルは賢く、ラギーは用心深い。細い針で突き合うような言葉のやり取りでは埒が明かない。リドルがこっそりと優也たちを見た。

「やむを得まい」

彼の持つユニーク魔法の正体がわからない以上、先手を打つ必要があるだろう。狡猾なラギーに後れを取るのは危険だ。食堂でそう話していた通り、リドルは自らのユニーク魔法を使って、ラギーの魔法を封じるつもりだろう。

リドルの持つ根拠はグリムの証言だけだ。たったそれだけを頼りに、他人に魔法を使うなんて真似をしていいのだろうか。もしもラギーが冤罪ならば、こちらが魔法を使う正当性はない。リドルの最も嫌う校則違反になってしまう。

作戦を聞いた優也が不安になって確認をすると、リドルはすぐに『問題ない』と頷いた。

『ユウもそのときのグリムの様子は、おかしかったと思っているんだろう?』

『えっ、僕ですか?』思わぬ問いかけに面食らう。『はい。食い意地のはったグリムがまさかって……でも確信があるわけじゃないです』

『十分だよ。キミと、グリムを信じよう』

教室へと戻っていったリドルを見送りながら、エースが目を丸くしていた。

『びっくりした。お前、いつの間に寮長とあんなに仲良くなったわけ?』

『いや……特別、仲良くなったわけじゃないと思う』

多分、リドルは元々ああいう人なのだ。頑固で融通が利かない。しかし性根が真っ直ぐで、人の言葉をそのまま受け取るような、驚くほどに純粋な部分がある。これまでの彼の人間関係の希薄さがそんな性格を形成しているのではないかと優也は思った。きっと良くも悪くも、リドルの予想を裏切るような人間はこれまで周りに存在していなかったに違いない。

不正を許せないという強い意志がリドルの眼差しから溢れている。白い喉が大きく震えた。

「オフ・ウィズ……！」

溌剌（はつらつ）とした声が途絶え、代わりにくぐもった音が小さく聞こえる。リドルの言葉は、素早く押しつけられたラギーの手のひらに吸い込まれていた。

リドルを見下ろし、ラギーはにやりと口端を上げる。

「落ち着きなよ、リドルくん。マジカルペンもなしに、そんなに強い魔法を使っちゃって大丈夫ッスか？」

「えっ」とラギーの手を振り払いながら、リドルが自らの胸元を見下ろす。すぐに大きく目を見開いた。

「ない。……ボクのマジカルペンがない！」

制服の胸ポケットから輝きが消えている。常にそこに差している、真紅の魔法石を付けたマジカルペンがない。

「ええっ。うそ、どうして？」

慌てるケイトを見上げて、隣に座るグリムがあっと声を上げた。

「おいケイト！　オマエのペンもねえんだゾ！」

「え？」きょとんとした顔で、ケイトが自分の胸元を触る。「うわっ、マジだ。オレもない！」

「シシシッ」と高い笑い声が響いた。

「みーんな懐ガラガラで隙ありすぎ！　楽勝で取れちゃったッス」

おかしくてたまらないというように、未だ物笑いを続けながら、ラギーが右手を上げた。手の中に四本のマジカルペンが握られている。ハーツラビュルを示す、濃い赤の魔法石が付いたペンだ。

はっとデュースとエースの胸ポケットを見れば、二人のマジカルペンも消失していた。「ペンが！」と優也が指さすと、二人揃ってのけぞる。

「あれって、僕のマジカルペンか⁉」

「ってことは一本はオレの？　いつの間に⁉」

リドルが呆然(ぼうぜん)と呟いた。

「そんな馬鹿な。魔法を使った様子なんてなかったのに」

「嫌だなあ」ラギーは手の中のペンをカチャカチャとこすり合わせた。「こんなの魔法なんて使わなくても余裕ッスよ。オレって、ちょっとばかし手先が器用なんで」

自力で四人の懐に忍び込み、ペンを盗み取ったということか。言われてみれば、廊下やベンチに座るときなど、接触する機会は何度かあったかもしれない。だがこれだけの人数が揃っていて、誰も気が付かなかった。舌を巻く鮮やかな手口に、化かされたような心地になる。

怒りで顔を赤く染めたリドルが大きく口を開く。側にいたケイトがすぐにそれを止めた。

「ちょっと待った、リドルくん！　今ユニーク魔法使おうとしたでしょ」リドルの顔色を読み、ケイトは顔をしかめた。「やっと体からブロットが抜けたところなんだから、無理しちゃ駄目だよ！」

魔法を使うために必ずしも魔法石が必要というわけではない。魔法石は魔法をより放出しやすくするため、そして魔法を使った結果排出されるブロットを肩代わりするためのものだ。

魔法石を持たない今、小規模な魔法を使う程度なら問題ないのかもしれないが、強力なユニーク魔法を易々と使うわけにはいかないだろう。特に回復したばかりのリドルでは、僅かなブロットであっても体にどのような影響が出るかわからない。

「こんなとこで首輪を付けられちゃたまらないんで、オレは退散させてもらうッス」

「オレ様の出番だな！」

グリムが素早くラギーの行く手を塞いだ。リボンで結ばれたグリムの魔法石は胸に輝いたままだ。

「食らえ！　ふなーっ」

グリムが火の魔法を次々に口から噴き出した。大きな青白い炎が三つ、真っ直ぐラギーに向かう。「よしっ」とエースが拳を握ったのが見えた。

しかしラギーは体をひねると、事もなげに全ての火の玉を避けた。対象を失った炎がしゅうしゅうと悲しそうな音を立てて消える。

「なにっ⁉」と驚くグリムにラギーが笑った。

「とろくてあくびが出ちゃうな。口ほどにもないッスね」

スキップをするような足取りで駆けていく。リドルが鋭い声で号令を出した。

「お前たち！　なんとしてでも、ラギー・ブッチを捕まえろ！」

ラギーの痩せた背中を追いかける。グリムの炎に加えて、エースやデュース、ケイトも何度か魔法を放ったが、かすりもしなかった。コントロール力を高めるマジカルペンを失ったせいもあるのだろうが、それを差し引いてもラギーはあまりに軽やかに避ける。速さがあるというよりも、上に下にとただただ身軽なのだ。優也も懸命に走ったが少しも追いつける気がしない。

エースがひっくり返った声を出した。

「なんなんだよ、アイツ。滅茶苦茶すばしっこい！」

デュースもラギーを捕まえようと両手を広げてはすり抜けられて、何度も転びかけている。また捕まえようと伸ばした腕をかわされて、たたらを踏みながら言った。

「なんでこんなにひょいひょい避けられちまうんだ」

「こんなのスラムの裏道に比べたら大したことないッスよ」

ラギーがひょいと乗り越えたベンチに、ケイトとリドルが足を取られる。前のめりになりながらもケイトが風の魔法を放ったが、ラギーは素早く体を反転させると木の陰に入ってそれを避けた。時には騒ぎに集まってきた野次馬をも目くらましにして、グリムたちを煙に巻く。ラギーは障害物や地形を味方に付けて、巧みに追跡者をかわしている。その足取りは軽く、そして淀みなく、まるで正解となる道筋が見えているようだった。

「くっそー、こうなったらヤケなんだゾ！」

大きく息を吸ったグリムの体を優也ははしと摑んだ。

「このままじゃ無理だよ！　あんなに素早く避けられたら、当たりっこない」

暴れるグリムを抑えながら、息を切らせたリドルたちを見る。

「みんなも、マジカルペンがないままじゃ……」

プライドを傷付けるようなことは言いたくないが、このままでは消耗する一方だ。昨日のマジカルシフトの試合のような辛い姿はもう二度と見たくない。

敗北を悟ったのか、リドルが悔しそうに顔を歪めた。

「そうそう。温室育ちのお坊ちゃんどもがオレを捕まえようなんて、どだい無理な話ッス」

そう言うとラギーはわざとらしく肩をすくめた。体に比べて制服が大きいらしく、もたついたジャケットの袖を緩くまくる。

「やれやれ、余計な体力使っちゃったな。オレ、無駄が嫌いなんスよね。だから次に追い回すときは証拠でも揃えてきてよ。あ、それと、次はちゃーんと、マジカルペンも用意しないと駄目ッスよ！」

そう言うと、ラギーは見せつけるようにハーツラビュルの魔法石が付いたマジカルペンを掲げた。「パクられなかっただけ感謝してね」と笑い、遠くの茂みに投げる。

「この卑怯者！」

激昂したリドルが叫んだ。

「大切なマジフト大会を、なんだと思っているんだ！」

「卑怯、ね」

ラギーが冷たい声で言った。痩せて筋張った首がゆらりと傾く。

「あんたらに何がわかるんスか？　恵まれてぬくぬくと育ってきた奴らの正論なんて聞きたくもないッス」

骨と皮だけの体に不釣り合いなほど大きい瞳で、ラギーがこちらをねめつける。冷ややかな目だった。

瞬きもせず、そのままラギーは唇を歪めた。笑っているつもりなのだろう。しかし鋭い牙が見えて、威嚇されているように感じる。

「正しけりゃ得するの？　良いことしてりゃ報われるわけ？　綺麗事言うのは勝手だけど、それをオレに押しつけないでよ」

ずっと軽薄そうな笑みを絶やさなかったラギーが強い苛立ちを見せている。同学年のリドルにとっても意外だったのか、目を見開いていた。

驚く優也たちを見てラギーが舌打ちをした。本人も自分らしくない言動だと思ったのかもしれない。「じゃあね」と一言告げると、あっという間に姿を消してしまった。

「やっぱどう考えても、ラギー先輩が犯人だよな」

エースが言った。

「ユニーク魔法に違いないっていうジャミル先輩の証言に、グリムの体験談。どこよりもマジフト大会で勝ちたがってるサバナクロー所属だから動機もある。リドル先輩が問い詰めた時の態度も怪しかったし、口ぶり的にもバレるはずないって開き直ってる感じ」

　グリムはうんうんと頷いたが、デュースの反応はない。同じベンチに座るその顔を、優也は少しかがみ込んで見る。

　中庭にあるのは三人掛けのベンチだったので、デュース、エース、優也で座るといっぱいだ。グリムは迷いもせず細い肘掛けの上に座った。三人の方へ体を向け、端に座る優也の膝上に断りもなく足が置かれている。

「何か気になることがあるの？」

　釈然としていないのか、デュースの返事は「うーん」と曖昧だった。

「やりそうな人だからって、決めつけるのはまだ早いんじゃないか」

「えっ、急に良い子ちゃんみたいなこと言ってどうしたんだよ」エースが驚いた声を出す。

「お前だってラギー先輩を追い回してたくせに。もしかして怖じ気づいた？」

「違う。それに、庇（かば）ってるわけでもないからな」

　勘違いするなと念を押してデュースが眉をひそめる。

「僕だってブッチ先輩が怪しいとは思っている。でも証拠がないだろう」

「まあね。だからそれを、リドル寮長とケイト先輩が血眼になって探してるわけだし」

　ラギーが去った後、激怒したリドルは「ラギーが犯人と証明してみせる」と宣言し、ケイトとともに証拠を探しに行った。エースとデュース、グリム、優也は中庭に残って休息をとっている。リドルに大事をとれと言われたからだ。

「ケイト先輩も心配だけど……エースもデュースも、本当に体調は大丈夫？　さっきマジカルペンなしで魔法を使ってたけど」

「あれぐらい平気だってば」

何度聞くつもりだよ、とエースが小さく笑った。

「よく思い出してみろって。生徒になる前のグリムだって、魔法石を持たずに魔法を使ってただろ？」

「ああ。さっきの魔法ぐらいならどうってことない。そんなに心配しなくても大丈夫だ」

デュースもそう言って胸元のマジカルペンを服の上からとんと叩く。「そういうもの？」とグリムに聞くと、「オレ様は大天才だからよくわかんねえ」と得意そうに返された。呑気な答えに思わず笑って、ようやく安心できた。

リドルがオーバーブロットをした時には、本当に恐ろしい思いをした。誰が命を失ってもおかしくない事態だったのだと、思い返すたびに震えが走る。二度とあんな事態にはなってほしくない。さっきはユニーク魔法を使おうとしたリドルをケイトが止めてくれてよかった、と優也は二人のことを思い浮かべた。

今頃リドルとケイトは学園中の生徒、先生、それにゴーストや肖像画にまで聞き込みをしているはずだ。それで駄目なら、目を皿にして事件のあった現場を一つ一つ調査するだろう。なにか手がかりを掴まないことには、リドルのあの怒りが収まるとは思えない。

「……証拠、見つかるかな」

優也が呟くと、エースが「駄目だろうなあ」と覇気のない声で答えた。優也も同じ気持ちだ。魔法が使われたかどうか、現場を押さえる以外に証明する術はないらしい。それにラギーは用心深い。あの口ぶりでは証拠が見つからない自信があるのだろう。

「あと少しのところまできてると思うんだけど」

学園長に調査を依頼された、マジカルシフト大会選手候補の相次ぐ怪我。それが単なる事故ではなく、ユニーク魔法によって引き起こされた事件であるというところまではわかった。ラギーという有力な容疑者もいる。ただ、それを証明するにはあと一歩足りない。

「どうしたらいいんだろう」とエースもデュースも悩んでいた。

「このまま負けっぱなしなんて悔しいんだゾ！」

グリムがバタバタと手足を振って歯ぎしりをする。太ももを何度も蹴られ、爪が制服のスラックスを引っ掻いた。

「痛いよ」と言って止めていると、廊下から優也たちの方へ歩いて来る者がいた。少し距離があってもわかる、特徴的なシルエット。銀色の耳と大きな尻尾を持つ、サバナクローのジャックだ。

「てめーら、まだ懲りずに犯人捜しやってるのか」

ジャックは腕を組み、こちらをじっと見ている。エースが刺々しい声を出した。

「なんだよ。お前、その口ぶりだとさっきの見てたんだろ。ごたごたが全部片付いた今頃来て、なんの用？　馬鹿にしに来たとか？」

「別にそんなんじゃねえ」

「じゃあさっさとどっかに行くんだゾ」

グリムもふんと鼻を鳴らした。エースもグリムも、昨日こちらの申し出をすげなく断った

ジャックのことを良く思っていないようだ。顔見知りのデュースも思うところがあるような表情で黙っている。

グリムはジャックを追い払うように手を振った。

「オレ様たちは作戦会議中なんだ。忙しいから、オマエに構ってる暇なんてねえ」

ジャックがむっとした顔を見せたので優也はドキッとしたが、すぐに言い返してくるようなことはなかった。腕を組んだまま、探るようにこちらを見ている。

「……お前ら、どうしてそんなに他人のために必死になれるんだ」

ジャックの問いかけに、優也たちは全員顔を見合わせた。

「怪我したダチの仇討とうって気持ちは、わからなくもねえが」

「ちょい待ち、他人のため？」ジャックの言葉をエースが遮った。「何言ってんの。他人のためとかダチの仇とか、オレら一言も言ってないんですけど」

面食らったジャックを、馬鹿にしたように笑う。デュースも「おかしなことを聞くなよ」と肩をすくめた。

「誰かのためじゃない。僕たちはこの事件の犯人を捕まえて、手柄を立てたいだけだ」

「そーそー。そんでもってマジフト大会の選手枠に入れたらラッキー、的な？」

エースの言葉に、グリムがにんまり笑った。

「オレ様も大会に出場して、人気者になるんだゾ！」

ジャックが優也を見る。どういうことだ、という疑問がその顔にありありと書いてあった。

「ええっと……この事件を解決したら、オンボロ寮も特別枠で大会に出場させてもらうって、学園長と約束してるんです。それにエースとデュースも、犯人捜しに協力したら怪我をした選手候補の代わりとして考えてやってもいいってリドル先輩に言われてて」

「じゃあお前は？」

ジャックの黄色い目が優也を真っ直ぐ射貫いた。真夜中の月のように明るく、金色に輝いている。隠し事をしてもすぐにわかるのだと、詰問されているような気分になった。

「実は……学園に住まわせてもらってるお礼として協力するようにって、学園長が……」

申し訳なさが募って、最後まではっきりとは説明できなかった。もごもごと口ごもった優也を、ジャックは黙ってじっと見ている。どうにもいたたまれない。

手柄を挙げたいから。選手になりたいから。衣食住の対価として仕方なく。改めて考えると、どれも自分本位な理由だった。人のため、学園のために動いている者はこの場にはいない。怪我人が出ているというのに、優也を含めた全員が自分の利益のために行動をしているのだ。

せめてリドルやケイトがいてくれれば。自分たちより大人の二人を思って優也が嘆いていると、ジャックが「ハッ！」と大きな声を上げた。

「お前ら、思ってたより酷いな」

肩が小さく揺れている。笑っているのだ。

予想外の反応に優也は驚いたが、エースたちは馬鹿にされていると思ったらしい。「何だよ」と剣呑な雰囲気で言う。

「オレらよりお前の方が酷いじゃん。その様子じゃ知ってたんだろ？　ラギー先輩が事件の犯人だって」

「えっ？　……あっ」デュースがはっと目を開く。「もしかして、だから自分は狙われないって昨日言ってたのか？」

笑顔を引っ込めたジャックは何も答えない。やはりただ、あの月のような瞳で真っ直ぐにこちらを見ている。何かを探しているのだろうか。それとも困っているだけなのか。優也たちが信用に値する人間かどうか、見極めようとしているのかもしれない。

返事がないことに焦れたエースが立ち上がり、苛立ちのままジャックに詰め寄った。

「自分の寮の先輩が不正してるってことを知ってて、それなのにずっと隠してたんだろ？　お前もラギー先輩と同じ卑怯者じゃん」

「あ？　なんだと」

ジャックの表情がたちまち険しくなった。二人が睨み合い、際立つ身長差にエースのことが心配になる。

凄むジャックは大岩のような威圧感を放っていた。隆々としたたくましい体も、額に青筋を浮かべた表情も、優也から見れば同じ年齢の少年のものとは思えない。

しかし大柄なジャックが相手であろうと、エースは一歩も退かないだろう。優也がそう予想した通り、エースは眉間に深い皺を寄せてジャックを睨み上げている。彼は自らが納得いかないこと、おかしいと思うことを、黙って我慢するような人間ではないのだ。

「そうだよな」デュースも頷いた。「今も僕たちのマジカルペンが盗まれるところを黙って見ていたってことだろう。ジャックだってブッチ先輩とグルだ」

「そうだそうだ。卑怯者と話すことなんてないもんね」

べーっと舌を出すと、グリムが優也を見た。

「ユウもそう思うだろ?」

「えっ僕?」

ジャックの唸り声が低く響いている。ハラハラと成り行きを見守っていた優也は、突然話を振られて飛び上がった。

「僕は、その……」

ジャックの表情は険しく、今にも拳を振り上げてもおかしくないように見える。たじろいだ優也は、エースとデュースをちらりと横目で見た。

堂々とした彼らのようにジャックを睨むことはできないが、その代わりにできることがある。少し緊張しながらも口を開いた。

「……ラギー先輩がやってることが悪いことだって思ってるなら、一緒に止めてほしいです」

どうか協力してほしい。素直にそう助けを求めると、ジャックの眼差しに迷いが混じった。しばしの間沈黙が流れた。相変わらず恐ろしい顔はしているが、ただそれだけだ。ジャックは優也たちよりずっと恵まれた体格をしているのに、怒鳴らず、暴力も振るわない。ぐっと口を固く結んでいる。

やがて決意を感じさせる静かな声で言った。

「わかった。その事件について、俺が知っていることを話してやっても良い」

「えっ、本当ですか？」

「ただし一つ条件があるぜ」

ジャックは片手を上げて、喜ぶ優也を押しとどめた。向けられた手のひらがぎゅっと握られ、大きな拳に変わる。

「俺と勝負しろ」

「は？　勝負？」エースが目を丸くする。「意味わかんないんですけど。突然なんでだよ」

「男が腹割って話すんなら、相応の理由が必要だろうが。てめーらが口だけの輩（やから）じゃないって、俺に拳で証明してみろ」

当たり前のことのようにジャックが語るので、優也は返す言葉が見つからない。勝負と言われて耳を疑ったが、理由を聞いてより呆れてしまった。

「どうしてそうなるの？」いつの間にかジャックへの恐怖も忘れて、うわずった声で尋ねていた。「拳で証明？　そんなことしなくても、僕たちのことを信用してもらう方法は他にもたくさんあると思う」

エースが何度も、深く、首を縦に振る。

「同感。いつの時代の不良だっつーの。馬鹿馬鹿しいし、オレはそういう汗臭いのヤダ」

エースはいつも、デュースが口にする精神論や根性論を酷く馬鹿にする。時に冷酷にも感じるが、今回はその冷静さがありがたい。

そこで優也は、はっとデュースを見た。

「わかりやすくていいじゃないか」

予想通りの光景だった。不敵な笑みを浮かべたデュースが拳を手のひらに叩き付ける。いつも身に着けている黒い革のグローブが乾いた音を立てた。そこに普段の優等生を目指す素直な生徒の姿はない。

「おもしれえ。俺はそういうの嫌いじゃやねぇぞ！」

「へえ……」ジャックもまた、にやりと笑った。「デュース。お前、真面目なだけが取り柄な野郎だと思ってたら、案外話が通じるじゃやねえか」

デュースは熱が入ると不良だった頃の片鱗を見せる。豪胆で、道義を重んじる、硬骨漢な一面だ。

「ちょっと待って」と止める優也を振り返り、デュースは親指を立てた。

「大丈夫だ、ユウ。これは喧嘩じゃない。お互いのプライドを賭けた、ただの勝負だ」

「いや、意味わかんないし」エースが疲れた声で言った。「どっちも大して変わんねえだろ」

ジャックだけが、デュースの言うことにうんうんと頷いている。二人は目配せをして手際よく何事かを決めていった。

「長引かせるのも野暮だ。ここは、拳の重さで決めようぜ」

「わかった」

あっさり頷くデュースを見て、グリムが「わけがわかんねえ」と首をひねる。

「拳の重さってなんなんだゾ。どうやって調べるんだ？」

「僕もわからないよ」

ジャックとデュースはベンチから数歩離れ、林檎の木の下で向き合った。互いに体の節々を少し動かして、眼差しの強さを測るように相手を睨み付けている。何をするつもりかと優也は問いかけたが、二人は口を開けば負けとでも言わんばかりに、固く唇を結んだまま視線を逸らさない。

高まる緊張感に耐えかねた優也が「やっぱり止めようよ」と口を開いたとき、ひゅっと風を切る音が聞こえた。次の瞬間には、首をすくめるほどの鈍い衝撃音が響く。

「えっ……」

優也は息をのんだ。見間違えでなければ、今、ジャックの拳がデュースの頬を殴り飛ばし、デュースの拳がジャックの顎を殴り上げた。

それは一瞬のことで、すぐに二人はその場に膝を突く。うずくまる二人を見て先ほどの光景は幻かと疑ったが、背中を通じて聞こえる呻き声は生々しい。

あまりの衝撃で言葉が出ない。優也だけでなく、エースもグリムも呆気にとられている。

静けさの中、先に立ち上がったのはデュースだった。足をふらつかせながらも、しっかりと踏みしめた右足を頼りに立ち上がる。

遅れて顔を上げたジャックが、口元を押さえながら不明瞭な声を出した。苦痛のためか眉は寄っているが、どこか楽しそうな声色だ。

「なかなか強烈なのを、お見舞いしてくれるな……いきなり顎に食らわせてくるとは思わなかったぜ。まだ視界が揺れてやがる……」

見る見るうちに赤くなる頬を動かしてデュースもジャックを称えた。

「そっちこそ、やるじゃねぇか。正直、想像以上だった。その筋肉が虚仮威しじゃなくて良かったよ」

そう言って、口元を拭う。

体重、身長、獣人属とヒトという違い、どれを踏まえてもデュースにとっては分の悪い勝負だったはずだ。それなのに受けたダメージは五分五分のように見える。回復の早さで言えばデュースに軍配が上がるぐらいだ。

エースも同じことを不思議に思ったのか「あいつバケモノかよ……」と怪訝な顔をしている。優也たちの視線に気付いたデュースが照れたようにはにかんだ。ついさっき、鋭い目付きでジャックを殴った人間と同一人物とは思えない。

「ちょっとな。運動とはまた違った、コツがあるんだよ」

「なんだよコツって……」

「こわっ」とエースが呟いた。優也にもよくわからないが、ジャックとの違いといえば明確に顎を狙ったことだろうか。魔法を使わない単純な喧嘩にデュースは自信があるようだ。

ずっと呆然としていた優也だったが、はっと我に返る。

「二人とも大丈夫⁉」

腰を上げようとしてジャックがよろけた。咄嗟に支えようと手を伸ばしたが、助けはいらないとばかりに首を振られる。

ようやく立ち上がったジャックは、確かめるように下顎を左右に動かした。そうすると痛むのか、たびたび辛そうな表情になる。痛々しく、見ているこちらまで顔をしかめてしまうほどだ。デュースも頬に違和感があるのか喋りづらそうだった。明日には二人とも顔に濃いアザが出来ていることだろう。

「今のでよくわかった」ジャックは手のひらをデュースに差し出した。「お前は中途半端な奴じゃやねえ。それに仲間の奴らも認める。約束だからな」

「おう。お前は一度口にしたことは必ず守るやつだって、さっきの拳で僕もわかった」

デュースが差し出された手を強く握る。二人はそうして固い握手を交わした。優也たちの困惑には気付かないほど、深い充足感に浸っているようだ。

まだふらついている二人を優也は無理やりベンチに座らせた。このままでは一向に話が進まない。

「んで？」エースはパチンと大きな音を立てて手のひらを合わせた。「オレらのこと認めたってんなら、正直にそっちの事情を話してもらうぜ」

「わかってる」

頷いたジャックは声を潜めた。

「お前らの睨んだ通りだぜ。他の奴らに怪我をさせているのは、ラギー先輩だ」

優也たちは視線を交わした。そうではないかとは思っていたが、いざ犯人であると断言されるとなんとも言えない気持ちになる。

「それってやっぱり、ユニーク魔法を使ってやってるのか？」

「ああ、そうだ」

デュースが尋ねると、ジャックは周りの様子をうかがった。暗くなり始めた中庭には誰もいない。時期も時期だ。多くの生徒はマジカルシフトの練習をしているだろう。

人気がないことを確認して、ジャックは真剣な顔で告げた。

「あの人のユニーク魔法は、『魔法をかけた相手に、自分と同じ動きをさせる』っていうものだ。そうやって相手を操り、本人の不注意に見せかけて怪我を負わせている」

「はあー……なるほどね」エースが唸った。「だから食堂ではバレないようにグリムと同じ動きをしてパンを交換したってわけか」

「くうう、その話が出るたびに腹が立つんだゾ！」

隣で地団駄を踏むグリムを見ながら、優也は首をひねった。確かに恐ろしい魔法だ。それならば他人を操り、意に沿わぬ行動をさせて怪我をさせたり、自分の得になるよう動かすことができる。しかし一つだけ疑問があった。

「ユニーク魔法だったら、すごくすごく遠くから相手を操れたりできるの？」

「いや。さすがにそれは無理だと思う」

エースが即答した。

「そういう便利な魔法が存在しないとは断言できないけど、そんなにすげえ魔法なら、必要な魔力も相当なものになるはず。そう頻繁に使えるとは思えないね。怪我人の数からして、ある程度は近くにいないと難しいんじゃねーかな」

「でもさ、ラギー先輩と直接やり取りをしたグリムのときと、トレイ先輩と一緒にいたリドル先輩が階段から落ちそうになったときとは、状況が違うと思うんだけど」

エースがはっとした顔になる。

「確かにそうだな……近くで階段から飛び降りるような動きをしているヤツがいたら、リドル寮長やトレイ先輩も気付きそう」

二人だけでなく、聞き込みを行った他の生徒や、これがユニーク魔法によるものだと見抜いたジャミルでさえ、近くにいたであろうラギーの存在には気付いていなかった。それに目撃者もいない。そんなことが可能なのだろうか。

自然とジャックに視線が集まる。ジャックは少し顔を伏せて、沈痛な声を出した。

「一連の事件は、ラギー先輩が単独でやってるわけじゃねえ。サバナクローの奴らはほとんどグルなんだ。ラギー先輩を目立たせないように、他の奴らが並んで壁を作ったり、注意を引いたりして、誤魔化してるんだと思う」

「寮ぐるみの犯行ってことか?」デュースが驚愕に目を見開く。「それじゃあ犯人は、サバナクローのやつら全員ってことじゃないか」

「おいジャック。オメーの寮、めちゃくちゃ悪いところじゃねえか!」

肩を落とすジャックにグリムが追い打ちをかけた。

「寮のみんながってことはないでしょ。現にジャックくんは、こうして止めようとしてくれてるわけだし」

優也は慌てて取り繕ったが、ジャックは「そいつらの言う通り、情けねえ話なんだ」と首を振る。気の毒に思うほど責任感が強い。

対照的に、エースは気楽な調子で「でもさあ」と頭の後ろで手を組んだ。

「マジフト大会での順位や活躍って、プロ入り目指してるヤツらにとっては、もろに将来に響くじゃん? どんな手を使ってでも……って気持ちはわからなくもないよな」

「今なんて言った?」ジャックが唸った。「あいつらの気持ちがわかる、だと?」

地を這うような唸り声は止むことなく、鋭い牙を見せて相手を威嚇する。「そんなに怒るなよ、冗談だろうが!」とエースが数歩後ろに下がった。

「冗談でも許さねえぞ。卑怯な小細工なんて反吐が出る!」

ジャックは自分の膝を拳で叩いた。

「そんなことして勝って、なんの意味があるんだ？　今の実力を誤魔化して評価されたところで将来なんてあるわけがねえ。どんなに強い相手だろうと、自分自身の力で戦って、そして打ち勝つから意味があるんだろうが」

そしてまた拳を膝に打ち付ける。突然吠えたジャックに優也たちは圧倒されていた。とても力強く、燃えるような熱さを感じる声だ。己の言葉をどこまでも遠くに届けるかのように、ジャックは真っ直ぐ前を見ていた。

「今回の大会だって、俺は自分がどこまでやれるのか挑戦するつもりでこれまでずっと鍛えてきた。自分の力で勝ち上がって、テッペン獲ってやりたかったんだ！　それを全部無駄にされるなんて、本当に許せねえ」

語りにいっそう熱の入るジャックを前に、エースは白けた目をしていた。

「うわ面倒くせえ。最初はただのつまんないヤツって思ってたけど、もっと厄介な意識高い系の熱血野郎じゃん」

「いや、わかる……」ぼそっとデュースが呟いた。「俺はわかるぞ、その気持ち！　ジャック、お前は間違ってねえ！」

デュースは隣に座るジャックの背中を手のひらで何度も叩く。いたく感動した面持ちで、同好の士の登場を無邪気に喜んでいる。

「そうそう。こっちにも面倒くさいヤツがいたわ」

「どっちも暑苦しいんだゾ」

エースとグリムの冷めた目に気付き、ジャックは「別に理解されたいなんて思ってねえよ」とデュースの手を払った。しかし過剰なまでにへの字になった唇がかえって微笑ましい。頬が少し赤くなっているからだ。怖い顔をしているように見えるが、単に照れ臭いのだろう。

初めはその背格好からジャックのことを怖がっていた優也だったが、少し知ればすぐにわかるほど、ジャックは義理堅く、筋の通った人間だった。今日だって優也たちのことなど無視をすれば済む話だったのに、あえて声をかけて、真実を話すためには理由が必要だとわざわざ勝負を申し出た。きっとラギーたちの悪事を知って長く悩んでいたのだろう。律儀な性格がうかがえる。

少しデュースに似ているところがあるかもしれない。優也はベンチに並んだ二人を見ながらおかしく思った。ジャックの方がぶっきらぼうな物言いで、表情もそっけないが、真面目な部分や熱くなると我を忘れるところは共通している。まさか陸上部全員が二人のような性格をしているとは思わないが、同じ部活を選ぶあたりも、何か通ずるところがあるのかもしれない。

「とにかく、だ」ジャックは咳払いで話を戻した。「俺は卑怯な寮の奴らが気に食わねえ。中でも特に気に入らねえのは、寮長のレオナ・キングスカラーだ」

グリムの鼻がぴくっと動いた。

「あのムカつくヤローも、事件に関わってんのか？」

「ああ。サバナクローのボスだからな。関わっているもなにも、あいつがラギー・ブッチや他の奴らを動かしているようなもんだ」

ジャックは腕を組むと、「用心しろよ」と声のトーンを落とした。

「今までの事件は全部、手慣らしに過ぎねえ。レオナ先輩たちはもっと大きなことを目論んでいる」

「大きなこと？」

優也が復唱すると、ジャックは「そうだ」と頷いた。

「あいつらが一番目の敵にしてるのは、ディアソムニアの寮長、マレウス・ドラコニアだ。二年連続で、無得点のまま初戦敗退なんて大恥をかかされたんだからな。だから先輩たちはその屈辱を晴らそうとしている。それも、卑怯なやり方で」

「卑怯なやり方って……何をするつもりなんだ？」

デュースの問いかけにジャックは首を横に振った。同室の寮生がこそこそと何かを話しているのを、偶然聞いただけなのだと言う。

「詳しくはわからねえ。だが大会当日、マレウス・ドラコニアやディアソムニアの選手たちに何かを仕掛けるつもりらしい。俺はそれをぶっ潰すつもりだ」

「待てよ。詳しくわからないってことは、レオナ先輩たちがヤバいこと企んでるって証拠もないってこと？」

ジャックが肯定すると、エースは「はあー」と項垂れた。

「それだけじゃどうしようもないだろ。さっきだって証拠もないくせにって散々ラギー先輩に煽られたんだぜ？　またかまかけたところで、あのレオナ先輩が尻尾出すとは思えねえし」

エースの言う通りだった。ラギーも用心深い男だったが、もしもジャックの言う通りこの計画の主犯がレオナだとしたら、きっとそれ以上に慎重で狡猾な人だろう。曖昧な証言だけで告発しても結果は見込めない。

ジャックも「そこが問題なんだ」と渋々認めた。

「狡いあの男のことだ。これ幸いと、難癖つけられたとかなんとか言って逆に俺らの立場を追い込むかもしれねぇ」

「くそ〜っ。どいつもこいつも言い訳が上手くてズルい！　ムカつくんだゾ！」

歯ぎしりをするグリムを見下ろして、ジャックが呟いた。

「あいつは……レオナ・キングスカラーは、いつだって世の中を舐め腐った態度をとりやがる。すごい実力があるのに、ちっとも本気を出しやしねぇ」

「いやいや、昨日のマジフト大会でも十分やばかったんですけど」エースは眉をひそめる。

「オレたちなんか相手にもならなくて、向こうの圧勝だったぜ？　あれで本気出してないとかマジかよ」

「当然だ、あいつの実力はあんなもんじゃねぇ！」

拳を握ったジャックが、突然勢いよく立ち上がった。

「あの人は、本当はもっとすげぇ選手なんだ。それなのに今じゃその力を腐らせて、悪いことをするか怠けるだけで……俺はああいう奴が一番嫌いだ！」

エースが「落ち着けよ」とのけぞる。それでもジャックの熱弁はとどまることを知らない。

「三年前、レオナ先輩が大会で見せたプレーは本当にすごかった。相手の裏を掻いて、着実にディスクをゴールに運んで……しかも技術だけじゃなく、向かってきた相手を正面から蹴散らす力もある！　お前らだって、あの試合を見たらわかるぜ。あの人がスゲー魔法士で、天才司令塔って名は過大評価なんかじゃないってことが」

「あ、ああ。そうかもしれないな」

　さすがのデュースもジャックの勢いに引いている。グリムもびっくりしたのか優也の後ろに下がっていた。

　優也たちではなく遠くの夕陽を眺めながら、ジャックは眉を寄せた。胸の前で拳を作って心底悔しそうに歯ぎしりをする。

「この学園に入って、サバナクロー寮に選ばれて、あの人と本気でマジフトがやれると思ってたんだ。俺の実力を認めさせて、切磋琢磨したかった……それなのにあいつは……」

　握った拳がぶるぶると震えている。そっと近づいてきたエースが優也に耳打ちをした。

「あのさあ。コイツ、さっきからずっと自分のとこの寮長に文句言っているようでいて、すごい褒めてねえ？」

　優也は一も二もなく頷いた。初めはレオナの批判かと思っていたが、よくよく話を聞いてみれば、認めている部分も多いようだ。ただ、憧れていた人が今は最初から勝利を諦めているという事実が許せないらしい。

　話を聞く限り、ジャックは人一倍志の高い人間だ。人よりレオナに期待していた分、堕落した姿に対する落胆も激しいのだろう。

「本当に、憧れの人だったんだね」

「寮長のことをそこまで尊敬できるなんて、ある意味羨ましいわ」

「尊敬なんてしてねえっ！」エースの言葉を聞いた途端、ジャックは一際大きく吠えた。「今の寮長は、臆病風に吹かれたただの負け犬だ！」

悔しさの滲む声だった。未練を断ち切るように、ジャックは憎々しげに吐き捨てる。

「羨ましい？　どうせあいつは自分のことしか考えてねえよ。他人の事なんて少しも考えないから、あんな卑怯な真似ができるんだ。俺は今回のことで寮なんてもんにはほとほと愛想が尽きた」

「あー、なるほど。期待を裏切られたからって拗ねてんのね」

からかうエースをジャックが睨む。

「好き放題言ってるが、お前らだって俺と同じだろう」

「は、オレ？　何が」

「寮長に手を焼いてるんじゃねえのか。噂で聞いたぜ、すげえ暴君だって」

リドルの噂。それはハーツラビュルの寮生たちがあの事件以来何度も詮索されたことだった。教室でも、リドルという人物について他寮の生徒に尋ねられるエースとデュースの姿を何度も見た。オーバーブロットなんて一体何があったのか。理由は？　そのときの様子は？　ハーツラビュルの寮長はそれほど酷い魔法士なのか。

質問のたびに上手くかわしていたエースだったが、率直なジャックの言葉には思うところもあったのだろう。「それは……」と呟いて、それきり言葉に詰まってしまった。ほら見たことかと言わんばかりにジャックが目を細める。

「お前らは自分のところの寮長が、従うに相応しいボスだって本当に思ってんのか？　俺は下らねえ奴に付くぐらいなら、一人でいた方がずっといい」

ジャックの言葉には説得力があった。彼が本当にそれを達成できる人間だからだろう。

困惑するエースに、グリムが更なる追い打ちをかける。

「確かに、リドルはスゲー怒りんぼなんだゾ」

「おい、失礼だぞ」忠義に厚いデュースがグリムをたしなめた。「昨日だって、怪我をしたクローバー先輩のことを思って、あんなに熱心に調査をしてたじゃないか」

「いやあ、どうだろ……あれも面子のためって言われた方がしっくりくるような」

「やめろエース。お前まで何てこと言うんだ」

そう言うデュースの顔も少し心細そうで、不安が表情に陰を作っている。二人の中で疑心が育ち始めているのがわかった。

「あっ！」と声を上げてデュースが救いを求めるように優也を見る。

「そういえばユウは昨日、ローズハート寮長と一緒だったよな。寮長のこと、どう思った？　お前もジャックが言うような人だって思うか？」

昨日のこと。問われてまず思い出すのは、フロイドとジェイドに見せていた怒りの表情だ。

いつ喧嘩が始まるのかと恐ろしくて仕方がなかった。次に真面目な口調。ハキハキと聞き込みをする様子に迷いはなく、後を付いて回る優也より熱心だったかもしれない。

そして、マレウスのように慕われる方法を知りたいと零したときの寂しそうな声。

「よく……わからなかったかな」

優也が答えると、デュースはがっくりと肩を落とした。

「頼りにならねえ返事だな。ユウらしいんだゾ」

グリムがやれやれとませた素振りで笑う。しかし優也は頭の中を整理するのに必死で、返事をする余裕がない。

リリアの話を聞いたリドルの表情をなんと表せばいいだろう。嫉妬とは言えないし、後悔ともまた違う。

「僕……こんなだから、人の上に立った経験が一度もないんだ」

優也はゆっくりと口を開いた。

「だから寮長みたいにすごい立場の人がどんなことを考えているかなんて、想像もつかないし……側で見てたけど、何を考えてるのか僕じゃ全然わからなかった」

わからない。それ以上でも、それ以下でもない。そんな拙い訴えに、しかしデュースはしっかりと頷いてくれた。

「……ああ。僕もユウと同じだ。確かに頭には憧れるけど、寮長みたいにたくさんの人を率いたことはない。まずこれまでは周りに人が寄ってこなかったし……」

もごもごと続きを誤魔化すと、にっと顔中で笑う。

「わからないことを勝手に想像して、悪く思うのは良くないよな」

既に紫色になり始めた頰は痛々しいが、その表情は明るい。ぴったりと今の気持ちにはまる言葉を貰えた気がして、優也はそれが言いたかったのだと何度も頷いた。

「……まあ確かに、本人がいないところでうだうだ難しく考えても意味ないな。確かめようがないわけだし」

デュースの言葉を受けてしばらく黙っていたエースだったが、もういつもの調子に戻ったようだ。さっぱりとした彼らしい言葉を口にして、表情を緩める。

二人にのしかかっていた、重く苦しい疑念が消え失せたのを感じる。優也もほっとして微笑んだが、続くエースの言葉を聞いてすぐに引きつった。

「寮長が何考えてるか知りたければ、直接聞けばいいよな。そんで前みたいな暴君のままだったら、またぶん殴ってやりゃいいだけの話」

「またぶん殴る?」ジャックが声を上げた。「お前らそんなことしたのかよ!」

「おうよ。お前も寮長に文句があるなら、そのぐらいやってみれば?」

驚くジャックに、エースはにやりと笑った。

「どうせジャックの話もしに行かなきゃなんねえし、今から会いに行こうぜ」

エースがスマートフォンを取り出しケイトと連絡を取る。返事はすぐにあり、人のいない二階の講義室に集合することに決まったそうだ。先輩たちにも説明をしてもらうために、ジャックも共に校舎に入る。

廊下を歩いている時は下校途中の生徒たちがまばらに見えたが、講義室の中はいよいよ無人だった。部活動にも使われていない小さな教室なので、休み時間や放課後はほとんど人が寄りつかないのだという。改めてナイトレイブンカレッジの広さを感じる。

座ってしばらく話していると、リドルとケイトが息を切らせてやって来た。

「ラギー・ブッチのユニーク魔法がわかったんだって？」

扉を開けると同時に問いかけたリドルが、ジャックの姿を見て「おや」と瞬いた。

「どうも」無愛想なジャックはにこりともせず口を開く。「サバナクロー寮一年のジャック・ハウルっす」

「ああ。キミが、ケイトたちの話していた一年生だね。昨日はうちの寮の者たちが世話になったそうだ。感謝するよ」

ジャックと挨拶を済ませたリドルが先を促す。

「それで？　詳しい話を聞かせてもらおうか」

優也たちは頷き、詳細な説明はジャックに託す。

真相を聞き終えたリドルは怒りで震えていた。いつもの通りだ。

「伝統ある大切な行事を私怨で汚そうだなんて、許せない……！」

「どうする？　リドルくん」

いきり立つ肩をケイトが摑む。いつものようにやんわりとリドルをなだめ、しかしケイト自身も深刻な顔をしていた。

「サバナクローのマレウスくんに対する恨みって、どうやら想像以上みたい。大会当日どんなことが起こってもおかしくないよ」

「そのようだね」リドルは落ち着きを取り戻したようだ。「しかしエースたちの懸念通り、証拠がない以上手出しはできない」

「んじゃ、どうするんすか？」とエースが尋ねた。

「ずる賢いレオナ先輩たちを相手にして、こちらに勝ち目があるとしたら、一つだけだ。犯行が起こるとわかっている唯一の現場を押さえるしかない」

「それって……」しばらく考え込んで、デュースがはっと顔を上げた。「そうか、マジフト大会当日ってことですね？」

「ああ。ボクに考えがあるんだ」

まずは、と口を開いたリドルに、ジャックが手のひらを突き出した。

「待て。俺はお前らとつるむつもりはねえ」

話を遮られたリドルが目を見開く。グリムが不機嫌そうな声を上げた。

「なんだオマエ！　アイツらの味方するつもりか？」

「違う。ただ、自分の寮の落とし前は自分でつけるってだけだ。よそ者の手なんて借りるまでもねえ」

今更何を言い出すんだ、とデュースが顔をしかめる。

「見損なったぞ、ジャック。ここまで僕たちに付いてきたくせに、まさか怖じ気づいたっていうのかよ」

憤るデュースに「もとより仲間になったつもりはねえ」と冷たく返し、ジャックはケイトとリドルを見た。

「あんたらには、昨日の謝罪も込めて説明する必要があると思っただけだ。もうけじめはついたし、これ以上は馴れ合うつもりはない」

「お前、ホントに面倒くせえ」

エースが唾を吐くように言った。呆れを通り越して、怒りを覚えてきたらしい。

「いちいちオレらの提案すること全部に反対して、なんなの？　落とし前とかけじめがそんなに大事かよ。もっと冷静に考えられないわけ」

「俺は冷静だ。その上で、お前らの助けなんか必要ねえってだけだ」

「ああそうかよ。オレだってお前の手なんて借りたくないね！」

「エースちゃんもジャックちゃんもやめなよー。今は喧嘩してる場合じゃないでしょ」

ケイトが仲裁するが雰囲気は険悪なままだ。デュースがエースの擁護をするとまたもジャックが反論し、いよいよグリムが唸り始めた。

こういうときこそ、と思ってリドルを見たが、彼もジャックの態度が癪に障ったようでいい顔をしていない。リドルは無礼な人間が嫌いなのだ。

「キミのその態度は、上級生に対するに相応しくないね」

かちんときたのか、ジャックが何かを言い返そうと口を開いた。優也は慌てて、それより先に大きな声を出した。

「そうは言っても、ジャックくん一人じゃどうしようもないいんじゃないかな」

ジャックは一瞬目を見開いたが、すぐにその目を鋭く細める。

「今なんて言った。俺じゃどうしようもねえだと？」

「す、すみません。言い方が悪かったです」優也は後退しながらも、唇を湿らせた。「ただ、これまでの事件も一人じゃ止められなかったってことは、また同じことをしても意味がないんじゃないかなと思って」

出しかけた言葉をのみ込むようにジャックの喉がぐっと鳴った。

「僕もリドル先輩たちが手伝ってくれるまで、グリムとふたりでどうしたらいいのか困っていたから……少しですけど、気持ちがわかるんです」

どんなに優秀な人でも、一人で出来ることには限界がある。ジャックも薄々思っていたことだったのだろう。強固だった態度に初めて戸惑いが見える。

「ぷぷぷっ。見ろ、図星突かれて困ってるんだゾ」

グリムが優也を突きながらにやにやと笑った。同じように笑いながら、デュースとエースも言葉を繋げる。

「ユウの言う通りだよな。これまで上手くいかなかったのに、また馬鹿みたいに同じことを繰り返すつもりか？」

「そーそー。ホントに寮の落とし前をつけたいって思っているなら、レオナ先輩たちを止めるために一番いい方法をとるべきだろ。お前のそれはけじめじゃなくてエゴっつーの」

「そこまでは言ってないけど……」

表情に苦みの走るジャックをたたみかける。

「もしも仲間っていうのが引っかかるんだとしたら、協力関係だって思ったらどうでしょうか」

「協力関係？」

「はい」興味を示したジャックに優也は数度頷いた。「同盟っていうか、連盟っていうか……あくまでも目的のために、手を組むってだけって考えれば、納得できませんか」

ジャックはしばしの間黙っていた。エースとデュース、それにグリム、リドル、加えてケイトの視線をも浴びて「お前はどうするんだ」と問われている。しかしジャックはそんな視線にはびくともしない。自分の頭でしっかりと考え、悩んでいるようだった。

やがて大きな舌打ちの音が響いた。

「仕方ねえな。話だけは聞いてやる」

やれやれとばかりにジャックが頭を掻く。喧嘩にならなくてよかった、と優也は止めていた息をほっと吐き出した。

「でも、もしも卑怯なやり方だったら俺は抜けるぜ」

「だいじょーぶ、心配いらないって。真面目なリドルくんがそんなこと計画するわけないじゃん♪」

ね、とケイトにウィンクをされたリドルが頷く。

「さっそくボクの考えた作戦を話そう。時間もないことだしね」

「そっすね。なんだかんだで、結構遅くなっちゃったし」

エースの言葉に、教室の時計を見る。もうすぐ七時だ。特にジャックは早く寮に戻らなければ、周りの人々に怪しまれてしまうだろう。

「ああ、手短に説明するよ」リドルは表情を崩さずに続けた。「だってこの後は事情聴取もしなければならないし」

「事情聴取?」

リドル以外全員の口が揃う。「なんのこと?」とケイトが問うと、リドルがぎろりと大きな目でデュースを見た。同じように視線をよこされたジャックもぎくりと体をこわばらせる。

「デュース。それにジャック・ハウル。その顔のアザの理由、この後きちんと聞かせてもらうからそのつもりで。まさか校内で乱闘騒ぎを起こしたとは思わないが……」

鋭い目で睨まれた二人は、ピクリとも動かない。動けばすぐにでも罰せられると思ったからだろう。リドルの放つ気迫に、デュースもジャックも背筋を伸ばしたまま緊張している。

「もしも下らない理由だったらそのときは……おわかりだね?」

「はい、寮長……」

「……うす」

リドルはデュースとジャックの怪我のことがずっと気になっていたらしい。規則に厳しいこの寮長が、学園内での私闘を許すわけがない。優等生を目指すデュースが、それがまた一歩遠のいたことを知って、がっくりと肩を落とす。

「まあまあ、ほどほどにね」とケイトがなだめていると、側に来たジャックがぼそっと呟いた。

「お前らのところの寮長、見た目よりずっと怖えな。それに厳しいっていうか、はっきりしてるっていうか……とにかくイメージと違った」

「そーだよ」エースが笑いを噛み殺した顔で言う。「あの人、か弱いハリネズミと見せかけた、超攻撃型ヤマアラシだから」

「ちゃんと理由があるんだし、説明すればわかってくれるよ」と優也がデュースを慰めていると、リドルが「では」と咳払いをした。作戦会議の始まりだ。

◆・◆・◆

談話室を通りかかったラギーは、レオナに呼び止められた。見れば他の寮生も集められている。

「おいラギー。お前、昼間ハーツラビュルの奴らに追い回されたんだって?」

「あ、いやその……」

「この間抜けが。あれほど注意しろって言っただろうが!」

もう知っていたのか、とラギーは心の中で舌打ちをした。なんとか誤魔化そうと思っていたのに、情報が渡るのが早い。慌てて取り繕う。

「でも証拠は摑まれてないんで、そこは安心してください！」

「はっ。どうだかな」

レオナがつまらなそうに息を漏らした。

「せいぜい大会当日まで、間抜けなお前らの尻尾が摑まれないことを願うばかりだ」

ヒリヒリとした、聞く者の肌を削るような声。どうやら相当に怒っているようだ。見れば周りにいる生徒はラギーとともに選手候補に怪我を負わせた者たちだ。先に彼らから話を聞いたのだろう。

レオナが長い尻尾をユラユラと揺らしながら言った。

「あのいけ好かないオクタヴィネルのタコ野郎にでけぇ代償払って協力させたんだ。それを無駄にしたらどうなるか、お前はよくわかってるよな？　ラギー」

はい、それはもちろん。ラギーは深く頷いた。代償。無駄。大嫌いな言葉だ。絶対にこのチャンスを失うわけにはいかない、と改めて強く思う。

「当日しくじったら、お前ら全員フライにして食ってやるから覚悟しとけ」

「はい！」

全員が大きな声で返事をすると、レオナはようやく怒りを解いたようだ。「わかればいい」と途端に穏やかな声を出す。寮生たちはほっとした顔になり、我先にと話し始めた。

「任せてください。後は大会に備えるだけですから」
「当日は絶対にディアソムニアの連中をキャインと言わせてやりますよ！」
「奴らの絶望する姿が目に浮かぶよなあ」

その顔には喜びさえ見える。皆さっきの怒号などすっかり忘れて、自分を許してくれたボスに感謝をしているのだった。

寮生の喜怒哀楽さえレオナの手のひらの上だ。こういう緩急が人を操る手段の一つなのだろうな、とラギーはいつも感心している。与えることと奪うことに慣れた、上に立つ者の手管だ。世渡りには自信のあるラギーも、このやり方だけは真似できそうにない。

その傲慢な振る舞いに思わず笑ってしまう。なんだ、とレオナが胡乱（うろん）げに片眉を上げた。

「シシシッ。ボロボロのマレウス・ドラコニアが、レオナさんの前に跪（ひざまず）く瞬間が楽しみで仕方ないッス」

きっとレオナならできるだろうとラギーは思った。だってレオナは、こんなにも王様らしい王様なのだ。

「あの男を負かしたってなりゃ、きっと世界中がオレたちを称賛しますよ」

貧しさに喘（あえ）ぐスラムに、魔法を使える者など滅多に存在しない。優れた魔法士はそんな場所にいる必要がないからだ。自分のような大した魔力を持たない者でさえあの場所では英雄のような存在で、ナイトレイブンカレッジに入学が決まった時は近所の人々が集まって祝うほどの騒ぎになった。

そんな貧しく力のない自分が、王族であるレオナと並び、あのマレウスを負かしたら。そのとき自分を見下してきた人々は、どんな顔をするだろうか。想像するだけで胸がすく思いだ。

「マレウスを負かして、マジフト大会で優勝して、目立ったり経歴に箔が付いたりすりゃあ……ハイエナのオレにも、一流企業からスカウトがくるかも！」

ハイエナの獣人属は嫌われ者だ。古い偏見が否定された近年になっても、口さがない者は腐肉漁り、卑しい泥棒だとハイエナの習性を見下して笑う。そんな自分が豊かな将来を手に入れるためには、名門学園という人生最大のチャンスを上手く生かさなくてはならない。

ナイトレイブンカレッジの入学許可証を手に、「お前は私たちの誇りだ」と言った祖母の弾む声を折に触れて思い出す。

生まれてからずっと、ラギーの世界には貧相で煤けたボロしかなかった。家族も、仲間も、誰もが貧しさに疲弊していた。だがもう違う。今ラギーの前には、輝く未来がある。

「はっ。まだ獲物にツメがかかった程度で、おめでたい奴らだ」

レオナに笑われて、ラギーははっと我に返った。恥ずかしくてつい誤魔化すように笑ってしまう。現実的だと自負している自分でさえ、彼の側にいると周りの者たちと同じように夢を見てしまう。そうさせるだけの力がレオナにはあるのだ。これでおこぼれを期待するなという方が無理な話だろう。

寮生たちが、嬉しそうにボスを褒めそやす。

「マジフト大会で優勝すりゃ、レオナ寮長の人気もうなぎ登りだ！」

「そうすりゃ夕焼けの草原の連中も、レオナ寮長の方が王に相応しいって思い直しますよ」

夕焼けの草原には変えられないものがたくさんある。慣習。伝統。価値観。どれも下らないものなのに、そうであるほど強固で厄介だ。ハイエナだからと蔑（さげす）まれるラギーと同じように、第二王子の彼にも覆したいものがある。

そんなレオナが低い声で呟いた。

「実力と血統は違うんだよ」

「えっ？」

それは決して、レオナが口にするはずのない言葉だった。レオナがそんなことを言うはずがない。そうでなければ、今こうして努力している自分たちはなんなのだ？

「なんでもねえよ」と言うレオナはいつも通りだ。冷酷で、堂々としている。とても期待を違えるようには見えない。

今聞こえた音こそが誤りだったのだと、ラギーはレオナではなく、自分の耳を否定した。

「俺はもう寝る」

談話室を後にするレオナがまた何かを呟いた。

「この学園でてっぺんとった程度で――」

背中越しではハッキリと聞こえない。聞かせるつもりもないのだろうと判断して、ラギーも寮生とともに部屋に戻ることにした。今日もあくせくとよく働いた。それも間もなく報われる日が来るかと思うと、今晩はよく眠れそうだ。

〈スカー〉　俺は知らん　　じゃあ ザズーを食え

〈バンザイ〉　チッ ── ムファサの時の方がマシだったぜ

〈スカー〉　フンッ そうか　目障りだ！　失せろ！

〈エド〉　ウヒョヒョヒョ！

〈スカー〉　やめろザズー 気分が滅入る

〈ザズー〉　はぁ ムファサ様はこんな風には ——

〈スカー〉　何！　いま何と言った！　王はこの俺だ！

〈バンザイ〉　よぉ ボス　みんな文句言ってるぜ

〈シェンジ〉　食べ物も水ももう無い　腹が減って死にそうだよ！

痩せたハイエナたちが、黒いたてがみのライオンに追い払われる。湿った洞窟の中、獣の唸り声が反響していた。外はどんよりと暗く、かつて豊かだった緑はすっかり消え去っている。溢れるほどの自然を走り、飛び、喜んでいた動物たちの姿も、もうどこにもなかった。

自らが王であると豪語したライオンは、誰かと比べられて苛立っているようだ。しかし飢えた動物たちの代わりに自らが狩りに出ることはなく、さりとて労(いたわ)るでもなく、不機嫌に唸っている。

あまりに淀んだ雰囲気で気が付かなかったが、これはグレート・セブンの百獣の王ではないか。あくびで歪んだ左目の傷には見覚えがある。不屈の精神で王になり、国に平等をもたらした、努力を惜しまぬライオンだったはずだ。それなのに、目の前の姿は伝説とは反対に無気力だ。

あれほど望んでいた王座を手に入れたというのに、どうして周りの動物たちのために動かないのだろう。怠惰に寝そべるライオンをどこか遠くから眺めていると、徐々にその光景が白く薄れていった。

「おい。起きろって言ってるだろ」

低い声に優也がぱっと目を開けると、天井の明かりが目に飛び込んできた。眩しさですぐに目をつぶったが、明るい光は瞼(まぶた)を通り抜ける。優也は「うう」と呻きながら手で顔を覆った。

「今の声は……ジャックくん?」

「ううーん。なんでオマエがオレ様の寮にいるんだ……?」

優也と同じく、目を覚ましたばかりのグリムが、伸びをしながら言った。なぜか優也たちの部屋の入り口にサバナクロー寮のジャックが立っている。運動着に身を包んだジャックをすり抜けて、ゴーストがぬうっと姿を現した。

「オンボロ寮の前に立っていたからお招きしたんだ。ユウとグリ坊の新しいオトモダチだろう？」

「これまたたくましいオトモダチができたもんだねえ。是非朝ご飯を一緒にって話したところさあ！」

くすくす笑いながらまとわりつくゴーストを、ジャックは「友だちじゃねえよ」と煩わしそうに追い払った。相変わらずの仏頂面だ。

「お前ら、今日はマジフト大会だぜ。寝坊されちゃたまらねえから様子を見に来てやったんだ」

「そーだった！」途端にグリムがベッドを飛び降りた。「よっしゃ。絶対に犯人をとっ捕まえて、オンボロ寮をトーナメントにねじ込んでもらうんだゾ！」

「本当にそんなことできるのかなあ……」

大会当日になって、新しいチームをトーナメントに盛り込むことなどできるのだろうか。学園長は随分な無理を通すつもりに違いない、と優也は苦笑しながらベッドを降りる。

グリムは「約束したんだから大丈夫に決まってるんだゾ」と声を弾ませ、毛並みを整えていた。頭の寝癖を撫で付けて、テレビに映る準備はばっちりのようだ。

優也はドアの前に立つジャックに頭を下げた。

「わざわざ起こしに来てくれて、ありがとうございました」

「お前らのために来たわけじゃねえ。朝のランニングついでに寄っただけだ」

そう言われると、まだパジャマ姿の自分が恥ずかしくなる。「早起きなんですね」と笑って誤魔化すと、ジャックが顔をしかめた。

「……じゃあ俺は先に行くぜ。集合に遅れたらバルガスがうるせえから、遅刻するんじゃねえぞ」

「はい。気を付けます」

既に後ろを向いていたジャックが、軽く手を上げてドアを閉める。階段を下りる間も「ゆっくりしていきなよ」とゴーストたちに話しかけられているようだ。「俺に構うな」というジャックらしい声が徐々に遠くなっていった。

「よし。今日は頑張ろう」

「おう！　もちろんなんだゾ」

優也はグリムと頷き合って、朝の支度を始めた。


「よーし。全員集まったな？」

バルガスの大きな声が、講堂の隅々まで行き渡るほどにとどろいた。朝から大声を聞かされた生徒たちはうんざりした顔をしている。

「相変わらずバルガスは暑苦しいんだゾ」

隣のグリムも大きな耳を手で頭に押しつけている。優也は「先生たちに聞こえちゃうよ」と小声で咎めた。

事前に知らせがあった通り、マジカルシフト大会当日の朝早く、優也たち生徒は講堂に集っていた。観客がやって来る前に今日の段取りの最終確認をするためだ。

前に立つ数人の運営委員会を除き、寮ごとに集められた生徒たちは全員講堂の長椅子に座っている。優也とグリム以外の全員が寮のユニフォームである寮服を身に着けていた。対抗戦において、それぞれの寮の権威を示すためだ。代表選手だけが試合が始まる直前に運動着に着替えるらしい。

七寮のどこにも属さないオンボロ寮の優也は、ラインのないジャージと無地の白いTシャツを着て、グリムと後ろの隅に座っている。どこの寮服も豪華なので居心地が悪い。全体をざっと見渡したが生徒の数があまりに多く、エースとデュースはおろか、先輩たちやこの数日で知り合った他の人たちも見つけられなかった。

教壇に立つバルガスは体育教師なだけあって、いつも以上にやる気が満ち溢れているようだ。手にした要綱を捲(めく)ることもなく、ハキハキと今日の流れを説明していく。

「――そして、事前に何度も説明した通り、今年は選手の入場行進を行う」

ほう、という羨望の声があちこちから聞こえた。

選手の行進は今年が初めての試みだという。名門学園の選抜選手たちが豪華な寮服を身に着け、隊列を成し進む姿は、きっと壮観だろう。

「行進の出発地はここ、校舎だ。メインストリートを抜けて、サイドストリートを通り、コロシアムに入る。選手は集合場所が例年と違うので、よく気を付けるように」

サイドストリートは、正門前のメインストリートからコロシアムに向かう道のことだ。グレート・セブンの像があるメインストリートに比べれば幅こそ狭いが、長く続く立派な石畳の道で、多くの来客が行進を見ることができる。

この行進は、マジカルシフト大会の運営委員長であるオクタヴィネルの寮長の提案により決まったそうだ。バルガスの斜め後ろに立っている、眼鏡をかけた生徒がその人だろう。にこにこと誰よりも満足そうに頷いている。

初めは行進を面倒だと嫌がる生徒もいたが、選手になれなかった者のやっかみだと揶揄(やゆ)され、やがて反対意見はほとんど聞かなくなった。それに大会顧問のバルガスも、この案を大いに気に入っている。

「いいか、お前たち。この日のために鍛え上げた肉体を、来客たちに見せ付けてやれ。この、俺のように！」体を捻(ひね)ったバルガスが己の手首を掴み、胸の筋肉を盛り上げる。「そしてナイトレイブンカレッジに優れた筋肉有りと、知らしめてやるのだ！」

はあ、とまた講堂中で吐息が漏れる。先ほどとは違って今度は呆れによるため息だった。見事な筋肉を持つバルガスは生徒にも自分と同じ肉体美を求めるため、一部のファンはいるものの、それ以上の数に辟易されている。

トレインの咳払いで、バルガスはようやくポーズを解いた。

「行進の様子も放送できたら良かったんだが、急遽決まったので準備が間に合わなくてな……テレビ中継が始まるのは、選手入場の後に行われる開会式からだ。選手も、そうでない者も、開会式が始まったら絶対に大人しくしていろよ」

バルガスの後ろに並ぶ先生たちが真剣な顔で頷いていた。

トーナメントの組み合わせを決める抽選も、開会式の中で行われる。去年はその結果に怒った生徒たちがブーイングを飛ばして問題になったそうだ。指導をする先生からすれば、生徒の品性に欠ける行為は頭を抱えるところだろう。「わかったな」とバルガスが低い声で念を押す。

その後は式次の説明が続いた。

「もうすぐ正門を開放する。くれぐれも、外部の人に無礼な真似をしないように。ナイトレイブンカレッジ生としての誇りを忘れるな」

「はい」と生徒たちが頷くと、バルガスは真っ白な歯を見せた。

「よし、では一旦解散だ。各自、集合時間をもう一度よく確認するように！　特に選手は行進に遅れないように気を付けろ」

途端に講堂の中が騒がしくなった。待ちに待った大会がいよいよ始まるのだという実感が湧いてきたのだろう。「早くコロシアムに行っていい席を取らないと」「開会式までの間に出店を見よう」とはしゃぐ生徒たちで講堂の出入り口は混雑している。

少し離れたところで人が少なくなるのを待っていると、遠くから名前を呼ばれた。エースとデュースが軽く手を上げて、こちらにやって来る。久しぶりに見る寮服姿がよく似合っていた。

「二人ともおはよう」

「ああ、おはよう。いよいよこの日が来たな」

デュースが拳を握って意気込みを示す。ジャックと殴り合ってできた怪我はだいぶ良くなり、よほど近くで見なければ痕もわからない。「よかったね」と優也が自分の頬を指して言うと、デュースは嬉しそうな顔で頷いた。

「ありがとう。寮の奴らにエースがあることないことベラベラ言うから、困ってたんだ」

そんなことが、と視線を送ると、エースがいたずらっぽく笑った。

「同級生と殴り合ったなんて、優等生を目指すデュースくんとしては知られたくないことだろ？　だから、親切なオレが代わりの理由を考えてやったんだよ」

「なんて説明したの？」

「んー、色々？　バナナの皮を踏んづけて転んでぶつけた、とか」

むすっとした顔のデュースを指さし、グリムがゲラゲラと笑った。

「デュースっぽい理由じゃねえか。みんな絶対に信じるんだゾ」

「僕はそこまで間抜けじゃない！」

話しているうちに出口が空(す)いてきたので講堂を出る。校舎から外へ踏み出すと、爽やかな潮風が優也たちに吹き付けた。清々しい晴天だ。白い朝日の中でたくさんの生徒が長い階段を下りている。

このあと大部分の生徒は、マジカルシフト会場となるコロシアムに直接集合し、学園専用の席で試合を応援する。フィールドに立てるのは選手だけだ。

階段を一歩下りたところで、コロシアムを見下ろしたエースがため息を吐いた。

「あーあ。結局、選手になれなかったな」

エースとデュースは代表選手に選ばれなかった。優也が知っているハーツラビュルの寮生で選手になったのは、リドルとケイトだ。ケイトはトレイの言った通り飛行術を活かしたプレーを見込まれたらしい。

「残念だったけど、二人とも来年があるよ」

「ま、それはそうなんだけどさ。頑張って損したわ」

「こんなこと言ってるけど、僕もエースも納得はしてるんだ」

先を歩いていたデュースが、笑いながら優也たちを振り返った。

「選ばれなかった理由なら、寮長が説明してくれたしな」

「リドル先輩が？」と思わず聞き返したが、よく考えてみれば真面目なリドルらしい。優也はさもありなんと頷いた。

「理由って、なんて言われたの？」

「犯人がまだ捕まっていない以上、ディアソムニア生じゃなくても選手の安全は保証できない。だから防衛魔法もろくに習っていない一年生を危険に晒すわけにはいかない、だってさ」

優也は納得しかけたが、すかさずエースが自嘲気味に声を上げた。

「っつーのは建前で、マジフトが下手くそなのが一番の理由だってはっきり言われたけどな！調査に貢献した点を差し引いても、他にまだまだ上がいるってよ」

「アイツ、やっぱ怖すぎるんだゾ……」

グリムが呆れるほど、あまりにリドルらしい理路整然とした言葉だ。優也もなんと言えば良いのかわからない。デュースが眉を下げて笑う。

「おかげですっぱり諦めがついたよ」

「あそこまで言われちゃさすがにな。あ、そういえばなんだけど」

思い出したようにエースが言った。

「ついでに、なんでユウたちの調査に協力したのかも寮長に聞いてみたぜ」

「えっ、本当に直接聞いたの？」

寮長であるリドルが本当に寮生のことを思っているのか、本人に聞いて確かめる。そう口にした通りさっそくリドルに尋ねたらしい。エースらしいとは思ったが、その度胸に驚嘆してしまった。

「それで、リドル先輩はなんて？」

他人事ながら少し緊張して、優也は結果を尋ねた。

「学園の伝統と誇りを守るのは寮長としての義務だから、だってさ。義務ってことはトレイ先輩のことはどうでもいいんすかって聞いたら『トレイだって守るべき大切な寮生の一人じゃないか』って」

どうも要領を得ないとエースが頭を掻いた。

「つまりトレイ先輩のためでもあるってことだろ？　なんで素直にそう言わないのかね。ただでさえトレイ先輩が寮長を庇って怪我したから、色々言われてるっていうのに」

「色々……って、どんな？」

「これ以上副寮長に迷惑をかけるな、みたいなやつ」

優也は思わず足を止めた。リドルがそんなふうに責められることを、正直に言えば、想像できなかったわけではない。それでも「どうして」という気持ちを抑えられなかった。

リドルは本当にトレイのことを心配して、自分の代わりに怪我をさせてしまったことを深く後悔していた。部外者の優也が一目見ただけでもわかったのだ。それが身近な寮生に伝わらないのは、とても辛いことではないだろうか。

しかしエースは緩く首を振った。

「やっぱ上級生はまだ、あの圧政時代のことを引きずってるからなー。今でも寮長のことムカつく、怖いって言ってるヤツは結構いるし」

「そこに関してはオレも同意見」とひとしきりリドルの悪評を挙げた後、エースはふんと鼻で笑った。何か気に食わないことを思い出したようだった。

「でも中には、寮の仕事をサボったことを怒られて腹が立ったっていう、それは逆恨みじゃね？　みたいな話もあってさ。よく周りを見てみたら、寮長が事前に注意してくれてるおかげで先生に怒られずに済んでることとかも、たくさんあるんだよな」

しみじみとしたその声に、優也は「そうなんだね」と頷くことしかできなかった。自分よりもずっと冷静なエースに、今更何かを言うのもおかしなことのように思えてしまう。

優也が黙る一方、横でグリムが「えー」と大きな声を上げた。

「でもアイツの言い方も悪いんだゾ。さっきのもキツかったし、嫌われたって自業自得じゃねえか？」

「それはそう。グリム、わかってんじゃん」

エースがグリムの頭をぐりぐりと押して笑った。

「つまり言い方考えない方も、図星つかれてキレる方も、どっちもどっちだよなって思ったわけ」

「わざわざそんなひねくれた言い方しなくてもいいだろう」

デュースが呆れたように言った。そして優也を見る。

「ユウ、前にローズハート寮長が『自分が寮長になってから、ハーツラビュルだけは留年した人も退学した人も出していない』って言ったの、覚えてるか？」

「うーん……多分。うっすらとなら」

記憶を辿ると、確かに怒るリドルがそんなことを言っていた気もする。ハーツラビュルで開かれる「なんでもない日のパーティー」に、優也が初めて参加したときのことだったかもしれない。正直に言えば、そのリドルの言葉よりも「それは寮生の努力だから寮長が誇ることじゃない」と啖呵を切ったエースの姿の方が記憶に残っている。

「あれって、脱落しそうになったやつに寮長が勉強を教えてくれているおかげらしいんだ。助けてもらったことがあるって先輩たちの話を聞いて、僕もエースも初めて知ったよ」

ただ、その指導はすごく厳しいらしいけど。そう言ってデュースが笑うのを見て、優也ははっと目が覚めたような気持ちになった。

リドルが示す強い自信。強い言葉。強い信念。普通なら眉をひそめてしまうほど苛烈なそのどれも、彼にとってはごく自然なことなのだ。そうするに相応しい行いを、いつもしている人なのだから。

リドルがどんなときも堂々としているのは、彼が驕っているからではなく、それに見合う行いを果たしているからだ。問題はそれを人に押し付けてしまったというところ。確かにリドルは過ちを犯したが、だからといって自分より努力をしている人のことを評価しようだなんて、あっていいはずもない。

「だったらそう言えよ、って思わねえ？　黙って怒ってるだけで、そんなこと伝わるわけないのに」

優也はリドルのことを少しでも傲慢だと思った自分を恥じた。そしてエースもまた、あのときの言葉を後悔しているのではないだろうかと思った。相変わらず容赦のないことを言いながら、それでも尖らせた口元は少し気まずそうに見える。

階段を二段飛ばしで下りていくエースを見ていると、歩調を合わせたデュースが優也の隣に並んだ。

「ありがとな」

「え……今の僕に言った？」デュースが頷いたので優也は慌てて首を振った。「どうして？僕は何もしてないよ」

「いや……僕も、ほら。昔は見た目で誤解されたり、やってないことまで僕のせいにされることも多かったから。ユウが寮長のことを『わからない』って言ってくれて、なんていうか……嬉しかったんだ」

だからラギーを追いかけたとき、彼のことを証拠なく疑えないと言ったのか。優也は目を見開いた。

過去に荒れていたデュースは、更生しようとしても悪いイメージを払拭できずに困ったことがあると言っていた。悩まされたからこそ、自分は他人を評判や噂だけで判断しないようにと気を付けていたのではないだろうか。

ミドルスクール時代に荒れていたというデュースの話を聞くたび、そのときに出会っていたらきっと自分とは会話を交わすこともなかっただろうと思っていた。事実たくさん悪いことをしたとデュース自身も言っているのだから、仕方のないことだ。でもその頃のデュースは、優也のような自分を知らない人たちに遠巻きにされて、どんな気持ちだっただろう。

「なんだよ、そんな顔するな。僕が悪かっただけなんだから」

自然と眉間に力が入っていたらしい。優也は慌てて「ごめん」と頭を振り、複雑な思いを振り切った。

リドルのことといい、言葉にしなければわからないことがこんなにたくさんある。疑問や気持ちをためらわず口にするエースとデュースに驚くことも多いが、それはとてもありがたいことなのだと改めて思った。

照れたように視線を彷徨（さまよ）わせたデュースが目を見開く。

「あっ、まずい。だいぶエースたちと離れてる！　行こう、ユウ」

視線の先を辿ると、階段を下りきったエースとグリムが早く来いと呼んでいる。デュースとともに急いで追いかけた。


長い階段を下り、道を曲がってメインストリートへ至ると、いつもとはすっかり様子が違っていた。紫と緑のガーランドが空中で線を描き、生き物のように優雅に揺れている。並んでいるグレート・セブンの像も、いつも以上に丁寧に磨かれているのか、日差しを反射して光っていた。

美しい飾り付けに見とれながらグレート・セブン像の前を進むと、左手の最後にライオンの像が現れた。優也は自然とその前で足を止め、台座に刻まれた文字を目でなぞる。

広大な草原を支配した百獣の王。
国を追われた者たちを見捨てず、
平等な世界を目指した。
出自を乗り越える努力で王座を手にした、不屈の王。

堂々と佇む、百獣の王。不運な出自に負けず賢さで成功を収め、当時忌み恐れられていたハイエナにも慕われる王になったという。

この学園の人々は皆、歴史に名を残すグレート・セブンのことを尊敬している。今朝見た失礼な夢の話なんて、口にすればどんな目で見られるかわからない。

佇む優也の上着をグリムが引っ張った。

「おいユウ、なにぼーっとしてんだ。早くサイドストリートに行くんだゾ！」

「あ、ごめんごめん。すぐ行くよ」

グリムがこんなにも早く早くとせがむのは、サイドストリートに出店が並んでいるからだ。生徒たちが開くものではなく、学園や外部の業者が出店する大がかりなものだという。はたしてグリムが気に入るようなお店はあるだろうか。

「出店って、食べ物を売るところもあるのかな？」

「もちろん！　マジフト観戦にフードは欠かせないでしょ」

エースが楽しそうに笑った。

「賢者の島の土産とか、学園の記念品を売る店も多いけど、それと同じぐらい食べるものもたくさん売ってるんだって。昔兄貴が写真を送ってくれて、それを見て初めて『ナイトレイブンカレッジってすげぇとこなんだー』って思ったんだよな」

「美食同好会の会長として、見逃せねぇんだゾ！　行くぞ、ユウ」

グリムを追いかけて進むごとに、生徒の歓声と店を準備する大人たちの声で賑やかになっていく。サイドストリートの様子は普段と様変わりしていた。

道の両脇にはたくさんのお店が並んでいた。白い帆布で作られた屋根の下、色とりどりの食品や雑貨がひしめきあっている。

「すごい！　本当にお祭りみたいだ」

感嘆とともに道を進むと、辺りに漂っていた食べ物の香りが強くなった。マジカルシフトの観戦中に手軽に食べられるものがたくさん売られている。

優也がいた世界にもあったジュースや林檎飴、ポップコーン、ホットドッグなどの飲食物に加えて、オレンジの煙を放つアイスクリームや音楽の流れるキャンディなど、口にして良いか迷うような品も多い。

不思議な商品を売る店で顔を上げると、テントに掲げられた看板には「Mr.Sのミステリーショップ」と書かれてあった。いつも購買部にかかっている看板よりも二回りほど小さい、けれど同じ形をした看板だ。購買の店主であるサムは不思議な人で、なぜかいつも客の欲しいものを言う前に当てる。彼が売っているということは、きっとどれも人気の品なのだろう。

グリムが鼻をひくつかせて、「んんー」と幸せそうな声を上げた。優也もつられて深く息を吸う。朝食をとったばかりなのに、揚げ油の甘い香りがお腹の中をくすぐってくる。

「チュロスにフライドケーキ……あっ、スモークチキンもある！」

あっちも、こっちも、とくるくる回って、グリムは真っ直ぐに立てた尻尾を震わせた。

「ほわあああ……！　オレ様、片っ端から全部食いたいんだゾ！」

「おい。お前ら遊んでる場合かよ」

声をかけられて優也たちは振り返った。ジャックが呆れた顔でこちらに向かってくる。ジャックも例に漏れずサバナクローの寮服に身を包んでいた。ノースリーブのライダージャケットが柔らかそうに光っている。腰に巻いているのは濃い黄色のバンダナ。太陽を思わせるサバナクローの寮カラーだ。

サバナクローの寮服は他の寮に比べてカジュアルに見える。下もジーンズにエンジニアブーツと機動力が高く、自身を磨き上げることに余念のない肉体派の寮ならではの服装だ。優也などでは服に体が追いつかないだろう。

「よく考えたら、どうしてジャックがここに？」

ジャックと挨拶をしたデュースが「あれっ」と首をひねった。

「いたら悪いのかよ」

「いえ、もちろん悪くはないんですけど」優也はデュースと目配せを交わした。「でも、サバナクローの選手に選ばれたんじゃなかったんですか」

レオナ・キングスカラーの采配するあのサバナクローで、一年生が代表選手に選ばれた。ジャックのレギュラー入りは生徒たちの注目を大いに集めた。

入学してすぐにサバナクローのレギュラーメンバーを勝ち取れる生徒など滅多にいない。三年前、名実ともに強豪であったサバナクローで一年生のレオナが代表選手になった時は、学園中に衝撃が走ったという。入学して一、二カ月で選手に足る力量を示すには、よほど知力、魔力、体力のいずれか、もしくはそれら全てが優れている必要がある。

普通ならば喜んで当然の大抜擢だが、今回はレオナの思惑を知っているだけあって、ジャックには複雑な思いがあるようだ。エースとデュースがやっかみ半分でからかった時も「あんな卑怯な奴に評価されたって、嬉しくもなんともねえよ」と苦しそうに漏らしていた。

「やっぱり出場をやめた、とかではないですよね」

「当たり前だ」優也の心配をよそに、ジャックはむっとした顔をする。「どんな状況でも俺は逃げたりしねえ。正々堂々と戦うぜ」

「それならやっぱおかしいじゃん」

エースは怪訝な顔で自分たちの歩いてきた方向を親指でさした。

「入場行進って、校舎がスタートだろ。今ここに来たら二度手間だと思うんだけど、何しに来たの？」

「言うほど手間じゃねえよ。試合前に体をならしたくて、ランニングしてただけだ。そしたらたまたまお前らを見かけて……」

「ランニングぅ？」遮るようにグリムが声を上げた。「オメー、朝もそう言ってたじゃねえか」

ジャックがはたと動きを止めた。

「試合の前に走りすぎなんだゾ。選手になれたからって、張り切りすぎだろ」

グリムはただ「よく飽きねえな」と呆れているだけだったが、優也たちは首をひねる。行進の集合場所をわざわざ離れたジャックの行動はあまりに不自然だし、本人の視線もふらふらと動いている。

デュースとエースがにやりと笑った。

「こんなにたくさん人がいるのに、よく僕たちを見つけられたな。本当に偶然か？」

「つーかそもそも、寮服でランニングってどういうこと？　無理がありすぎるだろ」

二人の指摘にたじたじになったジャックは、「勘違いすんなよ！」と声を荒らげた。

「別に、お前たちが緊張してないか心配で様子を見に来たわけじゃねえからな。たまたま見かけただけだ！　たまたまだぞ！」

「あれあれどうしたのジャックくん？　そんなに慌てちゃって。正直に心配して来たって言えよ、素直じゃねえな」

エースがジャックの露骨な動揺を馬鹿にしている。デュースは「素直さじゃお前も人のこと言えないだろ」と半笑いだった。

朝にオンボロ寮でも思ったが、ジャックはとても面倒見が良い。強い責任感が、躊躇も打算もなくそのまま行動に表れている。

今はエースと言い合いをしているが、普段は寡黙で落ち着いているところも頼もしく感じられた。本人は「人とつるむのは嫌だ」と何度も言っていたが、きっとクラスでは否応なしに頼りにされていることだろう。朝ゴーストたちを追い払っていた時のように「寄るな」と怒る姿が目に浮かぶ。

デュースと一緒に笑っていると、顔を赤くしたジャックがこちらを見た。

「おい、お前らも笑ってんじゃゃねえ！」

「あっ、すみません」

突然凄みのある言葉を向けられた優也は、反射のように謝っていた。焦りのせいか、思っていたよりも大きな声が出てしまったことに自分でも驚いていると、ジャックが不機嫌そうに口を結んだ。

「……別にそこまで怒ってねえよ」

先ほどよりも随分と抑えた声色だった。優也が再度謝ると、硬い表情の上で、白い耳がひくひくと小刻みに動く。

「あと、その畏(かしこ)まった話し方をやめろ。タメだろうが。俺がいじめてるみたいで気分が悪い」

「そんなつもりじゃなかったんですけど……」一層深くなった眉間の皺に、優也は戸惑いつつ頷いた。「わかった、ごめん」

初対面の迫力のせいで敬語が染みついていたが、確かに同級生に対する話し方としてはおかしかったかもしれない。同じ一年生のエースやデュースに対する話し方と違うことで、余計に気にさせてしまったのだろう。

「わかればいいんだよ」と言うジャックの目つきは相変わらず鋭かったが、さっきまでへの字だった唇は緩んでいた。

にやついたままのエースがジャックを肘で突いた。

「へー。だんだん、お前のキャラわかってきたわ」

「なんだよ。馬鹿にしてんのか」

「馬鹿にはしてないさ。ただ面白いとは思ってる」

デュースにまでからかわれたジャックが「うるせえ！」と怒鳴ったが、エースもデュースもそんな反応には慣れてしまって、もう少しも怖がっていなかった。優也もまた、ジャックの真面目さを知った今、おかしく思うことはあっても恐ろしく思うことはなかった。

「おや。そこにいるのはサバナクロー寮のジャック・ハウルさんではありませんか？」

騒いでいる優也たちに、声をかけてくる者がいた。黒いステッキを持ち、中折れ帽を被った人がこちらにやって来る。

黒いタキシードというこの大人びた寮服は、オクタヴィネル寮のものだったはずだ。優也たちの前で眼鏡の奥の目をにこりと細めたのはその寮長であり、この大会の運営委員長でもあるアズールだった。他のオクタヴィネル生とは違い、彼だけグレーのコートを羽織っている。

アズールは軽く腕を振り、袖から覗いた時計に目を落とした。

「ジャックさん。あなたは確か、選手に選ばれていましたよね。もうすぐ正門が開きます。混雑する前に校舎に戻った方が良いですよ」

「あっ、すいません。すぐ行きます」

ジャックが素直に応じると、アズールはふっと微笑んだ。

「今日の試合、君のプレーを楽しみにしていますよ。頑張ってくださいね」

「ありがとうございます。精一杯やらせてもらいます」

激励に深く頭を下げたジャックは、優也たちを一瞥する。

「じゃあお前ら。また、後でな」

その力強い言葉に、優也たちは揃って頷いた。

今日、自分たちがレオナを止めなければどんな犠牲が出るかわからない。絶対に失敗するわけにはいかないのだ。

「ああ。頑張ろうな」

デュースが拳を前に出すと、ジャックの目元がほっと和らいだ。それで初めて、ジャックも緊張していたのだとわかった。

どんなに頼もしく、強い意志を持っていても、ジャックも自分たちと同じ、入学したばかりの一年生だ。寮長にも寮の仲間にも頼れず、これまで何度も心細い思いをしてきたに違いない。それでも己を貫いたところがジャックの凄さだ。ここまで一人で耐えてきたその精神力に改めて感服する。

「応援してるよ。後でまた、みんなで会おうね」

試合の前に、そして何かが起こる前に、話すことができて良かった。

優也が手を振りながらジャックを見送っていると、突然アズールが「こんにちは」と笑顔で話しかけてきた。

「あなたはオンボロ寮のユウさんですね？　それに、パートナーのグリムさん」

「いきなりなんなんだ、オメー」グリムがアズールを睨み上げる。「パートナーじゃないんだゾ、オレ様の方が親分だ！」

「おや、これは失礼しました。親分のグリムさん」

グリムの不遜な態度にも言い返すことなく、アズールは即座に訂正した。

「近くで拝見すると、確かに並々ならぬ威厳が溢れていらっしゃる。さすがは親分さんですね」

「えっ？　……へへっ、そうか？　わかればいいんだゾ」

すぐに機嫌を直したグリムに微笑みながら、アズールは「事情はわかっていますよ」とばかりに優也にもウィンクを送った。上品で、けれど茶目っ気のある人だと思った。

「僕の名前はアズール・アーシェングロット。僭越（せんえつ）ながらオクタヴィネル寮の寮長を務めています。以後お見知りおきを」

「はい。よろしくお願いします」

優也が挨拶をすると、アズールは恭しく帽子を取ってステッキを脇に挟み、更には着けていた白い手袋まで取って素肌の右手を差し出した。優也は恐れ多い気持ちで、怖々とそれを握る。

ぎゅっと握手を返してくる力は見た目よりずっと強く、またそれよりも強力な眼差しでアズールがこちらを見つめる。

「僕、一度あなたのお話を伺いたいと思っていたんです」

挨拶の時と少しも変わらない笑顔のまま、アズールが言った。オクタヴィネル寮の寮長が何故自分の話なんかを、と優也は驚いたが、自分にまつわる噂のことを思い出してすぐに苦笑した。

モンスターとふたりきりのオンボロ寮。誰も知らない異世界。リドルの事件。刺激の限られた学園の中では、どれも面白い話題の種になる。噂の詳細を知りたがる人はたくさんいた。

「知らない世界で暮らすのは、何かと不便でしょう？　あなたのお役に立つことができれば、僕としてもとても嬉しい。今度是非ゆっくりお話ししましょう」

しかしアズールの言葉は、そういった他の生徒たちのものとは違っていた。あるのは恐らく「知りたい」という純粋な欲求だ。こちらへの強い興味だけがひしひしと伝わってくる。ただ、心の内まで暴くような強い視線が少しだけ居心地悪い。

「ああ、そろそろ出店状況の確認に行かないと」ぱっと手を離し、アズールは手袋を戻した。

「学園の皆さんにも、お客様にも、このマジカルシフト大会を楽しんでいただきたいので。運営委員長としてやれるだけのことはやらないと、ね？」

こちらが困惑していることに気が付いたのかもしれない。にこりと微笑んだアズールに、優也はほっとして「そうですね」と笑顔を返した。よく気の利く人だと思った。

「ではまた。近いうちに」

会釈をしたアズールが人混みの中へ消えていく。すれ違う出店者と挨拶をして、何かを親しげに話しているところが見えた。大人を相手にしても堂々としている。

「ユウ、オクタヴィネルの寮長と話したことがあったのか？」

「いや、さっきのが初めてだよ」

アズールとのやり取りを見守っていたデュースが、不思議そうな顔で聞いてくる。多分オンボロ寮の話を聞いて気にしてくれただけだろうと言うと、エースも「なるほど」と頷いた。

「なんか余裕あるっていうか、超頭良さそうな感じだったなー」

「オレ様のオーラに気付いてたし、アイツは見る目があるんだゾ」

グリムが得意気に話していると、チャイムが鳴り、にわかに周囲が慌ただしくなった。正門が開く時間だ。沸き立つ生徒たちの声が不思議と耳に大きく響く。

喉がごくりと鳴った。緊張する優也に気付いたグリムが「びびってんじゃねえ！」と尻尾を振って足の甲を叩く。

「オレ様に任せておけば大丈夫なんだゾ。レオナたちを止めて、絶対にマジフト大会で活躍してやるからな」

根拠のない、しかし不敵な笑顔に、優也はしっかりと頷いた。

◆・◆・◆

「ナイトレイブンカレッジ、寮対抗マジカルシフト大会へご来場の皆様にお知らせです。間もなく代表選手の入場行進が始まります。選手一同は校舎を出発後、メインストリートを曲がり、コロシアムへと進みます。ご来場の皆様はストリートへの立ち入りはご遠慮いただき——」

サイドストリートに運営委員のアナウンスが流れている。コロシアムを目の前に抱くこの狭い道は、選手を間近で見るのに最適な場所だ。大会を見に訪れた人々もそう考えたか、もしくは運営委員長の親切な誘導を受けたのか、沿道は多くの観客ですし詰め状態だった。ラギーは出店の物陰からその光景を眺めてにんまりと笑う。

「大変長らくお待たせ致しました。ナイトレイブンカレッジ寮対抗マジカルシフト大会、代表選手行進です」

ファンファーレの音が学園中で反響する。思わず耳を押さえたくなるような騒音をじっと耐えて、手の中のものをぎゅっと握った。

アナウンスは選手の紹介をしている。

「先頭は去年の優勝寮。三連覇なるか？　君臨する閃光(せんこう)、ディアソムニア！」

隊列がメインストリートを曲がり、先頭集団の姿が小さく見えた。その瞬間、サイドストリートが割れる。大きな歓声で空気がビリビリと震えていた。

「いいぞ、マレウス・ドラコニア！　今年も他の選手を蹴散らして、すかっとさせてくれー！」
「あんたが圧勝するところを見に来たんだ。完封試合を期待してるよ！」
「どうせ今年も、他の選手じゃ相手にならないさ。結果がわかりきってるんじゃ、つまんないなあ」

　思い思いの野次や嘲笑をためらいもなく口にする。呑気に楽しむ観客たちは、試合に負けた人間にも人生があるのだということを理解していない。だからどんなに手を尽くして戦っても「情けない負け犬」だの「落ちぶれた過去の王様」だの、敗者のことを貶（けな）して笑う。

　自分たちの敗北も、潰される未来も、彼らにとってはただの娯楽なのだ。それでいいとラギーは思っている。人間の欲望はあってしかるべきものだし、むしろ好ましい。ただし自分たちだけが永遠に安全なところにいられると思っているのなら、それは大きな間違いだ。

　ラギーは手にした瓶に目を落とした。手のひらにすっぽり収まるほどの、茶色い試薬瓶。レオナがアズールと取引をして手に入れた、魔力の増幅薬が入っている。小さく振ると中の魔法薬がたぷんと揺れた。

「うわあ。すげえまずそうな色してらあ」

　自分が周りの生徒たちよりも魔力量が少ないことを、普段のラギーはほとんど気にしていなかった。生きるためには十分な力だし、使い方さえ工夫すればどんな屑（くず）でも役に立つ。魔法そのものが自分には上等すぎる力だと思っているし上を見ればキリがない。

　しかし、今回の計画のためにはどうしても強大な魔力が必要だった。

アズールと取引をするのだけは避けたいとレオナは八方手を尽くしたが、結局は他の術を見つけられず、この魔法薬を作ってもらうことになった。物知りなレオナでも作ることができないということは、この薬にはさぞ希少な材料が使われているに違いない。ラギーはアズールの有能さを少し恐ろしく思った。

きつく、しっかりと締められた蓋をねじって開ける。顔に近づけると酷い臭いがしたが、ラギーは構わず口に運んだ。

案の定腐ったシチューのような味がする。それでもためらいなく全てを飲み干す。舌から喉へ、そして腹へ、体中へ、風のように駆け抜けた力が皮膚の下ぎりぎりまでみなぎるのを感じる。

「……いくッスよ。オレのユニーク魔法（とっておき）！」

――王様も、ハイエナも、みーんなオレのオトモダチ！

――愚者の行進（ラフ・ウィズ・ミー）

魔力の増幅効果は三十秒。全てを壊すには十分すぎる時間だ。

『代表選手のラギーが、行進の列にいないんだ』

リドルとケイトからの連絡を受けて、優也はグリムとともに走っていた。

行進をするリドルたちと、コロシアムの近くで待機をする優也たち。当初の予定では、それぞれサバナクローの動向を見張るはずだった。それなのに、ラギーの姿が見えないのだという。リドルがレオナを問い詰めたそうだが、当然「知らない」とはぐらかされてしまい行方はわからない。

すでに行進は始まってしまった。代表選手ではない優也たちは二手に分かれて、姿を消したラギーを捜している。

正門が開放されて学園の中はたくさんの客で賑わっていた。みんなが言っていた通り、学校の一行事とは思えないほど盛況だ。

きょろきょろと辺りを見ながら歩いていると、通りすがりの人とグリムがぶつかった。

「いって！　どこ見て歩いてるんだゾ」

「こら、グリム！」と、優也は慌てて相手の男性に頭を下げた。

背の低いグリムは人混みの中を歩くのに苦労しているようだった。優也でも人捜しをしながらでは容易に進めないほどの混雑だ。一度、賑わっている出店周辺を少し離れることにした。

「ぷはっ」と一息吐いたグリムが、大勢の人を見ながら苛立ちを露わに言う。

「こんなにうじゃうじゃ人間がいたら、ラギーの野郎を見つけられねーじゃねえか！」

「うん。もう少し見晴らしの良いところに移動した方が良いかもしれないな」

ふいにグリムが「ん？」と顔を上げた。耳をパタパタと動かして、何かをひどく気にしている。

「なんか、地面が揺れてる気がするんだゾ」

「えっ、そう？　僕は何も感じないけど……」

そのとき、動物の鳴き声のような甲高い音が聞こえた。初めは気のせいかと思ったが、音は徐々に大きく、そして近づいてくる。

音の正体に気付いた優也の体に震えが走った。それはたくさんの人の悲鳴だった。

「お願い助けて」

「早く逃げろ」

「押し潰される！」

声のする方向を振り向くと、薄茶色い煙が上がっていた。土埃だ。その中に人の頭が見える。

それは一人や二人ではなかった。十、二十、いや、何十人もの人間が、群れとなって走っていた。集団は一つの生き物のように地面を踏みしめ、波のようにうねり、優也たちのいるサイドストリートへと迫る。大勢の足音が地響きとなり、空気をも震わせているのだった。

「皆さん、落ち着いてください。係の誘導に従い、落ち着いて行動してください！」

恐慌状態に陥った集団は、スピーカーから発せられるアナウンスの声など聞いてもいない。

無理もない話だった。目の前でこんな混乱が起こっていては、命を守るために逃げるので精一杯だ。

さっきまでは楽しそうにしていた周りの人々が、悲鳴とともに散らばり、方々に逃げ惑う。優也は慌てて近くにいたグリムをぎゅっとだき抱えた。こんな雪崩のような暴走に巻き込まれてしまっては、たとえ魔法が使えても、体の小さなグリムはひとたまりもない。もちろん優也もどうしようもないだろう。誰であろうと為す術なく、押し潰されるしかない。

「ユウ、さっさと逃げるんだゾ！」

叱咤された優也ははっと我に返り、グリムを抱えたまま走った。グリムが指さした木の根元にピタリと張り付いて人の波をやり過ごす。

混乱を引き起こした群衆は、マジカルシフト大会を見に来た観客らしい。よく目を凝らすと、その顔は蒼白で、揃って恐怖に染まっている。

「誰か助けてくれ。体が勝手に動いて、止められないんだ！」

みんな自分の意思で動いているわけではないと訴えている。息も切れ切れになって咳き込みながら、それでもスピードは緩まない。体が操られているのだ。

ラギーのユニーク魔法だ。優也は強い衝撃を受けた。

パンを交換するために使われた魔法。それが何人もの怪我人を出し、今やこんなに恐ろしい混乱を引き起こしている。

「ふなっ！　おい、あそこで選手の列が止まってるんだゾ。ヤベーんじゃねえか⁉」

群れは一カ所に向かって突進している。先にあるのは、入場行進の先頭。ディアソムニアの選手たちの隊列だ。グリムの指さした先で、逃げる一般客に行く手を阻まれて身動きがとれなくなっている。

「マレウス様をお守りしろ！」

選手の中から声が上がった。

「マレウス様こちらへ！」誰かが手を伸ばすのが見えた。「くっ。駄目だ、間に合わない……！」

「マレウス様ーっ！」

絶叫とともに、ディアソムニアの列が波にのまれる。どどどどど、と太鼓のような足音に潰されて、すぐに悲鳴も聞こえなくなった。

そのとき優也は群れの中に、見覚えのある茶色い耳を見た。恐怖と混乱によって周囲はこんなにうるさいのに、あの特徴のある笑い声が聞こえてくる気がした。

◆・◆・◆

ユニーク魔法を解いたラギーは、運動場の端に建つ塔へ向かって走った。コロシアムから近い場所にあるその建物は実践魔法の実習で使われるもので、学園の隅に位置しているせいか授業のない時はがらんとしている。しかし今、塔の裏にはいくつかの人影があった。

「レオナさん！　やりましたよ！」

混乱に乗じて隊列から抜け出したレオナと、他のサバナクローの代表選手たちが、そこでラギーを待っていた。

ラギーの顔を見るなりレオナが問いかける。

「あのトカゲ野郎、確かに潰したな？」

「はい。レオナさんたちも見てたでしょ？　マレウス様〜って取り巻きどもが情けない声を上げてたとこ」

ラギーは肩を揺らして笑った。さっきの魔法の負荷のせいなのか顔色は良くない。しかし表情は晴れ晴れとしている。

「妖精族の王子様であるお偉いマレウス様が、一般人に向けて魔法なんて放てるわけないッスからね。今頃は群衆に踏み潰されてボロボロですよ」

「いい気味だぜ」と周りの寮生たちがあざ笑う。レオナも滅多に見せない笑顔で「上出来だ！」と声を上げた。

「草食動物のヌーでも、一度スタンピードを起こせば獅子(しし)をも殺す……お高くとまった妖精族様が、魔法も使えない人間風情に潰される日がくるとは思いもしなかっただろうよ」

「シシシッ。後はせいぜい悲しそうな顔をして会場に向かうだけッスね。オレのアリバイ、よろしくお願いします！」

「ああ、ああ、もちろんわかってる。今頃クロウリーどもがさぞ慌てているだろうが、お前らは余計なことを言うなよ。俺が全部なんとかしてやるから」

黙って俺に従えば褒美はたっぷりとらせる。レオナは上機嫌に喉を鳴らし、歌うような軽やかさで呟いた。

「あばよマレウス。今年の王の座は、俺がもらう」

「シシシッ。王様バンザーイ！」

「いいぞ、王様バンザーイ！　王様バンザーイ！」

レオナを取り囲む寮生たちが、声を上げて彼を称える。自分たちこそが王となるレオナの仲間なのだと高らかに歌い、陶酔している。

そんな甘やかな喜びを鋭い声が打ち破った。

「そこまでだ！」

リドルの姿を見たラギーは露骨に顔をしかめた。リドルの後ろに立つエースとデュース、それにグリムと優也にも気付いて「ホントしつこいな」と舌打ちをする。

「話は聞かせてもらったよ。大変なことをしてくれたね」

「これはこれは」レオナが仰々しくリドルに向かって腰を折った。「ハーツラビュルの寮長に草食動物。それにいつぞやのモンスターと魔力なしも連れて、たいそう愉快な顔ぶれだ」

そして、うっすらと笑いながら優也たちの後ろに目をやった。

「それに、そこにいるのはうちの一年坊じゃないか」

優也とグリムの後ろには無言のジャックがいる。群衆事故を逃げて合流してから、ずっと黙ったままだった。

「ハーツラビュルに転寮したのか？　あれだけ目をかけてやったのに、お別れの言葉もなしとはなァ。寂しい話じゃねえか」

「……俺はただ、今のあんたたちとは肩を並べたくないだけだ」

ジャックの重い口が開くと、対峙するサバナクロー生の顔が険しくなった。群れから異質なものを排除するような拒絶の視線。一度は仲間だった者たちに強い敵意を向けられて、けれどもジャックは臆さなかった。

「汚い手使って、無関係な一般人巻き込んで、実力以外で勝とうとして……あんたみたいな卑怯な奴がボスなんて、俺は認められねえ！」

「黙れ、この裏切り者が！」

レオナは手にしていた杖をジャックの鼻先に突き付けた。ビーズの束同士がぶつかり高い音が鳴る。杖の先端に彫られたライオンの飾りは、寮長であるレオナの黄色い魔法石を咥えていた。

「綺麗事なら誰でも言える。お前はただの甘ったれだ」

吐き捨てた言葉にはぞっとするほどの冷たさがあった。これまでは皮肉に隠されていた憎しみと怒りが姿を現し、牙を剥いている。

サバナクロー寮は実力主義で、最も強い者が群れを従えることで成立している。レオナのリーダーとしての本能が、ジャックのこの謀反を許してはならないと訴えているのだろう。

「どうして……どうしてわかってくれねえんだ」

睨まれたジャックは悲痛な表情で立ちすくんでいた。その辛そうな背中にリドルが手を当てて寄り添う。

「ジャック。キミの選択は間違っていないよ」

そう言うと、レオナに圧倒される優也たちを庇うように前に立つ。息も苦しくなるようなプレッシャーを、明瞭な言葉で吹き飛ばした。

「あなたたちの不正こそ、伝統あるマジカルシフト大会を裏切る行為じゃないか。厳格をモットーとするハーツラビュルの寮長として、見逃すわけにはいかない！」

「威勢だけは良いようだが、今更お前たちに何ができるっていうんだ？　揃いも揃って証拠一つ見つけられなかった間抜けどもが、よく言うぜ」

「ぐぐぐ、ムカつく野郎なんだゾ……！」

唸ったのはグリムだけではなく、エースとデュースも「馬鹿にしやがって」と唇を噛んでいた。あれほど注意を払っていたのに、結局あの恐ろしいパニックを防げなかったことを悔やんでいるのだ。優也も同じだった。グリムを抱えて、ただ逃げることしかできなかった。

「僕がもう少し、ラギー先輩を早く見つけていたら……」

そうすれば観客の暴走を防げていたかもしれない。「お前のせいじゃない」とジャックが言ったが、思い返せば後悔は尽きなかった。

「シシシッ。残念だったねえ」

とうとう目的をやり遂げたのだと、目の前のラギーは得意そうに笑っている。彼がしたことを知らなければ、清々しさを感じるほど満ちた笑みだった。

「レオナさんの言う通り、もう手遅れなんスよ。どうせディアソムニアの奴らは、今頃揃ってボロボロになってるッス！」

高笑いをするラギーの耳が、視覚より先にぴくりと動いた。

「ほほう？　それは興味深い話じゃ」

空から降ってきた低い声に、ラギーの目が見開かれる。

「今の声って……どこから……」

「ここじゃ！」

突然、空中に寮服姿のリリアが現れた。上下逆さまになって、ラギーの顔を覗き込むように浮いている。リリアの頭に重なって優也からラギーの表情は見えなかったが、その震える声から、容易に想像はついた。

「リ、リリア……ヴァンルージュ……どうしてここに」

「わしだけではないぞ」

リリアはくるりと一回転して地面に降りると、ちょいちょいと軽く手招きをした。塔の陰から現れたのはディアソムニアの生徒たち数人と、それに付き添うケイトだ。

「ラギー。お前がこんなに恐ろしいことをするなんて」

悲しそうな顔でそう言ったのはシルバーだった。同級生のラギーとは面識があるようだ。だからこそ、この凶行にひどく心を痛めているのだろう。

「正直に謝罪をして、罪を償おう。それがお前のためになるはずだ」

どれほど切々と説かれようとラギーの顔には罪悪感など微塵(みじん)もなく、ただ驚きだけが見えた。目の前にリリアやシルバーが立っているという事実をのみ込めないらしい。

「どうして。だってみんな、あの暴走にのみ込まれたはずじゃ」

「この通り、俺たちディアソムニア寮の選手には怪我一つない」

「じゃ、じゃあさっきのは?」

シルバーの簡潔な返事に、ラギーがますます困惑する。掠れた声に答えたのはケイトだった。

「さっき巻き込まれたディアソムニア生たちなら、みんなオレの変装だよ♪」

「は?」

ぽかんと口を開けるラギーの横で、レオナの顔色がさっと変わった。目尻をつり上げ、恐ろしい表情で呟く。

「ケイト、テメェ……!」

「レオナくんはもうわかった感じ?」ケイトはマジカルペンを取り出した。「そう、行進をしてたディアソムニアの代表選手は全部ニセモノ。オレのユニーク魔法『舞い散る手札(スプリット・カード)』で生み出したオレくんたちに、ディアソムニアの寮服を着せて変装させたんだ」

そう言って、実際に三人の分身を作り出す。

「マレウス様、お逃げください！」

「押し潰されるー！　……ってね。どう、オレくんとオレくん、どっちの方が演技が上手い？」

「あはは、みんな一緒に決まってるじゃん」

談笑する分身たちを、マジカルペンを再度振って消し去る。

「オレの魔法もなかなかやるでしょ。オレらみんな間抜け、だっけ？　その言葉、そっくりそのままお返ししちゃおうかな。見事にだまされてくれて、どうもありがとね」

穏やかなケイトにしては珍しい皮肉げな笑みを浮かべていた。口元を歪ませた先輩を見て、驚いたデュースが小さな声で話しかけてくる。

「なあ。ダイヤモンド先輩、なんか怖くないか」

「確かに、ちょっと……怒ってる？」

優也が怖々答えると、エースが悪い顔で笑った。

「マジフトであれだけボコられたら、さすがのケイト先輩もキレるでしょ。仕返ししてくれて、オレもスカッとしたわ」

真っ青になったラギーを見て、リリアもケイトと同じように目を細めた。

「くふふ。リドルからわしらが狙われていると聞いてな。一芝居打たせてもらったぞ」

リドルが頷いた。

「これだけの人数が共謀したというのに計画の尻尾も摑めないとは、キミたちの用心深さは大したものだね。しかし計画を阻止することはできなくても、狙われている人さえわかれば、逃がすことはできる。これまでずっと後れを取ってきたが、最後にようやく先手を打つことができたよ」

「じゃ、じゃあ、マレウスは……」

「もちろんご健在だ！」

ディアソムニアの一年生が大きな声で答えた。ぴんと伸ばした背筋をさらに反らせて声を張り上げる。

「マレウス様が全ての人間をコロシアムまで魔法で誘導してくださったおかげで、怪我人もなく、混乱も既に静まった。感謝しろ！」

「さあ、どうする？　素直に悪事を認めるかい」

リドルが杖を突き付ける。追い詰められたラギーは、慌ててレオナを振り返った。

「レオナさん！　どうします⁉」

レオナは無言だった。腕を組んだまま瞬きもせず、何かを深く、何度も考えているように見える。悩んでいるようにも見えるが、それにしては眼差しに迷いが感じられない。

黙ったままのレオナに焦れたのか、周りの生徒たちが声を荒らげ始めた。

「こうなったら、こいつらが証言できないようにしちまおうぜ」

「そうだ、力尽くで黙らせれば良い。マジカルシフト大会さえ開催されちまえばこっちのもんだ！」

「寮長！　やっちまいましょう」

リドルがぱっと杖を握り直した。そちらがその気ならばと、ケイトやエース、デュースもマジカルペンを手に取る。

「ああ……」

レオナが天を仰いだ。

「もういい」

そしてたった一言、そう呟いた。

「え？」とラギーがきょとんとした顔になる。リドルとジャック、それにリリアも、全員が同じ表情だった。今、レオナはなんと言った？

「もういい。やめだ、やめ」

「レオナさん？　それってどういう意味ッスか？」

どんな策なのかとラギーたちが困惑している。この人なら何か手を考えてくれるはずだと、本当にレオナというボスを信頼していることが見ていてわかる。しかしレオナは自らに寄せられた厚い信望をあっさりと投げ捨てた。

「お前ら馬鹿か？　マレウスが五体満足で試合に出るなら、俺たちに勝ち目なんてあるわけねえだろうが」

参りましたとゲームを投了するように、深い、深い、ため息を吐く。

「やる前から結果は見えてる。マレウスを潰せなかった時点でこの勝負は終わりだ。俺は降りる」

すたすたと歩き始めたレオナの上着をラギーがはしと摑んだ。よほど力を込めているのか、細い手首がぶるぶると震えている。

「は？　なにあっさり帰ろうとしてるんスか？　ここでやめるなんてあり得ねえだろ」

「そうですよ。レオナ寮長が試合に出なきゃ、三位に入れるかどうかも怪しいのに」

周りのサバナクロー生たちもレオナを取り囲み、どうか諦めないでくれと懇願する。

「マレウスはともかく、他寮の有力選手はみんな潰してきたじゃないッスか。チャンスはありますよ」ラギーが無理矢理笑顔を作っている。痛々しいような微笑みだった。「オレらの王様、レオナさんさえ一緒に戦ってくれれば……」

「チャンスなんかない。絶対にだ」レオナははっきりと断言した。「ゲームの終わった盤面に縋（すが）り付く馬鹿がどこにいる？　ろくでもない頭でろくでもないことを考えるな」

「でも、でもそれじゃあ……オレたちの夢はどうなるんスか？」

途方に暮れた声だった。寄る辺ないその呟きは、あんなことをしたラギーに思わず同情心が芽生えてしまうほど頼りない。思いとどまってくれと必死にレオナを摑む指先は白く、今にも爪が割れそうだった。

「あのマレウス倒して、馬鹿にしてた奴らを見返して……オレたちで世界をひっくり返すんじゃなかったんスか⁉」

「キャンキャンうるせえな……それじゃあお前でもわかるように言ってやる」

レオナはその手を邪魔そうに振り払った。冷たい目でラギーを見下ろし、軽薄な笑みを浮かべる。投げやりと言ってしまうにはあまりにも理性的な表情だ。その分、告げられる方にとっては残酷だった。

「お前はゴミ溜め育ちのハイエナで、俺は永遠に王になれない嫌われ者の第二王子。今更なにをしようが、それが覆ることは絶対にねえんだよ！」

ラギーは呆然としていた。弾かれた手もそのままに、目を見開いている。目の前で今レオナに言われたことが理解できていないようだった。

「なんて野郎だ」とジャックが唸った。

「みんなあんたを信じてここまで来たんだろ？　今更仲間を見捨てるのかよ。一体どこまで堕ちれば気が済むんだ！」

ラギーを庇うわけではない。同情するわけでもない。ただ道義にもとる行いが許せないと声を張り上げる。

そんなジャックに、レオナは「おかしなところで怒る奴だな」と肩をすくめた。

「俺はこいつらが目をキラキラさせて夢物語を語っているのが可笑しくて、少し付き合ってやっただけだ。でももういい。全部終わりだ」

レオナが目を伏せた。

「そうだ……どれだけ世界が注目していようが、所詮は学生のお遊びだろ。はなから意味なんてなかったんだ。お前らも良い夢見たと思って聞き分けろ」

緩慢に口を動かすレオナを見てケイトとリリアが眉を寄せる。あっさりと放たれたこれまでの自分を否定するような発言に、困惑を隠せないようだ。寮生の信用も、自分の信念も、レオナは簡単に捨ててしまう。そんな態度に戸惑いも侮蔑も当然あるが、優也たちが今感じているのは、恐らく不安に近かった。

希望や期待といった、人がどうあがいても縋り付いてしまうものに、レオナは少しも目を向けない。未来に待つ絶望をあがきもせずにそのまま待って、人はこんなにも冷静でいられるものだろうか。

レオナは何を心の支えとしているのか。何もないのだとしたら、それはあまりに不安定で恐ろしく思える。

「ふざけんな……」

地を這うような低い声が聞こえる。最初は誰のものかわからなかったが、視線を彷徨わせた優也は、暗く光る目をしたラギーに気が付いた。

ラギーの大きな口が開き、鋭い牙が鈍く輝く。

「ふざけんなよ！　なんだよそれ！　ここまできて諦めるなんて……負け惜しみ言うなら、せめて負けてからにしろよ！」

「そうだ。こんなのあんまりだぜ、レオナさん」

「ぶん殴ってでもあんたには試合に出てもらう！」

寮生たちがレオナに殴りかかる。魔法を放つ者もいた。レオナは腕をたった一振りして、向かってくる全てを吹き飛ばす。

「レオナさん！」

それでもなお自分へと伸ばされる手に、レオナは一歩後ろへ退いた。彼の何かを怖がる顔を見るのはこれが初めてだった。

誰かの骨と皮だけの手が、誰かの練習で日に焼けた赤い手が、助けてほしいとレオナに縋り付く。恨み。期待。切望。これほどの重圧、耐えられなくとも何らおかしなことではない。しかしレオナを怯えさせているのは押し潰されそうなほどのプレッシャーではなく、もっと単純な、目の前にいる寮生たちそのもののように見えた。

何度振り払ってももがくことをやめない手。希望の残る目。「寮長」と彼を呼ぶ声。それらを目の当たりにするたび、レオナの顔が歪んでいく。

「ああ、めんどくせえ……めんどくせえ！」

レオナが叫んだ。寮生たちを振り払うように杖を振り上げる。

「うんざりなんだよ。この雑魚どもが！」

掲げた杖の先で、黄色い魔法石が黄金のように光った。

――俺こそが餓え　俺こそが渇き

低い声が大地を撫(な)でるように駆ける。

――お前から明日を奪うもの

空から何かが落ちてきた。辺りを飛んでいた虫たちの死骸だ。干からびて音も立てないほど軽いそれがハラハラと雨のように降ってくる。

優也がぽかんと空を見上げていると、今度は足首を何かがくすぐった。舞い上がった砂が肌をチクチクと啄(ついば)んでいる。風で運ばれてきたのかと思ったが、それにしては奇妙なことに砂塵(さじん)に意思を感じる。

何かに気付いたリドルが「やめるんだ！」と杖を振ったが、砂に阻まれ魔法は届かなかった。レオナの苦悶(くもん)に満ちた表情に応えるように魔法石が瞬く。

――平伏しろ！

――王者の咆哮(キングス・ロアー)

突如、爆発が起こった。そうとしか思えない突風だった。砂の混じった風が顔を容赦なく叩き、目を開けることもできない。

両腕で顔を覆いながら優也は細く目を開けた。近くに見える人影はジャックだろうか。その横で地面に這いつくばっているのはグリムだろう。近くにいる人々と身を寄せ合い爆風を凌ぐ。飛び交う砂礫で自然と涙が滲む視界の中、佇むレオナが見えた。

レオナが持つ、飾り羽根の付いた長い杖。それが地面に当たる箇所から荒野が広がっている。青い芝生は枯れ、乾いた地面はひび割れ、全てが色を失い風化する。彼の足元に残るのは砂だけだった。

砂はレオナを守るように宙を舞った。さっきまで優也たちの周りで暴れていた砂嵐が、今は大人しくレオナの元で息を潜めている。

「これは、まさか……」

「そう。これが俺のユニーク魔法だ」

息をのむリドルを笑い、レオナは片眉を上げた。

「皮肉だと思わねぇか？　干ばつを忌み嫌うサバンナの王子の持つユニーク魔法が、触れたもの全てを干上がらせ、砂に変えちまうものだなんて」

物を砂に変えてしまう魔法。レオナは自らのユニーク魔法をそう説明した。確かに今、辺りの空気はカラカラに乾いていて息をするのも辛い。植物や土といった目に見えるものはおろか、空気中の水分さえも砂に変えてしまったかのようだった。

「そんな魔法があるなんて」

それだけ呟いて優也は咳き込んでしまった。口に入った空気がヒリヒリと喉を苛む。エースが掠れた声で答えた。

「オレもこんなの見たことねぇよ。物を干上がらせるなんて自然災害みたいなユニーク魔法、アリなわけ⁉」

「どうやらそれだけではないぞ」リリアは冷静に辺りの様子を見ている。「あやつは生み出した砂を自在に操っているようじゃ」

「普通はこんなこと無理だよね」

ケイトが深刻な顔で呟いた。

「凄い魔力だ……サバナクローの寮長は伊達（だて）じゃないってところか」

レオナが杖を動かせば砂はそれに付き従う。手のひらのように広がり、近くにいた生徒たちの頭上へと覆い被さった。砂粒の一つ一つは小さくとも集まればとてつもない重さを持つ。皆逃げようとしたが、流砂となった地面に足を取られ、砂にのみ込まれてしまった。悲鳴さえも土砂に吸い込まれてくぐもって聞こえる。

ツイステッドワンダーランドに来てからというもの、優也は様々な魔法を目にしてきた。何もないところに火や水、風を生み出す魔法はいつ見ても不思議で見とれてしまう。物の色を変えたり、服を一瞬で着替えたりといった便利な魔法もたくさんあって、ブロットという恐ろしいリスクを伴う力だとわかっていても、最近は少し羨ましく思うことがある。

トレイやケイト、リドルのユニーク魔法にはそれぞれの個性が表れていてどこか面白く、魅力がある。怪我人を出したラギーのユニーク魔法でさえそうだった。

魔法の力はイマジネーションの力だ。だから優也の見る魔法にはいつも親しみがあった。微笑んでしまうような愛嬌があった。きっとそれを想像する人の心が感じられたからだ。

しかし今、レオナが目の前で見せているこの魔法はどうだろう。魔法そのものに敵意があるかのようだ。こんなに攻撃的で、優也から見てもはっきりわかるほど恐ろしい魔法を目にするのは、この世界に来て初めてだった。

ハーツラビュルの生徒もディアソムニアの生徒もレオナのユニーク魔法に驚いていたが、それは彼の寮生たちも同じだった。滅多に使うことのない魔法ということだろう。

「レオナさん、あんたなに考えてるんスか⁉」

ラギーがレオナの前に飛び出した。

「こんなところで、なんでユニーク魔法を……しかもそんなデタラメに使ったら」

「なんでだと？」レオナがラギーの言葉を遮った。「うぜえテメェらを黙らせるために決まってるだろうが」

そう言うと、自分を咎めるラギーの首を掴む。痩せたラギーの首はレオナの片手で掴み上げられるほど細かった。

「ラギー先輩！」

恐怖のあまり、気が付くと優也は叫んでいた。これまでの喧嘩や諍いを忘れ去るほどの恐ろしい光景だった。

他の場所からも悲鳴や息をのむ音が聞こえてくる。リドルやシルバーが「やめろ」と声を上げたが、止めようとする者には砂の嵐が襲いかかり近づけない。

「どうだ、ラギー。これじゃお得意のおべっかも使えねえよなァ」

か細い悲鳴が聞こえる。苦しそうに手足を動かすラギーの首に皺が浮かび上がった。初めは強く握られたためかと思ったが、薄い皮膚が張り付いて骨の形が露わになる。レオナの触れるところから、ラギーの体が持つ水分が奪われている。

「それ以上はよせ！」

もはや一刻の猶予もない。リドルが自分の背丈よりも大きな杖を、淀みなく振り下ろす。

「首をはねろ(オフ・ウィズ・ユアヘッド)！」

相手の魔法を封じる、リドルの強力なユニーク魔法。魔法封じの首輪が光の輪となり、レオナ目がけて真っ直ぐに飛んでいく。

しかしレオナは自らに向かう魔法を見て、焦りもしなかった。

「邪魔をするな」

金属と金属がぶつかり合うような音がした。思わず眉をひそめてしまうような高い音。それと同時に、リドルの放った光が砕けて消えた。

「今のって、もしかして……」

優也のまさかという気持ちを、グリムの裏返った声が確信に変える。

「リ、リドルの首輪が弾かれたんだゾ！」

「嘘だろ。ローズハート寮長の魔法が負けたっていうのか？」

そう言って後退ったのはデュースだけではなく、リドルの力を知る者は皆、恐怖でおののいていた。今見たものが信じられない。あの強大で、誰もが恐れるリドルの魔法が、容易く防がれた？

驚愕に満ちた視線を集めながら、リドル自身が一番衝撃を受けているようだった。目を見開いて「そんな馬鹿な」と唇を震わせている。優秀なリドルにとって、こんな経験は初めてだったに違いない。

ところがレオナといえば、そんなリドルには目も向けない。

「秀才だかなんだか知らねえが、頭でっかちなお坊ちゃんの攻撃なんざ俺に効くわけねえだろ。図に乗って年上を舐めるのも大概にしろよ」

どうすれば相手に屈辱を与えることができるのかをよく知っている。歯噛みするリドルをあざ笑うように唇を歪ませたレオナは、摑み上げたラギーの顔をしげしげと眺めた。

「なあラギー。俺はな、聞き分けの悪い人間が大嫌いなんだ。お前ならとっくにわかってると思ったぜ。お前は人の機嫌を伺って、媚を売るのだけは上手いからな」

「そん……なっ……」

もがくラギーがレオナの黒いグローブを引っ掻く。革でできたそれを今にも破りそうな必死さだったが、レオナがそれを気にする様子はなかった。

「夢？　世界をひっくり返す？　甘ったれたことを言うな。実力があったって、努力したって、どうしようもねえことがこの世にはたくさんあるんだよ。現にお前は今こうして必死にもがいて、あがいて、それでも俺に敵わない。憐れだよなァ」

苦痛のためか、それとも悔しさゆえか、ラギーの目に涙が浮かんだように見えた。それもすぐに渇いて消えてしまい結局溢れることはない。

表情を変えずにそれを眺めたレオナは、衝撃で言葉を失うサバナクローの寮生たちを振り返った。

「この俺が無理だって言ったら、無理なんだよ。もしかしたらなんて考えるな」大きく息を吸ってレオナが恫喝した。「余計な期待は捨てろ！　夢なんか反吐が出る！　お前らは大人しく俺の言うことに従っていればいい！」

わかったか。そう尋ねる声は一変して優しく、首にかけた手の力も弱まったようだ。つま先を地面につけたラギーが、ごほごほと咳き込んでいる。

自分の言うことを認めれば許してやるというレオナの圧力に、サバナクローの寮生たちは答えあぐねていた。返事次第では今のレオナは何をするかわからない。リドルたちやリリアたちディアソムニアの寮生も答えを出せずに固唾をのむ。

苦しい沈黙を破ったのは、ラギーの掠れた声だった。

「いやだ……」

「何？」

レオナが眉をひそめる。

「オレの……夢……」

誰よりもボロボロの体で、苦しそうに顔を歪めながら、それでもラギーは声を張り上げた。

「オレは、ここで……成り上がるんだっ……！」

臓器ごと絞り出したような叫び声が荒野に響く。決して強くはない。大した迫力もなく、吹けば飛ぶような弱々しい声だ。しかしぞっとするほどの執念を感じさせる。

ラギーの大きな目は、獅子の喉元にすら噛みつきかねない凶暴な光をはらんでいた。たとえ死んでも獲物を諦めないという貪欲さが、ブルーグレーの瞳から爛々と溢れている。

皆、状況も忘れて呆気にとられていた。ラギーは未だ首を摑まれたままだ。危機が迫る状況にもかかわらず、それでもラギーは何かを得ることを諦めていない。

生命力の塊のような人だと優也は思った。思い返せば、リドルでさえ手を焼くほどにラギーはしぶといのだ。きっとどんな人間も、どんな魔法も、彼を絶望させることはできないだろう。

そんな姿がレオナの怒りを燃え上がらせる。

「おい。よく考えて話せよ」

やけに静かな声が、一際恐ろしかった。ラギーの肩がびくっと震える。

「そこまでして、叶いもしねえ夢を見ていたいのか。そいつは命よりも大事なものか？　お前がそんなに損得勘定が下手だとは思えないが」

レオナが再び右手に力を込める。先ほどよりもずっと速く、ラギーの顎まで、ひび割れのように小さな皺が走る。

「それ以上やったら、ラギー先輩が死んじゃいますよ！」

優也はレオナを止めようと渇いた喉で叫んだ。エースとデュースが驚いた顔でこちらを見るが、恐怖が破裂して、いてもたってもいられなかった。踏み出した足があっという間に砂で覆われる。

「目障りだ、雑魚が！」

レオナが苛立ちをあらわに、空いた手で杖を振り上げる。優也が咄嗟に目をつぶるとジャックの声が聞こえた。

「もうやめねえか！」

閉じた瞼の向こうに光を感じる。

――もっと速く、もっと鋭く、もっと強く
――月夜を破る遠吠え（アンリイッシュ・ビースト）

はっと目を開けると、ジャックの丸められた背中が見えた。背骨が跳ねるように揺れている。しっかりとした体の輪郭が、ある箇所では膨張し、ある箇所では収縮し、光の粒子の中で絶え間なく変化する。時間にすればわずか数秒。あっという間の出来事だった。

人ではないものの遠吠えが響いた。

さっきまでジャックが立っていた場所に銀の毛をなびかせた狼がいる。体はとても大きく、艶のある毛が風で柔らかそうに揺れていた。

その狼が持つのは毛先に黒の交じる白銀の耳。頼もしく光る金色の目。どちらもジャックの色だ。やはりこの狼はジャックなのだ。今目にした人が狼に姿を変えるという光景は、見間違いではなかったのだと確信する。

優也たちと同じく、レオナもこの魔法を見るのは初めてだったらしい。驚きに見開かれた目に冷静さが戻る前に、狼となったジャックが唸り声を上げてレオナに飛びかかった。

レオナは身を翻してそれを避けたが、動揺は隠せなかった。その隙を捉えたリリアが叫ぶ。

「リドル、今じゃ！」

「首をはねろ（オフ・ウィズ・ユアヘッド）！」

言われるまでもない、とばかりにリドルの魔法石が輝く。今度こそ、魔法を封じる枷（かせ）がレオナの首にはまった。

空を漂っていた砂が息を止めたように地面に落ちた。レオナの手から逃れたラギーもまた崩れ落ちる。リリアの指示を受けたシルバーたちがその肩を担いでレオナから引き離した。

シルバーはぐったりと横たわるラギーの鼻先に手を当てた。

「どうやら気絶しているようです」

「わしが様子を見よう。お前たちは今のうちに、他の負傷者を連れて避難せよ」

頭を下げたシルバーは、ディアソムニアの寮生とともに怪我をしたサバナクロー生を連れて行く。

レオナは捕まった獣のように身をよじっていた。

「くそっ……この！」

喉を引っ掻いて首枷を外そうとしたが、そんなものではびくともしない強力な魔法だ。幼い頃から研鑽を重ねた、リドルの努力の結晶なのだ。

外れぬ首輪に、忌々しそうに首を振ったレオナが叫ぶ。

「ジャック！　変身薬なんて禁制の魔法薬、どこで手に入れやがった」

「魔法薬じゃねえよ。これはユニーク魔法だ」

狼の姿となっても、ジャックの落ち着いた声は変わらない。

「俺の『月夜を破る遠吠え』は、狼に変身することができる魔法なんだ」

「テメェ、そんな力を隠してやがったのか。よくもこの俺に首輪なんざ……許さねえぞ！」

レオナは力任せに首輪を外そうとした。髪を振り乱しながら何度も、何度も暴れてのたうち回る。群れの一員に不意をつかれ、侮っていた後輩の魔法に敵わないことが、よほど屈辱らしい。

無惨なレオナの姿を見てジャックが呟いた。

「レオナ先輩……頼む、もうやめてくれ」

懇願に近い響きだった。優位に立っているのはジャックの方なのに、今まで聞いた中で一番苦しそうな声をしている。これ以上はレオナの醜態を見ていられないと思ったのか、狼は牙を

露わに顔をしかめた。

「俺は、あんたに憧れてこの学園を目指したんだ。それなのに、俺の憧れたあのレオナ先輩はどこにいっちまったんだ⁉」

「うるせえな……ハーツラビュルに尻尾振る犬が、魔法で本物の犬っころになったぐらいで、偉そうに説教するんじゃねえ」

顔に落ちた髪の隙間からレオナがジャックを睨む。もはやその声に滲む私憤を隠そうともしない。

「俺に一杯食わせて満足か？　さっさと勝ち船に乗って、さぞ気分がいいだろうなァ」

「違う。俺はただ、あんたと純粋にマジフトがしたくて」

「黙れよ。裏切り者の言葉なんて信じられるわけがないだろ」

ジャックがはっきりと傷付いた目をした。狼の姿でもそれがわかった。あれほど憧れた人に歯向かうこととなり、そのための決意も否定されて今、ジャックはどれほど悲しんでいるだろう。弱い姿を見せはすまいと顔を上げていたが、長い尻尾は力無く垂れている。

積もる砂を蹴り、リドルがレオナの前に立った。

「あんまりじゃないか。こんなに慕われて、あなたは一体何が不満なんだ」

「ほら見ろジャック、飼い主のお出ましだぜ」レオナが歪(いびつ)に笑った。「こんなに大層な首輪を付けて、俺まで飼い犬にしようって？　馬鹿にするなよ」

睨むレオナに、リドルは毅然と向き合う。

「馬鹿になんてしていない。レオナ先輩。ボクだってあなたを尊敬していたさ」

ケイトが驚いた顔でリドルを見た。エースやデュースも目を見開いている。プライドの高いリドルが素直にこんなことを言うとは思ってもいなかったに違いない。

優也はマレウスのことを話していた時のリドルの言葉を思い出していた。

良い寮長。尊敬される寮長。リドルはずっと、それを知りたがっていた。

「寮生に慕われるあなたが羨ましかった。あなたみたいに、みんなに好かれる寮長になりたかった」リドルが苦しそうな顔を伏せた。「ボクは間違えてしまったから……レオナ先輩みたいに、なりたかったんだ」

声が揺れている。強い風でとぎれとぎれにしか聞こえなかったが、気のせいではないという確信があった。

リドルがこれほどまでに後悔していたと、一体誰が気付いていただろう。エースやデュース、優也はもちろん、聡いケイトですら知らなかったに違いない。

「けれど今はどうだい。寮生の期待を裏切って、八つ当たりをして……まるでかつてのボク自身を見ているかのようだ。今のキミには誰も付いてはこない。ボクはそれを、誰よりもよくわかっている」

エースとデュースが、レオナに向かい合うリドルをじっと見つめている。その目にあるのはまず驚き。あのリドルがこんなことを考えていたなんて、という驚愕だ。そしてその合間に僅かだが確かな信頼が見える。マレウスから学びたい、自分も得たいと、かつてリドルが願ったそれだった。

リドルはもう前を向いている。悔いも苦悩もあるのだろうが、それでも良い寮長になろうと進み続けているのだ。オーバーブロットまでした彼の改悛を、むしのいい話だとなじる人もいるだろう。しかしリドルはそんな言葉で歩みを止めるほど弱い人ではない。

「失望したよ、レオナ・キングスカラー。みっともなくて見ていられないね。マレウス先輩を倒して、王になりたかったんだろう。それは何のためだい？　自らの行いを今一度よく顧みるべきだ」

堂々としたリドルの姿。とても耐えがたい、というようにレオナが目を眇めた。

「人にテメェの事情重ねて、好き勝手言いやがって。それで俺のことをわかったつもりか？何も知らねえくせに、兄貴みてえに説教垂れてんじゃねえよ」

そこでリリアが噴き出した。「何がおかしい」とレオナが凄んでも無邪気に、そして豪快に笑っている。

「何とちんけな！　何が百獣の王ライオンよ！　お主のような男には、王冠よりその首輪の方がお似合いじゃ」

貫禄が違う。自然とそう思った。ただ微笑んでいるだけなのに、リリアの姿に場が圧倒されている。なぜ彼の言葉にはこんなにも説得力があるのだろう。口にされた音の一つ一つに、計り知れない重みを感じる。

レオナも気圧され、そしてそんな自分に驚いているようだった。たじろぐレオナに、リリアは赤い目を細める。

「お主は生まれた境遇のせいで王になれぬと嘆いているようだが、報われぬからと怠惰に生き、思惑が外れれば家臣を責めるその狭量さ。到底王の器とは思えぬ。全部ただの愚痴と嫉妬ではないか。無様よのう」

荒々しくはないが、侮蔑のこもった声だった。レオナの顔に朱が走る。

「その程度でマレウスと張り合おうなどと、笑わせる。あやつはもっと厳しく、優しく、偉大な男ぞ」

「うるせえ……うるせえ！　黙れ！」

「黙るのはお主の方じゃ！」リリアが一喝した。「現実を見ろ。たとえマレウスを倒したとて、リドルの言葉の意味もわからぬようでは、お主は真の王にはなれぬ！」

レオナの顔から、ふっと表情が消えた。

「レオナ先輩……？」

鼻を鳴らしたジャックの瞳孔が広がる。きゅう、という細い鳴き声が聞こえた。何かに怯えているようだ。

「そうだな。そうだろうとも。お前らの言う通りだ」

感情の抜け落ちた顔でレオナが呟く。激しい怒りが消えると、生来の美貌が際立つ。淡々と語る姿は彫刻のようだ。それがやけに不気味に感じられる。

「俺は絶対に王にはなれない。どれだけ努力しようが……」

優也の足を何かが引っ張った。下を見ると、グリムがスラックスを摑んでいる。

「どうかした？」

「アイツ、ヤバいんだゾ……！」

どういう意味かと尋ねる前に、リドルの戸惑う声が聞こえた。

「なんだ？　レオナ先輩の魔力が急速に高まっている！」リドルは金の王笏を両手で握り直した。「駄目だ。このままじゃ……」

レオナが身を振り絞って吠えた。耳を塞ぎたくなるような咆哮だ。それと同時に、彼の周りで何かが弾ける。優也の足元に飛んできた破片はリドルが付けた首枷だった。まさか、と触れて確かめる前にさらさらと跡形もなく消える。

「リドルくんの魔法封じの首輪が、吹き飛ばされた⁉」

「なんて無茶を。そんな魔力がどこにあったというんだ」

ケイトとリドルが驚きの声を上げても、肩で息をするレオナには聞こえていないようだった。揺らした頭を重たそうに持ち上げる。

「俺は生まれた時から忌み嫌われ、居場所も、未来もなく生きてきた」

長い髪をぐしゃぐしゃに振り乱し、レオナが顔を歪める。

「あの苦痛も絶望も……お前らにわかってたまるかよ！」

レオナが泣いた。優也はそう思った。しかし左目の傷を伝った涙は光を吸い込んだかのように黒い。擦っても削っても肌から消えない、インクのような漆黒。ケイトが息をのむ。

「あれってもしかして……ブロット⁉」

優也の背中を氷のような恐怖が走った。異常を察したジャックがレオナに向かって飛びかかる。

「レオナ先輩を止めろ！」

騒然となったサバナクローの寮生とともにレオナに立ち向かおうとしたが、砂の交じった旋風に弾き飛ばされてしまった。ジャックは宙で回転してなんとか着地したが、他の寮生たちは皆地面に叩きつけられる。

呻き声。砂に埋もれる体。空を掻く手。悪夢のような光景だった。恐怖が優也の頭を痺れさせて、逃げることも忘れさせる。リリアも魔法を放つが何もかももう遅い。砂嵐は辺りを巻き込んでどんどん大きくなる。

傷から滴るブロットは量を増し、レオナの目の周りをどす黒く染めた。横一直線に枷の痕を赤く残した喉をブロットが伝い、いつまでもいつまでも止まらない。鎖骨の窪みに溜まった黒い液体がある瞬間一斉に弾けた。その瞬間に干からびて固まった飛沫が、ライオンのたてがみのように肩を覆う。

「人生は不公平だ……お前らにもそれをわからせてやる」

そんな呪詛とともに落ちる雫が、汚泥に似た水溜まりを作った。乾いた地面に吸い込まれて、それでも少しも薄まることはなく、染みを広げていく。

黒い水面に不気味な気泡が浮かんだ。初めはゆっくりと、徐々に激しく、やがて爆発したように泡立ち、何かがブロットの中から生まれ出る。

初めに現れたのは、鋭い爪を持つ大きな獣の手だった。次にたてがみ。耳。尻尾。不快な雄叫びが空気を切り裂く。

唖然とする優也たちの前にそびえるのは、つぎはぎだらけの巨大なライオンだった。その全身は黒く濡れて、リドルの時に現れたモンスターと同じように、顔があるべき場所にはブロットで満ちたガラス瓶が浮かんでいる。

黄金色に輝いていたレオナの魔法石は今、黒炭のごとく真っ黒に染まり、瓶の蓋に留められている。オーバーブロットだ。レオナの姿もモンスターの姿も以前と違うが、この恐ろしさを違えるわけもない。

再び醜い怪物を目の当たりにして、気が付くと優也の歯はガチガチと鳴っていた。自分よりも遥かに大きな獅子を前に、ジャックも全身の毛を逆立てて震えている。

「なんだよ、あのバケモンは……！」

「ブロットの化身みたいなものらしい」ケイトが喉の奥で答えた。「リドルくんの時も現れた怪物だよ。形は全然違うけどね」

呆然とする優也たちの目を覚ますように、リドルが寮服のマントを翻した。レオナとは反対方向を指さして声を張り上げる。

「立てる者は自力で退避！　エースとデュースは怪我人を連れて安全な場所へ。リリア先輩は先生たちに救援を頼みます！」

「あいわかった。しばし持ちこたえよ」

それだけ答えると、リリアは忽然と姿を消した。リドルもリリアも、驚くべき判断の早さだ。年齢の差か、それとも寮長や副寮長としての経験によるものだろうか。うろたえる優也たちとは歴然とした差がある。

寮長からの指示を受けて、それでもデュースは迷っているようだった。

「ローズハート寮長はどうするんですか」

「ボクはレオナ先輩を食い止める。このままじゃコロシアムにいる観客にまで被害が及ぶかもしれない」

自分も残ろうとするデュースにリドルは「駄目だ」と首を振った。

「あの人を相手にするのは危険すぎる。だからキミたちはキミたちにできることをするんだ」

デュースがどれだけ声を上げてもリドルは譲らなかった。寮長として自分の一年生を守るのだという確固たる意思を感じる。今の彼がこの決断を覆すことはないだろう。

「返事は？」

「……はい、寮長」

デュースもそれがわかったのか唇を噛み、しかし深く頷いた。

「他のやつらのことは任せてください。寮長もお気を付けて！」

「意気込んでる暇あったらさっさと働けよな」

既にエースは怪我をしたサバナクロー生の肩を担いでいた。他にも、レオナに吹き飛ばされたまま立ち上がれない生徒がたくさんいる。自分よりも体の大きな人間を抱えながら、エースが優也に向かって顎を振った。

「おい、行くぞユウ！　グリム！　お前らにも手伝ってもらうぜ」

「わかった！」

優也は近くに横たわるラギーの腕を肩へと回した。グリムも薄い腰を掴んで体を持ち上げようと唸る。まだ意識の戻らない肢体がふたりにずしりとのしかかった。

「コイツ、意外と重たいんだゾ……置いていかねえか？」

「そういうわけにはいかないよ」

掛け声を出して、ふたりでなんとかラギーを抱える。エースとデュースを追いかけようと顔を上げると、レオナと目が合った。

レザーの上着も、中のシャツも、全てどろどろに溶けてしまっている。今は寮服の代わりに黒い液体が第二の皮膚となってレオナの体を包んでいた。ブロットの滴る指先をこちらに向けて、レオナが薄暗い笑みを浮かべる。

「みんなして俺を置いていくのか？　寂しいじゃねえか」

砂が波のようにうねり、優也たちをのみ込もうと迫った。

「やばいっ！」とグリムが風の魔法をぶつけてくれたおかげで直撃は免（まぬが）れた。しかし頭上で砕けた塊は真砂となって降りかかり、優也は重みでその場に倒れてしまう。砂の中でもがいているとケイトの声が聞こえた。

「ふたりとも大丈夫⁉」

「はい、なんとか……」

優也は咳き込みながら体を起こし、そして震えた。地面に大きな亀裂が走っている。理性と制限を捨てたレオナの魔法が大地を割り、地形を変えているのだ。

ひび割れた荒野に立つ怪物は、初めよりもっと大きくなったように見えた。強大な力を誇るように雄叫びを上げると、鋭い爪を振り上げる。

ケイトはその攻撃を魔法で弾き返すと、こちらを気にするエースとデュースに早く行けと手を振った。

「こっちは大丈夫だから、二人はみんなの避難をお願い！」

何度もこちらを振り返りながら、それでも怪我人を支えて走り去る二人の背中を見送ると、ケイトが小さくため息を吐いた。

「……あーあ、逃げそびれちゃった。オレたちってなんでこう、怖い目にばっかり遭うんだろう。けーくんもユウちゃんも、こういうの一番向いてないと思うんだけどな」

腹立たしそうに地面を掻く怪物を見て、優也も一緒に眉を下げた。ひび割れたこの荒野を、レオナに睨まれたラギーを担いではとても逃げ切れない。

ケイトが透明な壁を作り、こちらに向かって突進するライオンを再び弾き返した。相当な魔力を消費しているのか、ぎりっと歯を噛みしめる音が聞こえる。駆け寄ってきたリドルが防御壁を重ねた。

「ケイト。怖いなら逃げても構わないよ」

「リドルくんを置いて逃げたら、トレイくんに後で怒られちゃうよ」

さっきケイトは「自分も優也も」と言ったが、本当は違うと優也はわかっている。力のない自分とは違い、ケイト一人ならばここから逃げ出すことぐらいはできたはずだ。

それでも逃げない。サバナクロー寮でマジカルシフトをした時も、リドルがオーバーブロットした時も、そうだった。結局のところ彼は面倒見がいいのだ。汗を滲ませたケイトを見ながら優也は思った。トレイに怒られる方が怖いから、と冗談めかして笑う顔に後悔は見えない。

「どこまでもお供しますよ、寮長」

「よろしい。それでこそハーツラビュルの寮生だ」

「大天才グリム様もいるんだゾ」やっと砂から抜け出したグリムは、体を揺らして汚れを落とした。「オレ様はアイツを捕まえて、絶対にマジフト大会に出るんだ！」

「まだそんなこと言ってんのかよ。ある意味大物だな」

地割れを軽々と飛び越えて、着地と同時にジャックが呆れた声を出した。

「ジャック、うちの一年生と一緒に避難しなかったのかい？」

「てめえの寮の落とし前ぐらい、てめえでつける」

険しい顔をするリドルにそう返すと、ジャックは黒い鼻をつんと上げた。

「それで？　どうすりゃレオナ先輩を元に戻せるんだ」

「前の時は後ろの化け物を攻撃して、リドル先輩から切り離したんだ」

あの怪物がレオナから正気を奪っている。優也はレオナと、その後ろに控えるブロットの化身を見上げた。レオナの片足と四足獣の後ろ足が、鎖のようにブロットでしっかりと繋がれている。ブロットをまとい、重たそうに足を引きずるレオナは、傷を負った獅子のようで痛ましい。

「わかった。とにかく、あのデケぇライオンみたいなのをどうにかすりゃいいんだな」

「みんなで一斉攻撃だ。ユウは安全な場所でラギーを守ってくれるかい」

優也はしっかりと頷き、ラギーの体を塔の近くへと引きずり避難した。リドルが王笏を掲げる。

「それじゃあ行くよ、キミたち。覚悟はいいね！」

その言葉を皮切りに、ジャックが大きく飛び跳ねた。ケイト、グリムは一斉にレオナへと魔法を放つ。

リドルの風の魔法がジャックの跳躍を手助けする。ジャックは風の塊を蹴って、軽やかに、勇猛に、遥か上空へと舞い上がった。その牙が獅子の背中に突き立てられる寸前、砂塵が彼を弾き飛ばす。

柔らかな体が地面を滑り、土煙を上げた。毛並みを砂で汚したジャックに、レオナがじとりとした目を向ける。そこにはもう、かつての威厳や風格はない。体にまとわりつくような深く醜い怨嗟（えんさ）が滲んでいる。

「この俺に牙を向けるか。良い度胸だなァ、ジャック」

ふらつく足を二、三度振って、ジャックは悲しそうに鼻を鳴らした。

「あんたはこんなに強いじゃねえか。それなのに、どうして……」

レオナは何も答えなかった。暗い目で佇むだけだ。どんな希望も映さない、ぞっとするほどに澱（よど）んだ目だった。

両手を握る優也の横で、ラギーの手がぴくりと動く。

「うう……」ラギーは薄く目を開けて、ゆっくりと頭を傾けた。「あれって、もしかしてレオナさん……？　それにデケー犬もいる……」

「ラギー先輩！　気が付きましたか」

優也はラギーの背中をゆっくり起こしながら、彼が気を失った後に何が起こったかを説明した。ジャックのユニーク魔法。それにレオナのオーバーブロット。今は彼を止めようとしていること。

今のうちに逃げられるかと尋ねると、ラギーは「いいや」と首を横に振った。

「オレも、レオナさんを止めるのを手伝うッス……」

「えっ!?　でもそんなにボロボロなのに」

「とんだお人好（ひとよ）しッスね。アンタはアンタの心配でもしてなよ」

じろりと睨まれて、背中を支えていた手を払われる。存外強い力だった。

「いや、でも……本当に大丈夫なんですか」

「そりゃ大丈夫ではないけどさ。あそこまで言われて、はいそうですかって逃げるわけにはいかないでしょ。それにさっきのお返しもたっぷりしてやんないと」

そう言って笑うと、ラギーはよろけながら立ち上がった。ふらつく足取りでケイトの横に並ぶと、マジカルペンを手にする。リドルは目を眇めたが、止めはしなかった。

レオナの頬が引きつる。憎しみがそのまま音になったような低くひび割れた声が、聞く者の腹の中を震わせた。

「今度はハイエナ風情が俺に刃向かおうってのか？　まさかライオンである、この俺に？　笑えねえ冗談だな……揃いも揃って、どこまでも俺を苛つかせやがる！」

積み上った砂が山を作り、レオナの均整の取れた体を高くへと持ち上げる。ラギーとジャックを見下ろすと、レオナは本能のままに遠吠えを上げた。

「全員、明日の朝日は拝めないと思え！」

砂の柱が何本も立ち上がり、辺りの何もかもをのみ込みながらラギーたちへと迫る。悲鳴を上げたグリムをケイトが抱えて避けた。同じように、ジャックがラギーの首根っこを噛んで飛び跳ねる。

リドルはみんなを守るように、水の魔法を一面に放った。濡れて固まった砂は地に落ちたが、レオナの魔法でたちまちひりつきを取り戻す。もう一度、と真紅の魔法石が輝く。雨のように降る水。落ちたそばからそれを吸い込み乾かせる砂。終わりのない魔法の応酬にリドルは顔を歪ませる。

どんなに優れた魔法士でも、使える魔力は無尽蔵ではない。ブロットの制約があるからだ。持久戦になれば、その制限を忘れたレオナに勝てるはずがない。

「覆せない世界など、全て砂に変えてやる」

砂で作った玉座に座り、レオナが言った。

「期待なんてするだけ無駄だ。全部無意味だ……何もかも」

レオナの足元に、怪物が冷たい瓶の頭を擦り付けた。凶悪な咆哮とは裏腹に、その仕草はどこか物悲しい。深い絶望が形となってレオナに懐いているように見えた。

醜く汚れた獅子を撫でてレオナが目を伏せた。溢れたブロットが再び睫毛（まつげ）を濡らして、そこからポタポタと落ちる。

「アンタ、いつもそんなこと考えてたんスか？」

ラギーは唇を噛むと、掠れた声を張り上げた。

「今までずっと……オレらの話を、どんな気持ちで聞いてたんだよ。一緒に世界をひっくり返すんだって笑ってたじゃないッスか。あれが全部嘘だったなんて言わせねえぞ！」

ラギーの怒号に、レオナは心底億劫（おっくう）そうに首を傾けた。

緩慢で、尊大で、けれどもそんなレオナの力に、どんな魔法も牙も弾き返されてしまう。ブロットの化身を攻撃しようとしてもレオナの操る砂が行く手を阻むのだ。

砂塵はますます勢いを増して、ついには伸ばした手の先さえも見えなくなった。

「ケイト！　一緒に防御を頼む」

「オッケー、寮長！」

リドルとケイトが防御の膜を張り、グリムがレオナに魔法を放つ。レオナは避けることも面倒くさいと言わんばかりに、自分へ向かう炎を砂で防いだ。

その隙に、やっとの思いで怪物の背後に回ったジャックが、獲物を仕留めようと飛びかかる。

「どいつもこいつもウゼぇんだよ！」

レオナが黒く染まった指を曲げる。ガラスのようにきらめく砂がジャックの目へと吹き付けられた。ギャウッ、と悲痛な鳴き声が響く。視界を奪われたのか、ジャックは獅子の足元でよろめいている。

「ジャック　避けて！」

優也の叫び声を聞いて、ジャックが後ろに飛び退く。鼻先に大きな爪が振り落とされる。

怪物は再び前足を上げると、未だ視力の戻らないジャックへと大きな影を落とした。「危ない」とリドルたちが魔法を放つ前に、ラギーが叫んだ。

「愚者の行進（ラフ・ウィズ・ミー）！」

その瞬間、白銀の体がしなやかに跳躍する。

「悪いねジャックくん。でも後悔はさせないから」

シシシッ、と笑うラギーの動きに合わせて、ジャックは淀みなく砂の中を跳ねていた。ユニーク魔法が体を操り、視力を奪われたジャックを助けているのだ。

初めは驚いたように口を開けたジャックだったが、すぐにはっと耳を前に向けた。全身に吹き付ける砂をものともせず、目をつぶったまま、少しも怯まない。自分よりもずっと体の大きなライオンへと、真っ直ぐ突き進む。

ジャックは唸り声とともに、ライオンの喉元へと噛み付いた。鼓膜を破るような断末魔。傷からブロットを噴き上げた化身は身をよじるが、ジャックは突き立てた牙を頑として離さず、一層深く食い込ませる。

やがてガラスの頭はぐったりと力をなくし、陥落した。中のブロットが零れ出して寄り添うレオナへと降りかかる。

「俺が……王に……」

レオナは降り注ぐブロットから体を庇う様子も見せず、静かに呟いて崩れ落ちた。

◆・◆・◆

生まれた時からずっと、俺の頭の上にはどけられない岩が置かれていた。

俺がこの世に生を受けた瞬間から、いや、それより前からずっと、その重しは存在し続けている。

「どうやったら俺は、王様になれるの?」

まだ分別もつかないガキの頃、愚かにもそう尋ねた俺に、執事はいかにも困ったという顔をした。王室に長く仕える男が初めて見せた困惑の眼差し。刹那に、俺は王座を望んではいけない身の上なのだということがわかった。自慢じゃないが俺は聡く、賢い子どもだったから。

それでもいつか、誰か理解してくれるはずだ。

俺にもチャンスはある。俺自身を見て評価をしてくれる人がいつか現れる。そう思って努力した。全部が無駄だとわかるまでは。

「さあ早く。レオナ様がお戻りになる前に済ませてしまおう」

部屋を掃除する召使いたちが「あんな偏屈な子どもには付き合っていられない」と囁いている。俺はそれを、扉の前で聞いている。

「今頃きっとまた、ひねた質問をして講師を困らせていることだろう。第一王子のファレナ様は朗らかでいらっしゃるのに、どうして弟のレオナ様はああも気難しいのか」

「ああ。まったく厄介なことだ。それに我が国の王族ともあろうお方が、全てを砂に変える魔法を使うなんて……」

「二人ともよせ！　誰かに聞かれたらどうする」

どうもしねえよ。そう言って笑ってやりたい気分だった。この扉を開けて中に踏み入り、目の前でその「恐ろしい魔法」を見せたら、こいつらはどんな顔をするのだろう。

もちろん実際にはそんなことをするわけがない。初めのうちは口さがない者たちを片っ端から罰してやったが、この頃はもうそれもやめていた。キリがないと知ったからだ。

持って生まれたユニーク魔法は本人の意志とは関係ない。そんな当たり前のことすらわからない、迷信に囚われた人間たち。それとも俺がこの力を切望して手に入れたとでも思っているのだろうか。どちらにせよ相手にする価値はない。俺は面倒なことは嫌いだ。無駄なことが、大嫌いだった。

それでもやはり考えてしまうんだ。もしも俺が第一王子だったら、みんなになんと言われただろう。強力な魔力を持つ、有望な魔法士？　思慮深く、冷静で、脳天気な弟とは大違いだと褒めそやされただろうか。

無駄なことだとわかっているのに、もしもという考えをやめることができない。そんな自分が嫌になる。

縋り付いていた希望がいよいよ消えたのは、兄の息子が誕生したときのことだ。

「レオナ！　なぜ今日の式典に来なかった」

ご丁寧にも兄貴はその現実を突きつけに俺の元へとやってきた。

「式典？　ああ、兄貴の子どもを国民に見せびらかすパーティーのことか？　それは失礼を。つい二度寝しちまった」

「なんと怠惰な……国民に未来の王を顔見せする、大切な日だぞ」

「確かに大切な、めでたい日だよな。嫌われ者の第二王子が王位を継承する可能性が消えたに等しい日なんだから。街の奴らも、王宮の奴らも、さぞかし安心しているだろうさ」

父が死んで、兄が死んでも、それでもまだ俺は王にはなれない。もはや王座は絶望的だった。

兄貴は知っていたはずだ。俺が小さい頃から王位を望んでいたこと。それなのに当然のように俺が息子の誕生を祝ってくれるものと思っている、そんな馬鹿みたいな人の良さが耐えられない。

「そんな言い方はよせ」と苦しそうな顔をするぐらいなら、その王座を譲ってくれ。お前が何も苦労をせず、生まれながらに手にしている、その栄光を。

「生まれた順番が早い奴は得だよなァ。毎日歌を歌いながらゴロゴロしていたって、王になれる」

兄貴は悲しそうに眉を寄せ、俺を諭そうとした。

「レオナ。たとえ王になれなくともお前は賢い。王でなくとも、この国のためにできることがたくさんあるはずだ」

この国のために。なんて残酷で憎たらしいことを言う男だろうか。

「じゃあなんだ？　国のために、テメェにかしずいて仕えろって？　人のいい面しやがって、よくも堂々とそんなこと言えたもんだな！」

「そうじゃない！　お前のその力を、何もせずに腐らせてはいけない」

「そりゃ残念。この国が頭の出来で王を決めるしきたりなら、やる気も出したんだが」

これ以上、この平和ボケした男と話していたらおかしくなりそうだ。書庫を出る寸前、振り返り笑ってやる。

「おめでとうございます、ファレナ様。新たな太陽のご誕生に心からお喜びを。……夕焼けの王国の未来はさぞかし明るいだろうさ」

何かを言われる前に音を立てて扉を締めた。

どれだけ学ぼうが、どれだけ魔法が使えるようになろうが、俺が兄より優秀だと認められることは永遠になく、王にもなれない。ほんの数年遅れて生まれたというだけで、なぜこんな思いをしなくてはならないんだ。生まれた順序が違うだけで、俺はやること為すことを否定されて、何一つ正当に評価されない。

何故、俺は第二王子に生まれた？

何故、俺は永遠に一番になれない？

何故だ。何故。何故。

――人生は、不公平だ。

考えることに疲れた俺は、一度は興味がないと断ったナイトレイブンカレッジへの入学を決めた。辛いことから逃げている自覚はあったが、それでも心は随分と楽になった。近くになければ焦がれることもない。あの強い陽射しも、青臭い緑の香りも、雨季の湿った風も、ここでは全てが遠くぼやけて見える。焦燥が鈍り、痛みも緩やかに麻痺（まひ）していく。

しかしいつからかそんな状況も変わり始めた。新たな群れが生まれ、そして新たな絶望が生まれたからだ。

寮生が言う。助けてくれ。あなたなら何とかできる。お願いだ。さすが寮長。我らが王様。王ならば群れを飢えさせるわけにはいかない。そうは思えどしかし、正攻法でマレウスに勝てないことなどわかりきっていた。

ならばあいつを引きずり下ろすための計画を立てて、どんな手を使ってでも勝つまでだ。勝つためなら何でもやる。勝つ。勝ちたい。どうしても勝ちたいんだ。そうじゃなければ、もしも全力を尽くしても負けてしまったら、俺はどうすればいい？

「ああ……もういい」

マレウスを排除する計画が失敗したとわかった時、俺は唐突に理解してしまった。何もかもが無駄なこと。この先に、俺の望む王座はないのだということ。

気分は思ったほど悪くなかった。手に入らないものを求めるなんて馬鹿馬鹿しいことだ。早く何もかも忘れて楽になりたい。

しかしそう望む俺に、群れの奴らはキラキラと目を輝かせて未来を語る。それだけがとても恐ろしい。期待を寄せられるのが怖いんじゃない。あんな奴らの言葉に感化されて、未だ望みを捨てられない自分があまりにみじめで怖かった。

『オレたちで世界をひっくり返すんじゃなかったんスか⁉』

『本気のあんたならディアソムニアと戦える。あんたの三年前のプレー、俺は今でも覚えてる！』

心のどこかにまだ、自分はやれるのかもしれないなんて希望が残っている。

呆れるほど楽観的で、射幸心に満ちた甘い考えだ。ラギーもジャックも他の奴らも、叶いもしない夢を語る馬鹿ばかりだが、結局のところ俺もその愚か者の一人なのだと思い知らされる。つまり強くもなく、賢くもなく、愛されもしない。それが俺か？　認められない。それだけはどうしても、認めたくない。

聞きわけのない自分自身に心底うんざりしている。もしかしたらなどと微塵も思わせるな。期待するだけ無駄なのだと信じさせてくれ。手に入れられないもののためにあがいて苦しむのはもう嫌だ。ちっぽけでつまらない自分を知るのが嫌だった。

努力をしろと人は言う。これ以上何を？

既に手は尽くした。ならば俺がするべきは、もしかすると、諦めるための努力なのか。そんなのは一番苦しいじゃないか。

ああ、人生は本当に不公平だ。

◆・◆・◆

優也が止めるのも聞かず、グリムはレオナの耳に付くほど口を近づけて、お腹いっぱいに息を吸い込んだ。

「起きろー！」

びくっと小さな耳が動く。

レオナの目が薄く開くと、周囲で「おお」と安堵の息が漏れた。

「やった、レオナが起きた！　ほらな。やっぱりオレ様の言う通り大丈夫だったんだゾ」

「そりゃ獣人属の耳元でそんなに叫んだら、気絶してようが目も覚めるだろ」

自分だったらと想像したのか、ジャックが嫌そうな顔をしている。ユニーク魔法を解いた、背の高い見慣れたジャックだ。日に焼けた太い腕を組んで、横たわるレオナを見下ろしている。

「俺は、なにを……」

レオナは呻きながら体を起こした。眉間に皺を寄せ、目だけをきょろきょろと動かしている。リドルの時と同じように、何が起こったのか理解できていないようだった。

「キングスカラーくん。貴方はオーバーブロットしてしまったんですよ。覚えていませんか？」

学園長がため息を吐いた。獅子の怪物が消えレオナが気を失って間もなく、リリアの報告を受けてやって来たのだ。

入れ替わりにケイトが避難した人々の安否確認に向かってしまい、場を和ませられる人がおらず、ずっと深刻な雰囲気が続いていた。学園長とグリム以外はほとんど無言だったが、レオナが目を覚ましたことでその緊張もやっと和らいだように感じる。

レオナ本人は自らの失態を信じられないらしく、目を見開いた。

「この俺が、オーバーブロット？　嘘だろ……」

「今はまだ、意識がはっきりとしていないはずだ。混乱するのも無理はない」

リドルはそう言ったが、必死のグリムにはレオナの混乱など関係なかった。

「おい！　目が覚めたならさっさと今までの事件は全部自分が計画したって言え。オマエが自分が犯人だって認めねえと、オレ様が試合に出られねえんだゾ！」

どういう意味だとレオナがこちらに目を向ける。なんと説明したものかと優也が困っていると、隣のジャックが代わりに口を開いた。

「こいつら、マジフト大会に出してもらうってことを条件に、先輩たちを追ってたんすよ」

「はあ？」とレオナが声を上げた。どうにも申し訳なくて、優也は顔を上げられない。

「草食動物どもがやけにしつこいと思ってたら、そんな理由だったのか？」

「だからほら、早く！　早く早く！」

レオナを揺さぶろうとするグリムを慌てて止めて、優也はそっと学園長を見る。学園長は小さく頷くと、腰をかがめてレオナの顔を覗き込んだ。

「キングスカラーくん。ヴァンルージュくんやここにいる人たちの話は聞きましたよ。今までの連続傷害事件は、貴方たちサバナクローの生徒がやっていた。それで間違いありませんか？」

「……ああ、そうだ」

レオナは誤魔化しも否定もしなかった。ああ、とラギーが天を仰ぐ。

ラギーはレオナが目を覚ますまでの間、学園長に同じことを問われても最後まで頷かなかった。「レオナさんが目覚めるまでは何も言えない」と答えたきり、ずっと黙っていたのだ。

嘆くラギーをレオナは横目で見たが、声をかけることはなかった。

「何か、言い分は」

「ない」

「そうですか……わかりました」

仮面を着けた学園長の表情は読みづらいが、それよりも何を考えているのかわからないのはレオナだ。怒りも見えなければ、後悔も見えない。憑き物が落ちたかのように落ち着いて見える。

「それでは、サバナクロー寮の今大会への参加権は剝奪、失格とみなします。今後の処分については被害者の話と要望を聞いた上で決定。いいですね？」

頷くレオナをリドルもジャックも黙って見ていた。ラギーでさえ観念したように唇を噛むだけだ。一連の事件に終止符が打たれてなお空気は重苦しい。大嫌いな揉め事がようやく解決したというのに、優也も手放しでは喜べなかった。

結局はたくさんの被害が出てしまった。怪我人も、行進での騒動も、そしてレオナのオーバーブロットもそうだ。全て、ともすれば防げたことなのではないかと考えてしまう。最初に学園長にこの話を聞かされたのは自分とグリムだ。できることはもっとあったかもしれない。

中でも優也が一番気がかりなのはジャックのことだった。寮と対峙することにはなったが、ある意味誰よりもマジカルシフト大会を楽しみにしていたのはジャックなのではないだろうか。

レオナのプレーを語るときの、あのキラキラした目を思い出す。彼が望んだ通り大会は正しい形で行われることになったが、そこに一番苦悩と努力をしたジャックの姿がないのは、とても可哀想なことのように思えた。

ちらりと横を見ると、やはりジャックは険しい表情をしている。安易な同情などすれば嫌がるだろう。それがわかっているから何も言えない。

「それでは、ひとまず保健室に行きましょう」

学園長が起こそうとしたのをはねのけて、レオナは自力で起き上がった。何度もよろめき地面に手を突いて、正視に堪えない姿だ。

見るに見かねたのか、ジャックが口を開いた。しかし彼が何かを言う前に「みんな、ちょっと待って！」という声が遠くから聞こえる。

「ん？　あれって、ケイトじゃねーか？」

グリムが青い空を見上げて眩しそうに目を細めた。箒に乗ったケイトが真っ直ぐこちらに向かってくる。その後を追いかける人影もいくつかあった。先頭はトレイだ。

小さな点のようだった影が大きくなる。まだ怪我が完治していないからだろう。トレイは先に着いたケイトの手を借りて、ゆっくりと地面に降りた。着地の時、やはり足首が痛むのか少し顔をしかめる。

何事かとリドルが二人の元に駆け寄った。

「ケイト、トレイ。どうかしたのかい」

「いやー。エースちゃんとデュースちゃんを捜してたら、ちょうどトレイくんに会っちゃってさ。事情を説明したらどうしても言いたいことがあるって。あと、他のみんなもね♪」

次々と地上へ近づく箒を見て、優也はおや、と首をひねった。見知らぬ生徒が操る箒の後ろに乗っていたのは、スカラビア寮のジャミルだ。怪我をした手とは反対の手で、振り落とされないよう懸命に箒を握っている。隣にはポムフィオーレで聞き込みをした生徒もいた。

「皆さんって、もしかして例の事件で怪我をした……？」

「そう。被害者のみんなだよ」

ケイトが連れてきたのは、ラギーのユニーク魔法で怪我をさせられた生徒たちだった。

何をしに来たのかと警戒するラギーと、顔色の悪いレオナを横目で見ると、トレイは寮服の帽子を取った。

「学園長。俺たち被害者全員からお願いがあります」

「お願い？　心配しなくても、サバナクローは失格処分とします。その後のことは貴方たちの話を加味して決めるつもりですよ」

「やっぱりそうなりますか……」トレイは静かに首を横に振った。「俺たちはそんなことは求めていません。今回の大会、サバナクロー寮を失格にせず、予定通り出場させてくれませんか」

「えっ……今なんと⁉」

学園長とともに、ジャックや優也も思わず驚きの声を上げた。聞き間違いかと思ったが、トレイ以外の被害者も一様に「お願いします」と頭を下げている。

全員サバナクローの処分を望まないと言うのだろうか。罪を問わず、望んでいたマジカルシフト大会に出してあげようというのか。怪我をさせられたというのに、なんて心の広い人たちなのだろう。

優也は尊敬の眼差しでトレイを見る。しかしそんな考えに喝を入れるように、横から舌打ちの音が聞こえた。

「おい。そんな生ぬるい処分でどうするんだ。簡単に許して、甘やかして、それで本当に人のためになるとでも思ってんのかよ」

ジャックは本当に、自分にも他人にも厳しい。呆れ半分感心半分で、優也は嘆息を漏らした。黙っていればマジカルシフト大会に出られるかもしれないというのに、それでは駄目だと断固として頷かない。「こいつ面倒くせえんだゾ!」と詰るグリムほどではないが、これでは確かに集団とは対立するだろうと思わないでもない。

優也たちの視線に気付いたジャックは「なんだよ」と言って腕を組む。絶対に譲らないという態度だ。

トレイはそれに、気分を害した様子もなく答えた。

「まさか。許すだなんて、一つも言ってないだろう?」

首をかしげた優也たちに、口の端を上げる。

「俺たちに怪我をさせた犯人が欠場したら、思う存分仕返しができるせっかくの機会を失うってことになる。それはもったいないだろうって、ジャミルたちと話したんだ」

「えっ、仕返し？」

思わず優也が聞き返すと、楽しそうな顔のトレイが「そう、仕返し」と頷いた。ドキッとした。いつものトレイが見せるものとは違う、企みを感じるような底知れぬ笑みだったからだ。

嫌な予感でたじろぐ優也の後ろで、リドルは「なるほど」と呟いた。

「学園内で魔法による私闘は禁止されている。そんな状況では、いくら犯人を恨んでもやり返せることなんてたかが知れている。けれど……」

「マジカルシフトなら、れっきとしたスポーツだろ？」トレイはリドルの言葉を引き継いだ。

「それも別名、魔力を使ったフィールドの格闘技。試合中に何が起こっても反則にさえならなければお咎めはなしだ。遠慮なく、正々堂々と、本気の試合をやらせてもらうさ」

「つまりオレらへの復讐が目的ってことッスか⁉」

ぎょっとするラギーを見据えてジャミルが笑った。

「ラギー。お前には特にたーっぷりとお礼をさせてもらわないとな。覚悟しろよ」

口元は上がっているのに、とても落ち着かない気分になる。おののく優也の肩を、ケイトが諦めろというように叩いた。

「オレはそんな物騒なことやめなよ～って言ったんだけど、トレイくんたちがどうしてもって言うんだ」

「よく言うよ。お前だって、良いアイディアだって悪い顔してたじゃないか」

「えー、身に覚えがないんですけど。てか、元はといえば、マジフトは暴力じゃないって教えてくれたのはレオナくんだし」

ケイトとトレイは楽しそうに、どんなプレーでサバナクローの選手に仕返しをするか話している。

これでは大会とは名ばかりのただの喧嘩ではないか。優也はリドルに助けを求めたが、「確かにそれならルール違反ではないし」と笑われるだけだった。

「自力でやり返したいっていうなら話は別だな」

ジャックも満足そうに頷いている。

「学園長、どうかサバナクローの出場に許可を」

「あいつらをボコボコにしたいんです！　このまま退場になんてさせるか」

集った被害者たちにサバナクローの試合出場を求められて、学園長は「ううむ」と悩む素振りを見せた。

「皆さんの気持ちはわかりましたが、サバナクロー選手たちが試合に出られるとは思いません。みんな満身創痍の状態だったではありませんか」

「ああ、例のつむじ風ですか。俺たちにとっては好都合ですけどね」

ジャミルの言葉に、ジャックと優也はこっそり視線を重ねた。レオナがオーバーブロットしたことを、今ここに来た被害者たちは知らないのだ。

入場行進中に起こった暴動は、「突如発生したつむじ風により起こった集団パニック」ということで落ち着いたらしい。学園長とリリア、そしてリリアとともにいたマレウス・ドラコニアが話し合い、コロシアムに集まった全員にそう発表したそうだ。動揺と混乱を避けるためならばと、事情を聞いた先生たちも反対しなかったという。

トレイだけはケイトに話を聞いているかもしれないが、他の被害者たちはサバナクローの生徒もその被害を受けたと思っているのだろう。確かに辺りは砂嵐で荒らされているし、優也たちは皆、頭からつま先まで砂だらけだ。これを見て学園の発表を疑う者はいないだろう。

「特に寮長のキングスカラーくんは、この通り立っているのもやっとの状態。私が出場を許可したとしても、まともなプレーができるかどうか……」

オーバーブロットは、リドルがしばらく療養をとっていたほど、体に負担がかかる。学園長の言う通りレオナの顔色は依然として悪く、普段のあの存在するだけで場を制圧するような迫力はすっかり鳴りを潜めている。

肩で息をするレオナは、その反動だけでいつ倒れてもおかしくないほどふらついていた。どこもかしこもボロボロだ。髪は乱れて服は汚れ、体のあちこちに乾いた砂がこびり付いている。風格も、威厳も、あの砂嵐と一緒に吹き飛んでしまったようだった。

ラギーは強く拳を握り締めて、そんなレオナの姿を見守っている。大会に出場したいのだ。共にこの日のために準備をしてきた他の選手たちも同じ考えだろう。だから後は、レオナの返事だけ。しかし勝ち目のない試合に価値などないと諦めたレオナが、こんな逆境に頷くだろうか。

答えを聞くことが出来ない。そんなラギーたちの恐れを察したのだろう。

「……レオナ先輩。どうなんすか」

学園長の言う通り出場は無理なのか。ジャックが尋ねると、レオナはふっと口の端だけで笑った。その笑みが徐々に全身へと伝播(でんぱ)していく。込み上げてきた感情を噛み殺すように、顔をクシャクシャにして笑った。

「ふふっ……ははは！」

笑い声が響いて痛むのか、眉根がきつく寄る。それでもなおレオナは笑うことをやめずに学園長を睨んだ。

「舐めるなよ、クロウリー。手負いの草食動物どもを仕留めるなんて、昼寝しながらでもできることだ。全員返り討ちにしてやるよ」

「なんだと」とジャミルたちが気色ばむ。しかしレオナは少しも悪びれずに胸を張っていた。あまりに堂々としているので、眩しく感じるほどだ。

ラギーとジャックといえば、そんな寮長を見て笑っていた。

「レオナさん……」

「ほんと、とんでもねえ野郎だな」

それぞれ笑顔の理由は違うのだろうが、どちらもレオナの判断に従うつもりらしい。

ふんと鼻を鳴らして、レオナはふてぶてしく被害者を一瞥(いちべつ)する。

一言っておくが、謝るつもりは毛頭ないぜ。この俺に頭を下げさせたいなら、力尽くで勝つことだな」

「そうか」トレイが頷いた。「それならこちらとしても遠慮なくやれて願ったり叶ったりだよ」

レオナが了承すると、学園長はあっさりそれを受け入れた。悩んだ様子はなく、むしろ晴れやかな笑顔だ。上機嫌と言ってもいい。中継放送もされるような学園の一大行事をつつがなく行えることがわかり、責任者としてほっとしているのだろう。

「皆さんがそこまで言うなら仕方ないですね！　サバナクロー寮の大会出場を許可します」

「ありがとうございます。学園長」

頭を下げるとトレイが帽子を被り直した。彼らしい、普段通りの優しそうな笑顔なのに、怪我をしたその風体だと凄みを感じる。ジャミルや他のみんなも笑っているが、誰の目も闘志に燃えていた。ただでは済ませないぞ、という決意が全身から立ち上り、目に見えるようだ。

怪我の具合によっては出場できない者もいるかもしれないが、代わりに出場する選手が寮の面子を潰したサバナクローを倒そうと奮闘するだろう。今日の試合はさぞ荒れるに違いない。

「よし。それじゃあさっそく寮のみんなに報告しないとな」

トレイはそう言うと、箒に乗ってコロシアムに戻っていった。ケイトやジャミル、他の生徒たちも真っ直ぐにマジカルシフトの会場を目指して飛び去る。「私たちも会場に向かいましょうか」とマントを翻した学園長が、ふと立ち止まる。

「そういえば……この辺りに黒い石が落ちていませんでしたか？」

「石？」優也は辺りを見渡した。「いえ、見ていません」

学園長が落としたものだろうか。「捜しましょうか」と尋ねたが「見当たらないなら結構ですよ」と言ってあっさり歩き出した。気にした様子もないので、大切なものではないのだろうと優也も周囲を捜さずに後を追う。

それぞれ足早にコロシアムに向かう中、優也は最後尾をゆっくりと歩くレオナの様子をうかがっていた。話しかけようと思ったわけではない。ただ、本当に倒れてしまうのではないかと心配だったのだ。

足を砂に取られて体が重たい。見えているのに、コロシアムがやけに遠く感じられる。

優也が立ち止まりふうと息を吐いた時、ラギーがレオナに近づいてくるのが見えた。前を歩いていたジャックも二人に気が付いたのか、息をのんで見守っている。

ラギーは自分よりもずっと背の高いレオナを睨んでいた。顎を上げると、首に出来たアザがよく目立つ。

「……オレ、アンタのこと許したわけじゃねえから」

「ああ、そうかよ」

二人の間に、少し長い沈黙が流れた。ラギーはレオナが何か言うのを待っていたようだったが、口を開かない彼に根負けしたようだ。「頑固だな」と言わんばかりに、ため息を吐く。

「許したわけじゃない。でも……なんでなんスかね。そんなふうに情けない顔したアンタは、見たくねえなって思っちゃうんスよ」

それどころではないとわかっているのに、優也は思わず笑ってしまった。ラギーがそう言ってしまうのも理解できるほど、レオナの顔は今、途方に暮れているのだ。指摘されてむっと不機嫌そうになったが、まごつく口元には未だ気まずさが残っている。

悪かったと頭を下げた方がよほど楽になるだろう。潔く謝罪した方が格好も付くだろうに、それがどうしてもできないようだった。もしかすると謝り方がわからないのかもしれない。意地を張る、幼い子どものようだと思ってしまった。「オレも甘くなったなあ」と自嘲してくれるラギーの方がよほど大人だ。

ラギーは口をへの字に曲げたレオナを見て、いつものように「シシシッ」と笑った。

「やっぱアンタには、いつもみたいにふんぞり返ってニヤニヤしてる方がお似合いッスね」ラギーの手の中に、ぱっとマジカルペンが現れた。「こんなふうに！」

大きな声とともに魔法石が輝いた。「愚者の行進（ラフ・ウィズ・ミー）」と唱えたラギーは、自らの頬をつねって持ち上げる。すると鏡のように、レオナも全く同じ動きで自分の頬をつねり上げた。おかしな笑顔を作った二人が向かい合わせに並んでいる。

頬を摘み、動かない口で、レオナが笑顔のまま怒鳴った。

「おい、らふぃーー！　いはふぐやへほ！」

「いやっふ」

一度レオナにこれをやってみたかったのだと、ラギーは無理矢理弧を描いた口で言っているようだった。レオナもまた、不明瞭な声で「今すぐやめないと許さねえぞ」と凄んでいるらしい。どれもよく聞き取れないので憶測だ。二人はただ、歪な笑顔で、わけのわからない罵り合いを続けていた。

「何やってんだか……」

ジャックが小さな笑い声を漏らす。そんな視線に照れたのかもしれない。

「ふざけた真似しやがって。こんなことで遊んでる時間はねえぞ！」

ユニーク魔法を解かれたレオナが、赤くなった頬を擦りながら目をつり上げる。マジカルシフト大会で勝ち上がるために、もう一度作戦を練り直さなければならない。そう言うレオナの目にもう戸惑いはなく、冷静な司令塔としての一面が見える。

まだ笑っているジャックをラギーが横目で見た。

「ジャックくんも他人事じゃないッスよ。今のコンディションでどうやったらちゃんと戦えるか、よく考えなよ」

「えっ。俺も？」

出場できるのか、という言葉をのみ込んだのが優也にはわかった。理由があるとはいえ、反旗を翻して群れを去った俺が、どの面下げて。そう思っているのが手に取るようにわかってしまう。

「当然でしょ。ジャックくんも大事な戦力なんだから」

何を当たり前なことを言うのか、とラギーは不思議そうな顔をしていた。恐らくラギーは、ジャックがこんな葛藤を抱えているとは夢にも思わないに違いない。彼自身がそんな発想をす

る人間ではないからだ。

レオナは理解しているのかもしれないが、無理強いはしなかった。

「まあ、今でも俺らとプレーしたいと思ってるなら、だけどな」

「試合に出るか出ないかは自分で決めろ」と言われて、ジャックは随分と長い間、無言のままだった。優也はハラハラしながら黙り込む背中を見守る。

このままではきっとジャックは出場を辞退するだろう。返事を聞くまでもなくわかってしまった。彼の頑固さはもう何度も目にしている。

「俺は……」

ジャックの目に、厳しい決意が宿ったのを見た。「あの！」と優也は咄嗟に口を開く。

「ジャックは、本当にレオナ先輩のことを尊敬しているんです」

レオナとラギーがこちらを見た。二人のことはまだ怖いが、このまま黙っていては、あまりにジャックへの面目が立たない。

「前の大会での活躍は本当にすごかったって、すごく熱く話してくれました。だからきっと、先輩たちと一緒にプレーしたいんじゃないかと」

「おい、余計なこと言うな！」

ジャックに口を塞がれた。力は強いし、声は荒々しいが、不思議と怖くはない。ジャックが理不尽に怒るような人ではないことをよく知っている。

冷静で、自持（じじ）が強く、己に厳しくて義理堅い。レオナにジャックのことを理解してもらいたいと思った。どんなに聡い人であろうと口にされなければわからないこともある。エースとデュースが教えてくれたように、人の心を正しく理解するためには言葉が必要なのだ。

レオナはしばらく虚を突かれたような顔をしていたが、やがてふっと柔らかく笑った。

「別に、尊敬なんてされなくていい。生意気な犬っころぐらい、実力で躾ければ済む話だからな」

「なんだそれ……あんた本当に、反省してんのかよ」

ジャックは突然向けられた笑顔に戸惑っているようだった。照れたように頭を掻いたが、静かに目をつぶる。瞼が少し動いた後、すうっと息を吸って目を開けた。

「俺も一緒に試合に出ます。んでもって、出るからには全力を尽くす！」

「なんスか、改まって」

ラギーが首をかしげている。当然なことを言うなと眉を寄せる。

「そんなことよりさっさとコロシアムに行きましょ。試合までにちょっとは休息をとって、少しでもレオナさんに回復をしてもらわないと。言っときますけど、怪我とかオーバーブロットとか、負ける理由にならないッスからね！」

それもそうだ、と急いで学園長たちの後を追う。コロシアムの入り口が見えてきた頃、グリムの絶叫が耳に飛び込んできた。

「テメー！　絶対に許さねーんだゾ！」

「えっ、何事⁉」

優也が走って声の元へと向かうと、サイドストリートでグリムが学園長に掴みかかっている。止めようとするリドルにまで火を噴きかけて激怒していた。

「グリム、やめて！」せっかく話が丸く収まったのに、これ以上のトラブルはもうごめんだった。リドルとともに、悲鳴を上げる学園長からグリムを引き剝がす。

「一体どうしたの。なんで怒ってるの？」

羽交い締めにして尋ねると、グリムは鼻の上にいくつも皺を作って吠えた。

「クロウリーのヤツ……オレ様を試合に出すって話、忘れてたんだゾ！」

「ええっ！」

信じられない言葉を聞いて、優也は学園長を振り返る。

「学園長、今の話本当ですか」

「はい……絶対に無理だと思っていたので、失念していました」学園長はずれた帽子を直した。「それに、さっき観客が暴走した理由を発表した際に、トーナメント表も作ってしまいまして」

「それは、さすがに……」

グリムが怒るのも無理はない。この日のために、ずっと頑張ってきたのだ。

依頼を進める陰で、毎日のようにゴーストたちとマジカルシフトの練習をしていた。優也もそれに付き合ってグリムが暗い庭を駆け回る姿を何度も見た。あんなに期待をさせておいて、忘れていたというのはあまりに無情ではないか。

よほど情けない顔をしていたらしい。こちらを見たリドルが少し驚いた顔をして、学園長を白い目で見た。

「学園長。約束を守らないのは大人として、いえ、人として、いかがなものかと思います」

「待ってください、ちゃんと代案を考えます！」

学園長は優也たちに手のひらを向けた。しかし優也たちの拘束をすり抜けたグリムは四つ足をついて唸る。

「テメーの適当な言葉なんかに、もう騙されるもんか。オレ様が出られないんなら、マジフト大会なんか滅茶苦茶（めちゃくちゃ）にしてやるんだゾ！」

そうなっては自分も他人事ではないと、レオナたちもたちまち険しい顔で学園長を見た。優也も「代案ってなんですか」と切実に尋ねる。

多数に詰め寄られた学園長はおろおろと左右を見渡した後、「あっ！」と声を上げた。

「そうだ、エキシビションマッチ！　トーナメント本戦を始める前に、観客に模範試合を披露するというのはどうですか？」学園長が両手を握り合わせる。「例年にない、特別参加枠です。これはもう絶対に目立っちゃいますよ」

「本当か……？」

グリムが目を眇めた。その後ろでレオナ、ラギー、ジャック、その上リドルまでが学園長を睨んでいる。

「はい、それはもう。なにせオープニングを飾る試合ですから。テレビ中継でも注目の的になること間違いなしです」

　学園長は何度も、小刻みに頭を振って頷いた。グリムの逆立つ毛並みがゆっくりと元に戻る。

「よし！　目立てるならそれでいいんだゾ」

「なんて邪(よこしま)な動機だ」とジャックが呆れている。言い返すグリムに聞こえないように優也はそっと学園長の側に行って、小声で尋ねた。

「あの、学園長。マジフトは一チーム七人なんですよね。グリムの他の選手は……それに対戦相手も、準備はしてあるんでしょうか」

　学園長の顔が引きつった。本当に何もかもすっぽりと忘れていたらしい。

　リドルが顎に手を当てて唸った。

「困ったね。ユウとグリムだけのオンボロ寮で、他に選手を探すとなると……」

　ユウとグリムだけ。その言葉に優也の脳裏をよぎるものがあった。白く透ける体。ふわふわと宙を漂う、いたずら好きな先住者。

　そうだ。オンボロ寮に住んでいるのは自分とグリムだけではない。

「ゴーストたちはどうでしょうか」

　優也が提案すると、みんな「ゴースト!?」と声を上げた。学園長も驚いているようだ。

「ゴーストを寮の代表選手に登録するということですか？」

「はい。昔は強い選手だったって言ってました。グリムにマジフトを教えてくれていたのもゴーストたちなんです」

寮の代表に選ばれたと知ったら、とても喜んでくれるだろう。三人の高い笑い声が聞こえるようだった。学園長もこれ幸いとばかりに快諾する。

「それではオンボロ寮のゴーストたち三名を選手に追加。あとは……」

「はいはーい！」

元気のいい声とともに、ぬっと鼻先に手のひらが伸びてきた。驚いて振り返るとエースが立っている。

いつの間に、と驚く優也にエースはにやりと笑った。

「なんか楽しそうな話してんじゃん。そういうときには呼んでもらわないと」

「来るのが遅いから、様子を見に来たんだよ」と一緒に来たデュースも似たような笑みを浮かべている。

二人に気付いたグリムがこちらを見た。どう説明したものかと気にする優也を見て、デュースは「大丈夫だ」と自分の胸を頼もしく叩く。

「その選手が足りないって問題、僕たちが助っ人として請け負おう」

「えっ、助っ人？」優也は瞬いて聞き返した。「オンボロ寮のチームに入ってくれるってこと？二人とも、本当にいいの⁉」

エースは「おーよ」と機嫌良さそうに頷いてくれる。

「でもハーツラビュルの二人が、オンボロ寮の選手になれるのかな」

「別に問題ないでしょ。大会のルールに『他の寮のチームに入っちゃいけません』なんて書いてないし」

「なんだ、エースとデュースもオレ様のチームに入りたいのか？」

優也たちの元にやって来たグリムは、しょうがないヤツらだと言わんばかりににやついている。

「そりゃね。先輩たちの試合を応援するだけなんてつまんねーし、どうせなら試合に出て目立ちたいじゃん！」

「つまらない、だって？　伝統ある試合をなんだとお思いだい」

なんて一年生だ、とリドルが目をつり上げる。デュースが慌てて両手を振った。

「僕はこいつとは違いますよ。純粋に友人（ダチ）を助けたいだけですから！」

デュースの言葉が本当なら嬉しい。エースの言葉が本当なら二人らしいと笑うだけだ。どちらが本音でも、優也にとっては些細なことだった。理由なんて少しも問題じゃない。二人が手を貸してくれて、グリムが試合に出られる。いつも一緒にいるこのメンバーでプレーができるのならば、こんなに喜ばしいことはない。

エースとデュースが楽しそうにグリムと話す姿を見ていると、こちらまで心が弾む。グリムだけでなく、二人も楽しめる試合になりますように。心の底からそう願う気持ちをお礼に代えて伝える。

「二人とも、本当にありがとう」

「にゃははっ。どうしてもって言うなら仲間にしてやってもいいけど、オレ様の足を引っ張るなよ！」

上機嫌のグリムをにこにこと眺めていた学園長が「ああ、よかった」と手を合わせる。

「話はまとまりましたね。オンボロ寮チームはグリムくん、ユウくん、ゴーストたち三人。それにトラッポラくん、スペードくん。以上で七名です！」

「えっ？」優也は笑顔を消すのも忘れて尋ねた。「待ってください。今、僕もメンバーに入ってませんでしたか？」

学園長が言い間違えたのか、それとも自分の聞き間違えだろうか。しかしエースもデュースも特に驚いた様子はない。

「当たり前だろう。ハーツラビュルの僕らがそっちのチームで試合に出してもらうっていうのに、ちゃんとオンボロ寮に所属しているユウが出場できないなんて悪いじゃないか」

「僕はそんなこと全然気にしないよ」

デュースは善意で言っているのかもしれないが、自分がマジフト大会に出場するなんて、優也は本当に、一度も想像したことがなかった。出たいと思ったこともない。スポーツは元の世界にいた時も苦手だった。相手のチームや、他の人と競うのが嫌だからだ。

なにより、自分が出場するには一つ致命的な問題がある。

「何、そのリアクション。オレらが味方じゃ不満ってこと？」

「いや、そうじゃなくて。僕、魔法が使えないんだけど」

わかっているだろう、と優也はエースに問いかけた。マジカルシフトは魔力が必要なスポーツ。そして自分は魔法が使えない。魔法士と同じようにプレーするなど、そもそも無理な話だ。

「僕じゃディスクを動かせない。空も飛べないし、そもそも体力に自信も……」

「そんなこと今はどうでもいいんだゾ！」

出場できない理由を並べる優也にそう言ったのは、有頂天のグリムだった。

「ちっちぇー事は気にするな。オマエの分までオレ様がいっぱい活躍するから大丈夫なんだゾ。それより人数を揃える方が大事だからな」

ルールや試合の内容よりも、出場することそのものの方が大切だと力説される。

「でも、マジフトなんて怖いスポーツ僕にはとても無理じゃないかと」

「大丈夫だって。やってみたら案外楽しいかもしんねーじゃん」

「そうですよ！」学園長がエースの言葉に被せて口を開いた。「それに、グリムくんがこんなにマジカルシフトをプレーすることを望んでいるんですよ。まさかユウくん、相棒を見捨てるつもりじゃないですよね？」

今度は優也の方が非難の目で見られている。押し戻そうとしたが人数には勝てず、結局は優也も選手の一人になってしまった。

「もうなんでもありだな」

観念した優也を見て、ジャックが笑った。

「こんだけなんでもありって言うんなら、お前らの対戦相手は俺たちサバナクローが務めるぜ」

ジャックはレオナとラギーを見て、にっと屈託なく笑った。

「それでいいよな、先輩がた！」

「ええっ」ラギーは明らかにぎょっとしている。「オレら、既にもうこんなにボロボロなんスよ。それなのにもう一試合増やそうって？　しかも、タダで！　ジャックくんってば鬼ッスか？」

「迷惑かけちまったユウとグリムへ、借りを返すのが筋ってもんだろ」

「う、うーん。それを言われるとなあ……」

やれやれと首を振ると、ラギーはそれ以上拒絶しなかった。自ら言った通り、柔らかそうな髪はボサボサで、耳の毛も汗や血が乾いて所々固まっている。どこもかしこも傷だらけだったが、それでも「オレがただ働きするとか、すげーことなんスからね」と、優也を見て冗談めかして笑った。

本当にいいのだろうか。恐る恐るレオナの様子をうかがうと、彼は深いため息を吐いた。

「ああ面倒くせえ……もういいから、誰でもかかってこいよ。まとめて相手してやる」

好きにすればいい。レオナがそう言うとジャックは目を輝かせた。こんなに簡単にレオナが頷いてくれるとは思っていなかった優也は、風で倒れる板のように頭を下げた。

「ありがとうございます」

どうでもいい、とでも言いたげにレオナが手で追い払う仕草をする。

「エキシビションマッチだろうがなんだろうが、手は抜かねえぞ。大恥かかされても泣きつくなよ」

レオナらしい言葉に苦笑しながら優也は横を見た。

「ジャックも、ありがとう。助かったよ」

「別に、お前のためじゃねえ。っていうか礼を言うのはこっちの方なんだから、先に言うな」

ジャックは目を細めると、ぶっきらぼうに「ありがとな」と言った。返事をしようと思った時、視界の端で何かが動く。

視線を移すと、ジャックの大きな尻尾が左右に振られているではないか。思わぬ反応に目が吸い寄せられる。後ろでエースとデュースが笑いをかみ殺していた。

誤魔化すように咳払いをして、ジャックが二人にも目を向ける。

「おい、ここからは敵同士だ。確かにお前らには世話になったが、手加減はしねえぞ。今日の試合、勝つのはサバナクローだ」

「望むところだ」デュースが誇らしげに胸を張る。「オンボロ寮も、もちろんハーツラビュル寮も、負けるつもりはないからな！」

全力で戦おう。誰が勝っても負けても、もう恨みっこなしだ。

デュースの返事に、リドルは満足そうに頷いた。

「さあ、会場に行こう。これ以上遅れるわけにはいかないからね。きっとみんな首を長くして、今か今かとボクらのことを待っているはずだ」

昼間の眩しい太陽が、燦々と大地を焦がしている。陽の反射する白いフィールドを心地よい風が駆け抜けていった。駆け出したくなるような、秋晴れの素晴らしい気候だった。

「諸般の事情により開始が遅れましたが、いよいよ待望のナイトレイブンカレッジ寮対抗マジカルシフト大会が始まります。トーナメント表はご覧の通り。例年熱い戦いを繰り広げる名門校のマジフト大会、今年はどのようなドラマが生まれるのでしょうか」

テレビ放送の司会の声が、入場を控える優也たちの横にあるモニターから聞こえてきた。宙を飛ぶカメラが観客席を舐めるように映している。もう中継が始まっているのだ。寮服姿の生徒たちは寮別に固まり、これから始まる試合の話で盛り上がっているようだった。

「また、今年は新たな試みとして、エキシビションマッチが行われるそうです。実ににくいサプライズイベントですね。こちらも非常に楽しみです」

歓声の中、優也たちはコロシアムの西門からフィールドに入った。

先頭で駆け込み、ぴょんぴょんと跳びはねているのはグリムだ。緊張した様子もなく、あちこちに手を振っている。その次にデュース、エース、そしてゴーストたちに追い立てられるようにして優也もフィールドに進む。

優也たちの姿を見て、観客席からは大きなどよめきが起こった。声の主は来客ではなく、生徒たちだ。

「オンボロ寮の奴らだ！　ゴーストもいるぞ」

「ハーツラビュルの一年もいるじゃないか。どういうチームだよ」

「あれでまともに試合ができるのか？　モンスターとゴーストはまだしも、あの一年生は魔法が使えないって聞いたんだけど」

あちこちから感じる視線に、優也は体を縮めた。

「やっぱり、いくら人数合わせって言っても無理があるんじゃないかな」

「大丈夫、大丈夫！」痩せたゴーストが後ろから優也の体をすり抜けて、顔を覗き込んだ。

「お前さんとグリ坊はもうわしらの一番弟子。活躍間違いなしじゃ」

「俺たちも負けていられないね。ヒヒヒッ……久しぶりの試合、腕が鳴るなあ！」

ビュンビュン飛び交うゴーストたちは、青い空の下で雲のように霞んでいた。揃いで着けた紺色のマントが、応援旗のようになびいている。

少し遅れて、今度は東門からサバナクローが入場する。先頭を歩くレオナの姿に、またも会場がざわついた。エキシビションマッチにかつての王者が出場するとは知らなかったようだ。それも全員、体のあちこちにガーゼや包帯を付けている。なぜ試合が始まる前から傷だらけなのか、やはり気になるらしい。

しかしレオナが生徒席に顔を向けるとすぐに静かになった。優也たちからはよく見えなかったが、さぞ恐ろしい表情で睨み付けたのだろう。

広いフィールドの真ん中に進んで、それぞれ一列に並ぶ。運動着に着替えたエースたちの袖やズボンのポケットの中にはマジカルペンが収まっている。

レオナの魔法石はブロットに染まって使い物にならなかったので、学園長が代わりのマジカルペンを用意してくれた。今は完璧に黄熟した果実のように一点の染みもない。レオナは手の中のそれを確認すると、ポケットにしまった。

「全員、準備はいいか」

向かい合ったオンボロ寮チームとサバナクロー寮チームを見渡して、中央に立つバルガスが言った。主審を務める彼の手にはディスクが収まっている。

「両チームとも、素晴らしい試合を期待しているぞ」

一呼吸の間を挟んで、金色のホイッスルが高らかに鳴り響いた。バルガスの魔法で、ディスクが素早く宙に浮く。彫りの装飾が施された薄く黒い円盤。そこには翼を広げた大きなカラス。金で縁取られたナイトレイブンカレッジの校章がひらひらと躍る。

最初にディスクを奪ったのはグリムだった。

背丈の何倍も高く跳躍した後、空中で宙返りをしてディスクを魔力で引きつける。背中の上に円盤を浮かせながら、グリムは四本足で走り出した。

「へっへーん、オレ様かっこいい！　このままゴールまでひとっ走りなんだゾ」

「あっ、馬鹿。そう簡単にいくわけないだろ！」

デュースが慌ててグリムを追いかけるが、案の定、隙だらけの背中に向かって、箒に乗ったラギーが上から魔法を放つ。弾かれたディスクが地面に落ちた。ディスクを落としたオンボロ寮側の反則となる。あっという間に攻撃権が向こうへ移った。

「シシシッ、お間抜けさん。マジフトっていうのはもっと狡猾に、器用にやらないと」

ラギーは魔法で浮かせたディスクをくるくると回転させながら高く飛んだ。グリムが悔しそうに跳びはねたが、当然届くはずもない。

「ふなーっ！　ゴーストども、アイツをやっつけるんだゾ！」

オンボロ寮チームの飛行ポジションはゴーストが務めている。「ゴースト使いが荒いねぇ」と笑いながら飛ぶゴーストは、速さこそないもののその軌道を予想しづらいらしく、ラギーも攻撃を避けるのに手を焼いていた。

飛行術を扱う選手は、ディスクを保持した状態では相手ゴールに進むことができない。上空での独走を防ぐためだ。

きょろきょろと味方を探したラギーは、突然右肩を押さえて「うっ」と呻いた。傷が痛むのだろうか。箒に乗った体がぐらりと揺れる。

「ごめんっ、後は頼んだ！」

ゴーストがディスクを奪う寸前、ラギーからかろうじてパスが出た。相手はサバナクローの二年生だ。ちょうど優也が一番近くにいる。

優也はがむしゃらに両手を広げて、その選手の前に立った。腕で囲うように向かい合う。意図的な体同士の接触は反則となるので、こうすれば相手も無闇には進めないはずだ。魔法が使えない以上、体を張って攻撃を防ぐしかない。

「くそっ」と舌打ちをされて、優也はぎゅっと目をつぶった。

「エース、早く！」

悲鳴を上げると、駆け寄ったエースが器用にディスクを奪った。まるで手品のようにディスクを盗む、見事な手際の良さだ。

「ナイスファイト。いけるぜ、この流れ！」

こちらの攻撃ターン。しかもディフェンスの要である箒に乗ったラギーは本調子ではない。相手チームへの精神的負荷も大きいはずだ。

横を走り抜けるデュースにディスクが渡る。デュースはエースほど器用ではないが、体力があって足も速い。団子状態となった優也たちを追い抜いて、ぐんぐん相手ゴールへと進んでいく。

快晴の下、デュースの元気の良い声が響いた。

「この間の雪辱、果たさせてもらうぞ」

ディスクを投げようと狙いを定めたその上で、ラギーの牙が光ったのが見えた。

唐突に優也は胸騒ぎを覚えた。背後にいるレオナが、ゲーム開始からほとんど動いていないことに気付いたからだ。グリムがディスクを空中で取った時のまま、フィールドの真ん中に立っている。まるで、いずれそこにディスクが来ることをわかっているかのようだ。

はっと振り返ると、レオナはラギーに向かって顎を振っていた。声は出さずとも、口の動きでなんと言っているかわかる。やれ！

待ってましたとばかりに、ラギーが巧みに箒を操り急降下する。さっきまでのおぼつかない手つきとは雲泥の差だ。腕を庇っていたのは演技だったのだ。

予想もしないところから狙われたデュースはディスクを奪われてしまう。「させねえ」と小さな体がラギーに向かって弾丸のように走り寄る。

優也が「グリム！」と声を上げるのと、ラギーが「レオナさん！」と声を上げるのは、ほとんど同時だった。

ラギーが後ろ手にディスクを放つ。すぐ側にいたグリムは魔法でそれを奪い取ろうとしたが、なんとディスクが空中でピタリと止まってしまった。

「ふぬぬ……！」

手足を地面につけたグリムが、目の前の円盤を自分のものにしようと精一杯踏ん張っている。しかしディスクは少しずつ、名残を惜しむようにじわじわと、グリムから離れていった。もっと強い魔力に吸い寄せられているのだ。

前線から離れたところにいるレオナが手のひらを握ると、ディスクが鳥のように素早く飛び立った。唖然とするデュースやエース、そして優也の横を過ぎ去り、あっという間にレオナの手元に収まる。

ディスクがすり抜けた自分の体を撫でてゴーストが「わあ」と声を上げた。

「あの距離からディスクを……魔力の使い方が上手い。それにポジション取りもばっちりだ。

去年も思ったけど、あの子はいい選手だねぇ」

「褒めてる暇があったら、さっさとやり返すんだゾ！」

「まずい。戻れ戻れっ」

エースが腕を振り、全員自陣へと舞い戻る。自分に向かってくるゴーストたちを見て、レオナが鋭く声を上げた。

「ジャック！」

ゴーストとレオナの間に、突然ジャックが立ちはだかる。野生の獣のような素早さで体を割り込ませると、にやりと笑った。

「させるかよ」

ジャックが腕を上げると、強い風が起こった。見えない防御の壁はどんどん強くなり、無理に近付こうとしたゴーストたちは「ひえぇ」と高い声を上げて吹き飛んでしまう。

エースとデュース、それにグリムも体の大きな選手たちにマークされて、上手く身動きがとれない。優也の周りでもラギーが体をかすめるように飛んでいる。魔法が使えない優也には手の出しようがない。敵ながら褒め称えたくなるほど、良い連係だ。

「レオナ先輩、頼みます！」

ジャックが声を上げると、レオナが狙いを定めるように右腕を上げた。「ええっ」とみんな目を見開く。会場からも驚きの声が上がった。まさかその距離からゴールを狙うつもりなのか？

距離があればあるほど、点を獲得するために消費する魔力は多くなる。ディスクを飛ばすために魔力が必要なのはもちろんのこと、ゴールそのものにも、半端な魔力を弾く結界が張られているからだ。

『だからね、いかにディスクに近づくか。いかにゴールに近づくか。これがマジフトのコツなんだ』

練習中にゴーストたちがグリムに言っていた言葉を思い出す。レオナの位置からゴールまで、まだフィールドの四分の一ほど距離があった。普通の選手ならば、無謀と笑われるロングシュートだ。

さぞかし闘志に燃えているだろうと思ってレオナを見れば、その目は思いもよらず凪いでいた。レオナがずっと見せていた燃えるような怒りは消えて、今はもう緑陰のようにただ静かだ。彼は天才司令塔なのだとケイトが言っていたことを思い出した。優也は試合中であることも忘れてその一振りを見守る。

奥歯を噛み締めたのか、レオナが片頬を縮めるように顔を歪めた。深い眉間の皺が並々ならぬ体への負担を表している。しかしそれを撥ね飛ばすように、大きく、強い咆哮が放たれた。

ディスクは真っ直ぐにゴールに吸い込まれていった。弧を描くこともない。魔力に支えられてただただ真っ直ぐ、ゴールの輪に向かって飛んでいく。そしてゴールリングの中央に浮かぶ、小さな円を矢のように貫いた。

しん、とコロシアムが静まりかえった。空に浮かぶ点数板がキラキラと金色に光って、サバナクロー寮の点数表示が「〇」から「三」に変わる。ゴールの中心にある三点リングにシュートしたときにしか出ない、最高得点だ。

地響き。大雨。雷鳴。そんなものでもまだ足りない。コロシアムが割れて、崩れそうなほどの歓声が上がる。

「すごすぎる……」

マジカルシフトに疎い優也でも、今目の前で凄まじいプレーを見せられたのだということがわかった。

ゴーストたちが「敵ながら天晴れだ」と透ける手で鳴らない拍手をしている。エースとデュースも笑うしかないようだった。

グリムだけが、悔しそうに地面を踏みつける。

「最初はオレ様がキメて、ちやほやされる予定だったのに。レオナばっかり目立ってズルいんだゾ！」

両膝に手を突くレオナの元にラギーとジャックが駆け寄った。

「やりましたね、レオナさん！」

「すげえ……やっぱすげえよあんた！　本当に決めやがった」

他の選手たちも嬉しそうにレオナを囲んでいる。

顔を上げたレオナの顔色が悪い。眉の上に汗が溜まって、ぽたぽたと地面に落ちた。よろけつつ、それでも点数板を誇らしげに見上げる。

「エキシビションマッチなら、少しは見応えのあるプレーをしてやらないとな」

屈託なく笑い、そして「口ほどにもねえ奴らだ」と優也たちをあざ笑うことも忘れない。

「次は絶対にやり返す」とデュースが手のひらに拳を打ち付けた。

ホイッスルの音で試合が再開される。先ほどのシュートで力を使い果たしたのか、明らかにキレの悪いレオナの動きをカバーするように、六人の選手たちは彼の手足となって動いていた。

ラギーも、ジャックも、レオナの眼差しに従って速やかに動く。サバナクローのスタンドオフ。フィールドを制圧する絶対の獅子。誰が見てもわかるほど、レオナは圧倒的な支配力を放つ王様だ。ついさっきあれほどの事件があったというのに、寮生たちはみんなレオナに対する信頼を失っていないように見えた。それだけで普段の彼がどんなに優秀で尊敬される寮長だったかがわかる。こんなにボロボロの姿でも、彼の指示で動くことを嫌がる者はどこにもいなかった。

足をもつれさせたサバナクローの選手からエースが素早くディスクを奪う。デュースのアシストを受けて、グリムが一点を決めた。「モンスターがサバナクローから点を獲った」と観客席のあちこちで驚きの声が上がる。

「やったやった！　オレ様すごいんだゾ」

「やったじゃん、グリム！」

腰をかがめて、ハイタッチを求めて来たグリムの小さな手のひらを叩く。エースやデュースがカメラの方を指さし、そちらを向いたグリムは誇らしげに手を振っていた。

ラギーが悔しそうに顔を歪める。

「レオナさん、次はどうしますか」

駆け寄ってそう尋ねる声は信頼に満ちている。他の選手たちも「寮長」と真っ直ぐレオナの元に集まってきた。

ハドルを組んだ選手たちの頭越しにレオナが目を眇めるのが見えた。見間違いかと思うほど一瞬のことだ。彼が何かを耐えたのか、何かを決意したのか、その心情はわからない。また試合が再開される。すぐに点数差を広げられて、ゴーストが態勢を立て直すためのタイムアウトを叫んだ。


走り疲れた優也はフィールドの端でへなへなと座り込む。空を見上げると、日光よりも先に汗が目に入ってしみる。もうくたくただった。

音が鳴るほど乾いた喉で息を吸うと、「頑張れユウ！」と熱心な声が降ってきた。顔を上げると、リドル、ケイト、トレイの三人が、観客席からこちらに向かって声を上げている。

観客席の最前列に座るリドルは、口元に片手を当てて叫んでいた。

「そんなことでへこたれてどうするんだい。レオナ先輩を負かして、ぎゃふんと言わせておやり！」

いつも上品なリドルが拳を振り回している。珍しい姿だ。ケイトはそんなリドルの姿を笑いながら見つめて、後ろからこっそり写真を撮っていた。

横に座るトレイが「無理するなよ」と困ったような笑みを浮かべて、目一杯に声を張り上げる。

「俺たちがとどめは刺すから、全員怪我をしないように気を付けろ！」

「何を言うんだ、トレイ。エースとデュースも、ハーツラビュルの意地を見せてもらわないとね！」

リドルは頬を赤くして熱弁した。すっかり試合に夢中になって、こちらが驚いてしまうほど興奮している。

「なんだよ、あのはしゃぎっぷり」エースが笑った。「初めてマジフトを見たエレメンタリースクール生じゃあるまいし……」

エースがふと口をつぐむ。優也もその時初めて気が付いて、デュースと顔を見合わせた。もしや本当に、初めてこんなふうに試合を応援しているのではないだろうか。

去年のこの時期、リドルは既に寮長だった。寮生を率いて試合に出ていたはずだ。厳しくスケジュールを管理されていた実家でスポーツ観戦をする時間があったとも思えない。責務を負わない、純粋に応援だけをできる試合を見るのは、これが初めてなのかもしれない。

観客席を見上げたデュースとエースが、二人揃って「よし」と気合の声を上げた。

「ローズハート寮長にああ言われちゃ、休んでいられない」

「簡単に言ってくれるよなあ。しょうがないから目に物見せて、驚かせてやろうじゃん！」

二人から寮長の期待に応えたいという気持ちが伝わってくる。こんなふうにリドルの真意を理解する人が増えたら、いつかは彼が寮生たちに受け入れられる日も来るはずだ。もちろん簡単なことではないだろう。しかし自然とそう思えるほど、エースとデュースの笑顔は清々しかった。

グリムを呼んで、ゴーストたちも集い、エースとデュースに頭を突き合わせてこれからの作戦を立てる。サバナクローというあまりにも偉大すぎる強敵にどうやったら一矢報いることができるのか、各々が意見を出し、考えを練った。

ああ、なんて楽しいんだろう。優也はそう思っている自分に驚いていた。

荒々しい口調であああでもないこうでもないと激しく意見を交わしているのに、不思議と嫌ではない。オンボロ寮チームも、サバナクロー寮チームも、みんながこの時間を大切に、一生懸命に戦っているのがわかるのだ。

相手を負かすためではなく、ただ自分が勝つためだけに戦うことには、得がたい達成感があった。きっとこれは喧嘩とは違う、正々堂々と戦うスポーツだけにある爽やかな喜びだ。

バルガスがホイッスルを吹いた。試合再開だ。

今度は優也がジャックをマークすることになった。魔法が使えない相手ならためらいが生まれるかもしれないから、というエースの案によるものだ。

そんな考えはお見通しだと言わんばかりに、ジャックが腰をかがめて凄む。

「甘いな。俺は誰が相手だろうと手加減しねえぞ」

「僕もジャックはそうするだろうって言ったんだけど」

とにかく、全力を尽くすよ。そう言うとジャックは驚いた顔をして、すぐに声を上げて笑った。

「いいぜ。俺も全力で相手してやる！」

頭上でゴーストが歓声を上げた。オンボロ寮チームがまたもディスクを奪ったらしい。後ろでグリムの声がする。

「オレ様もやってやる！　グレートグリムハリケーン！」

ジャックが目を見開いた。

「ユウ、後ろ！」

突然頭に衝撃が走り、目の前が真っ暗になった。

◆・◆・◆

話し声が聞こえて、ゆっくりと覚醒する。重たい瞼をなんとか持ち上げると、優也の目の中に白い光が飛び込んできた。

「お前さー。あんな滅茶苦茶なシュート決まるわけないだろ。マジでビビったんだからな」

「レオナがやってたから、オレ様もいけると思ったんだゾ……」

「俺とテメェを一緒だと思うなよ、この草食動物が」

すぐ横にエースとグリムが座っているのが見えた。どうやら自分は今、横になっているらしい。レオナの声も聞こえた気がするが姿は見えない。どこにいるのだろう。

首をひねると、反対側にはデュースとジャックが座っていた。デュースと目が合う。

「あっ、ユウ！　目が覚めたか？」

「僕……どうしたんだっけ？」

体を起こすと後頭部に痛みが走った。怖々と痛む場所に触れると、柔らかい布が貼られている。その下に出っ張りがあった。押すと痛い。たんこぶが出来ている。

目線を上げると、まず薬の並んだ棚が目に入る。その横にある机の上には、刻まれたガーゼの残りと小さくなったサージカルテープのロール。それら全部から、消毒液の清潔な匂いがした。どうやら保健室にいるらしい。

背後にある大きな窓の外は夕暮れを通り越して紺色に染まっており、優也は「えっ」と驚いた。デュースが「覚えてないのか？」と言った。

「グリムが思いっきり投げたディスクが頭に直撃して、気絶したんだ。大事はないって先生が言ってたぞ」

「お前が気絶してる間に閉会式もとっくに終わって、会場の撤収作業も始まってるぜ」

全然覚えてない、とエースに首を振るとまたずきんと痛みが走った。グリムは少しばつが悪そうに、優也から視線を逸らして足をぶらぶらと揺らしている。

「それで、優勝はどこの寮だったの？」

優也が尋ねると、デュースの後ろにある白い布の向こうからレオナの声が聞こえた。

「ディアソムニアだ」

ついたてをどけてもらうと、やはり顔をしかめたレオナがベッドに座っている。額と頬に大きなガーゼを貼って、高い鼻の頭には絆創膏(ばんそうこう)をつけていた。

ジャックが立ち上がって奥の仕切りもどけると、さらにその横のベッドにはラギーもいた。レオナと同じぐらいボロボロのラギーは「あーあ」と肘を立てて頭を手で支えている。

「詳しくは聞かないでほしいところッスね。他の寮の奴らにもボコボコにされるし、今年の大会は散々ッス」

「そうだったんですね」とだけ言って、優也は頷いた。他に言えることがあるだろうか。

あんなにも勝ちを望んだラギーと、そしてなによりレオナに、なんと言えば良いのかわからない。それでは何位だったのか、と尋ねることもできなかった。きっと思わしくない結果だったのだろうと顔色を見れば察することができる。

「いやー……実際に見てみると、ディアソムニアの試合はマジで半端なかったわ」エースは両腕を抱えて、ぶるぶると震える真似をした。「ユウなんかアレを見たらビビってまた気絶すると思うぜ。まさに異次元って感じ」

デュースも困った顔をして頷く。

「ドラコニア先輩だろ？　あれはさすがに太刀打ちできないな。ローズハート寮長もあっさり魔法を弾き返されて、顔を真っ赤にして怒ってた」

マレウス・ドラコニアは、レオナの全力をも超える超遠距離からゴールを決めたそうだ。それも一度や二度ではない。

膨大な魔力でシュートを決めるマレウスに誰も近づけず、誰も追いつけない。テレビの実況者も言葉を失うほど、桁違いの魔力だったという。

「へー。オレ様だったら、勝てたんだゾ！　……多分」

無理だって、とエースがグリムに半笑いで返した。

「圧倒的だったもん。あれに勝てるイメージ湧かないっていうのは、オレもちょっとわかるかも……なんて思っちゃった」

見事な連係をとったサバナクロー寮でも、ディアソムニア寮には勝てないのだ。エースたちが話したような凄まじい試合を見せられれば、エキシビションマッチでのレオナのプレーを思い出す者もいないだろう。間近で見事な技を見ただけに、そのことを前よりもずっと残酷に感じてしまった。

しかし、ジャックはふんと鼻を鳴らす。

「揃いも揃って腑抜けだな、お前ら。力の差があるっていうなら乗り越えるために努力すればいい。相手も努力するっていうならそれを超えるぐらいもっと、もっと努力するだけだ。挑む前から負ける気でいたら、勝てるもんも勝てねえよ」

腑抜け、という言葉にむっとしたエースが言い返す。

「は？　そんな根性論持ち出されても困るんですけど。努力したぐらいであの化け物に勝てるんなら、苦労いらねえから」

「それなら一人でびびってろ。俺は違うぜ」ジャックは拳を握って誓った。「来年の試合、俺は絶対ディアソムニアに勝ってみせる。もちろん卑怯な手を使わず、自分の力でな」

なんとジャックらしい言葉だろうか。自分を高め続けることに一切ためらいがない。どんな苦難や嘲笑も気にせずに、堂々と理想を語れるのは、ジャックだけが持つ比類なき強さだと優也は思った。

「だからそれが根性論だっつってんの！」というエースの声に混じって、小さな笑い声が聞こえた。「そこのツンツン頭の言う通りだ」とレオナがくつくつと笑っている。

「お前は本当に甘いな、ジャック。卑怯な手だって自分の力のうちだろうが」

「は⁉　あんた、まだ懲りてないのかよ！」

ジャックは目を剝いたが、レオナは平然としていた。

「懲りる必要なんてあるか？　今年の大会は俺なりに全力を尽くした。来年もまた、サバナクローを勝たせるために全力を尽くすだけだ。そのためにどんな手を使うことになっても、な」

「シシシッ、さすがレオナさん。やっぱそうこなくっちゃね！」

オーバーブロットまでしたというのに、レオナは少しも反省した様子がない。共犯のラギーもそれを咎めるどころか大喜びしている。どこまでも意見の合わない先輩たちを見て、ジャックは頭が痛いと項垂れていた。

「つか、そもそも来年ってマレウス先輩もレオナ先輩も進級して大会にいないはずだから。化け物みたいな選手と一年しか被らなくて、オレらラッキーだったな」

エースが笑っていると、突然「あーっ！」と高い叫び声が保健室に響いた。全員びくっとその場で小さく跳びはねる。

「おじたん、やっと見つけた！」

何かが鞠のように跳ねて保健室の中に飛び込んでくる。入り口で小さな指をさしたのは、幼い獣人属の男の子だった。元気に跳ねた赤茶色の髪の中で、小さな耳をぴくぴくと楽しそうに動かしている。

誰を指さしているのかとその先を辿ると、優也のベッドを通り過ぎて、顔を盛大にしかめたレオナがいる。

「ああ、くそっ……うるせえのが来た」

男の子はレオナのベッドに駆け寄ると、なんとその胸元に飛び込んだ。「いてぇ！」と悲鳴が上がる。

「おじたんの試合、すっごく格好よかったよ！　今度帰って来たら僕にもマジカルシフト教えて」

「わかった。わかったから、耳元で大声出すな！」

男の子は太陽のような明るさで、ころころと屈託なく笑った。

突然の来訪者に優也たちは驚いていた。明らかに生徒ではない。学外の人間だ。それにこんなに恐ろしい顔をしているレオナに体当たりをするなんて、怖いもの知らずと言う他ない。

レオナははしゃぐ子どもを引き剝がし、乱暴に床へと放り投げた。遊んでもらえたと思ったのか、男の子はきゃっきゃと声を上げる。

「お前、お付きの奴らはどうした？」

「おじたんに早く会いたくて、みんな置いてきちゃった」

「馬鹿野郎が。今頃大慌てで捜してるぞ……ああ面倒くせぇ」

頭を抱えるレオナに、ラギーが首をひねる。

「おじたん、って？　つーか誰スか、このうるせーガキ」

レオナはしばらく沈黙した。やがて見たこともないほど渋い顔をして、長いため息を吐く。

「この毛玉は兄貴の息子のチェカ。つまり……俺の甥だ」

「甥⁉」と全員の声が重なった。どこから来たんだとチェカの頭を無造作に撫でていたジャックが、ぎょっとしたように手を上げる。

ラギーはベッドから身を乗り出し、震える手でチェカを指さした。

「ってことは、このガキ……いやっ、お坊ちゃんが、夕焼けの草原の未来の王様……⁉」

レオナの兄、すなわち夕焼けの草原の第一王子。優也は彼の国の詳しい事情を知らないが、どうやらオーバーブロットのきっかけとなるほどレオナが強い恨みを持つ相手のようだ。その息子ということは、この可愛らしい子どもは王孫にあたる。

王様、と言う言葉を聞いてジャックもまさかとチェカを見下ろした。

「こんな子どもが、レオナ先輩より王位継承権が高いってことかよ……」

チェカはくりくりとした目でジャックを見ると、「ねえねえ」とまたレオナに抱きつこうとした。レオナは長い腕で小さな頭を掴み、強い拒絶を示す。

しかしチェカは少しもへこたれた様子はない。レオナに嫌がられていることに気付いてもいないようだ。嬉しくてたまらないとばかりに、レオナに一生懸命話しかけている。

「おじたん、次はいつ帰ってくるの？　明日？　来週？　その次？　あっ。僕のお手紙読んでくれた？」

「何度も言わせるな。ウィンターホリデーには帰るって言っただろうが」

「僕ね、おじたんと一緒に遊びたくて、マジカルシフトの練習をしたんだよ。いっぱい遊べるね。楽しみだねぇ」

「誰がお前と……」レオナは深呼吸をして、怒りを噛み殺していた。「ほら、さっさと他の奴らのところに戻れ。もっと優しく、たっぷり遊んでくれるだろうさ」

「やだ！　おじたんと遊ぶのが一番面白いもん」

優也のベッドに上がったグリムが、チェカを見下ろしてにやにや笑った。

「レオナ、この子どもに滅茶苦茶懐かれてるんだゾ」

「うるせえな。見せもんじゃねえぞ！」

レオナが何度追い払ってもチェカは懲りず、楽しそうにベッドの周りを走っている。気難しい叔父のことを、自分と対等に接してくれるいい遊び相手だと思っているのだろう。歳の頃はまだ四、五といったところだろうか。あまりにもあどけなく、この世に怖いものなど何もない年頃だった。

怒鳴り、なだめ、嘆き、レオナがあれこれ手を尽くしても、チェカはじゃれつくのをやめない。正論も嫌みも通じず、だんだんと口数の少なくなっていったレオナは、やがてげんなりと項垂れて黙り込んだ。あのレオナが根負けしたのだ。

「こりゃ大物ッスわ」ラギーが感心したように言った。「悩みの種がこんな無邪気にじゃれてついてきたら、レオナさんが実家に帰りたがらないのも納得ッスね」

ラギーは「いいネタを手に入れた」と悪い笑みを浮かべているが、そんな思惑がなくとも、レオナとチェカの並びにみんな自然と肩を揺らしていた。仏頂面のレオナと満面の笑みを浮かべるチェカがあまりに対照的だからだ。それなのに顔つきが少し似ているから余計に面白い。

自分が笑われていることに気付いたのか、チェカが不思議そうに周りを見た。

「どうして笑ってるの？　みんな、おじたんのお友だち？」

あの恐ろしいレオナが、サバナクローのボスが、こんな子どもに「おじたん」と呼ばれて懐かれている。

「もうムリ！」とついにエースが噴き出した。笑いで勢いづいたのか、レオナに臆することなく話しかける。

「そーそー、オレらみんなおじたんのオトモダチ。ねー、レオナおじたん」

「やめなって……！」

レオナの恐ろしい唸り声に気付いた優也は慌てて止めたが、爆発した笑い声はもう止められなかった。エースとラギー、それにグリム、デュースが大笑いしている。ジャックも唇を噛み、笑いを堪えているようだった。

優也が恐る恐る横を見ると、レオナは目をつり上げている。

「テメェら。後で覚えてろよ……！」

その恐ろしい表情に、優也はかえって安堵していた。そんな自分に驚いている。レオナの怒りを見てほっとして、それで自分がずっと緊張していたことに初めて気が付いたのだ。一体いつから？　そして、何故だろう。

思わず優也が微笑むと「テメェまで、いい度胸だな」とレオナに睨まれた。今にも胸ぐらを摑み上げられそうだ。そういうつもりで笑ったわけではないと慌てて顔を引き締める。

「レオナおじたん……あはは っ！　いてっ！」ラギーが笑いながら眉を下げる。「うう、笑ったら傷に響くッス」

「全員、その口二度と開けねえようにしてやるよ……！」

「ちょっと、二人とも安静にしてくださいよ」

起き上がろうとするレオナの肩を、ジャックが慌てて押し戻す。保健室とは思えない大騒ぎだ。

すぐにチェカの護衛だと名乗る人々が彼を引き戻しに来て、優也はほっとベッドに体を沈めた。

夜になり、保健室に来たバルガスが、今晩は大事をとって安静にするようにと優也に告げた。レオナたちのことは保険医に任せて、バルガスの箒でグリムとともにオンボロ寮まで送ってもらう。

「ふたりともいい試合だったぞ。今日はゆっくり筋肉を休ませてやれ」

そう言って飛び立つバルガスを見送って、オンボロ寮の扉を開ける。

「みんな、ただいま」

「天才マジフトプレーヤーグリム様が戻ったんだゾ！」

「ふたりともおかえり！」

煌々（こうこう）と明るい玄関で、ゴーストたちが一斉に出迎えてくれた。飛び交ってふたりを何度もすり抜ける。怪我の様子をあちこちから調べているようだ。

「ユウ、心配したんだよお。もう俺たちの仲間入りをするのかと思った」

「お前さんみたいなひよっこがゴーストになるなんて百年早いわい」

「うん。心配かけてごめん」

今日、試合に出ることができたのは彼らのおかげだ。お礼を言うと、体の大きなゴーストが踊るように宙を舞った。

「いいってことさ。今日は俺たちもすごく楽しませてもらったよ。またマジフト大会に出られる日が来るとは思わなかった。ありがとう！」

イーヒッヒ、と高い笑い声がオンボロ寮を震わせる。優也がシャワーを浴びる間もずっとグリムと話す声が聞こえていた。それほど今日の大会が楽しかったらしい。

重たい体を引きずってグリムとともに部屋に入ると、サイドチェストの上に紙袋が置かれている。

中に入っていた茶色い容器の蓋を開けると、分厚いハムのローストが優也の目に飛び込んできた。ゴーストたちが食堂から夕食をとってきてくれたようだ。確かにお腹はぺこぺこだった。まるごと袋に入れられた林檎も甘酸っぱい香りを漂わせている。それなのに、指を動かすのが辛くてたまらない。

あまりにも疲れすぎていた。ホイルに包まれた小さなサンドイッチを一つだけ摘んで、オレンジジュースで流し込む。バターがたっぷり塗られた、キュウリとツナのサンドイッチだ。ツナが好物のグリムが残りを大喜びで平らげる。他の食事は明日にしよう。

優也がベッドに倒れ込むと、グリムもうつ伏せに転がった。同じように疲れているようだ。

「今日はどうだった？」

寝転がったまま優也が尋ねると、すぐに返事があった。

「スゲー楽しかった！」

自分が点を獲った時のこと。向かってくる相手をかわした時のこと。そのときいかに相手が悔しそうな顔をしていたか、どのプレーで客席が沸いたか。語るグリムの声はずっと弾んでいた。楽しい思い出に追いやられて、オーバーブロットを再び目にしたことなどもう忘れているようだ。

グリムがガバっと顔を上げる。

「次は絶対に、エキシビションじゃなくてトーナメント戦に出るんだゾ」

「それもまだ諦めてないんだね……」

「当たり前だろ。オマエが保健室に運ばれたから、最後まで試合も見られなかったんだゾ。来年こそはマジフト大会をマンキツしねーとな」

「そうだね」と笑った優也は、ふいにあることに気が付いた。

「グリム。試合を見ずに、僕が起きるのを保健室で待ってたってこと?」

「まあな。他のヤツらが活躍してるところなんて見たくねぇ」

「そんなこと言わずに、ハーツラビュルのみんなを応援したら良かったのに。退屈だったんじゃない?」

「なに言ってんだ！　ユウが起きる前も大変だったんだゾ」

とんでもないと声を荒げたグリムにどうしたのかと問うと、横でぶるっと身震いする気配があった。

「保健室に運ばれてきたレオナが『俺は大丈夫だ』って言って滅茶苦茶に暴れたんだゾ」

「ああ……確かにそれはすごく怖そう。僕、気を失っててよかったかも」

グリムが深いため息を吐く。よほどの騒ぎだったのだろう。

「ぐるぐる包帯巻かれてんのに、怪我人扱いするなってスゲー怒ってたんだ。でも、どこからどう見ても怪我人じゃねえか？　ずっと言うこと聞かねえから、最後はバルガスたちに叱られて無理矢理寝かされたんだゾ」

「レオナ先輩そんなに怒ってた？」

「おう。次は絶対にマレウスを負かしてやる、って何度も怒鳴ってた。アイツも懲りねえよな」

それは良かった、と言いかけて、優也はぼんやりと感じていた不安の正体を掴んだ。ずっとレオナのあの静けさが怖かったのだ。

敗北を悟ってマジカルシフト大会を放棄したとき、レオナの冷静さは諦観と紙一重のところにあるように見えた。あの穏やかな顔つきは、このまま彼が本当に何もかも諦めてしまうのではないかと思えてならない。

寂しさを感じる穏やかな目。喜びも悲しみもない淡々とした声。争い事を見るのは嫌だが、レオナの静けさにはそれよりももっと恐ろしいことが起こりそうな危うさがある。それがなくなったということに、優也は単純にほっとしているようだった。誰かの作品のように物憂げに佇むレオナよりも、顔をクシャクシャにして怒鳴るレオナの方がずっと安心できるのだから、不思議な気分だ。

安らかな気持ちでくつろごうとした優也は、たんこぶのことをうっかり忘れていた。頭をベッドに押しつけてしまって思わず呻く。

横にいるグリムがむくっと体を起こした。

「おい。その怪我……」

「ああ」優也は頭をさすった。「大丈夫だよ。まだ痛いけど、すぐに良くなるって先生も言ってたし」

グリムは小さく唸ると、口をぎゅっとすぼめた。

「……オレ様、ちょっと悪かったんだゾ」

「えっ」と優也も体を起こして、グリムを見下ろした。

心底驚いた。グリムがこんなに素直に謝るなんて、想像も期待もしていなかった。まさかグリムが。この小さな乱暴者が。いつも我が儘ばかりで、こちらのことなど気にもしていないとばかり思っていたのに。もしや他の人たちの試合の間保健室にいたときも、自分のことを心配してくれていたのではないだろうか。

予想外の言葉に、優也はとても嬉しくなった。そわそわと落ち着かない様子のグリムに、

「いいよ」と笑いかける。

「わざとじゃなかったんでしょ？」

「そうだ！　わざとじゃねえ」

グリムはすぐにいつもの調子を取り戻した。へっ、と不敵に笑う。

「だからオレ様のせいじゃない。オマエがどんくさいのが悪いんだゾ。来年はちゃんと避けろよ」

「来年があったら、あのシュートは封印した方がいいと思うよ」

他愛もない話をしているうちに、やがてグリムがいびきをかき始めた。決して静かではない、しかし一定のリズムで聞こえる轟音に、優也も眠たくなってくる。体に鞭を打って起き上がり、なんとか部屋の明かりを消す。ベッドに戻って毛布を被ると、すぐに瞼が重たくなった。

目を閉じるとたちまちマジカルシフトをプレーするエースとデュースの姿が浮かび、優也の口元は自然と緩んだ。今頃二人は、食堂で夕食をこれでもかと口に詰め込んでいることだろう。保健室にいる間も何度かお腹を鳴らしていたのだから間違いない。それに、今日はどんなご馳走かとみんなで盛り上がったので、「馴れ合うつもりはない」と言いつつジャックも一緒にいるのではないだろうか。せっかくエースとデュースが「ユウとグリムも一緒に行こう」と誘ってくれたのに、怪我のせいで賑やかな晩餐に参加できなかったのはとても残念だった。三人に聞きたいことや話したいことがいくつも浮かんでくる。

リドルはどのようにハーツラビュルを率いたのだろう。はたしてトレイは試合に出られたのか。出たとすれば足の怪我をかばえる筈のポジションしかないと思うが、上手くいったのだろうか。もしかすると、気の利くケイトがサポートをしたのかもしれない。自分もマジカルシフトをプレーしたからか、優也はみんなの試合内容が気になって仕方がなかった。明日、エースとデュースに聞いてみなくては。

それにサバナクローの試合は？　レオナが見せたであろう素晴らしいプレーを、たとえ観客の誰一人覚えていなくとも、共に闘ったジャックは活き活きと語ってくれるはずだ。

明日こそは三人と一緒にご飯を食べて、今日の話をたくさんしたい。明日が楽しみだと思える幸福に優也はゆっくりとまどろむ。

突然暖炉の上の鏡が光った。そんな気がした。しかし夢なのか、現実なのか、とても確かめられない。それよりも今は、この心地の良い疲労感に浸っていたかった。

THE
END

遠くでゴーストの笑い声が響く夜。グリムはむくりと体を起こした。空腹で目が覚めてしまったのだ。

やはりサンドイッチだけでは足りなかった、とベッドの横に置かれた紙袋に手を伸ばして、グリムはとっておきのご馳走のことを思い出した。手を静かに戻して、そろりそろりとベッドを降りる。

優也が寝返りを打ってびくっとしたが、また寝息が聞こえてほっとする。前回は優也に騒がれたので、今日は見つからないようにしたい。誰にも邪魔されたくない、大事なお楽しみの時間なのだ。

グリムは音を立てないように慎重に、オンボロ寮を出た。

門へと続く階段に座って、リボンの下に隠していた黒い石を取り出す。手のひらの上で転がるそれに、鼻をくんくんと鳴らして近づける。

「ほわああ……やっぱり良い匂いがするんだゾ！」

その石は、外灯の明かりを反射させない。見つめると逃げ出せなくなるような、真っ黒い結晶だ。しかしとても良い香りがして抗うことができない。

オーバーブロットをしたレオナが気絶したとき、地面に入った亀裂の隙間にこの石を見つけた。グリムは誰も見ていない隙にそれを素早く拾い上げた。大事に隠して、持って帰ってきたのだ。

学園長が「石が落ちていなかったか」と言った時にはドキッとしたが、知らない振りをしていたらすぐに話題が変わった。ということは、大して重要なものではないのだろう。

「オレ様が見つけたんだから、オレ様のものなんだゾ。いっただきまーす！」

石を口に放り込む。歯を立てて力を込めると、案外脆（もろ）く、飴のように砕ける。

最初に感じたのはほろ苦さ。すぐにピリッとした刺激が舌を楽しませる。

ハーツラビュルで見つけた石は甘かったが、これは少し大人な味がして、負けず劣らず大変美味しい。

こんなに幸福を感じる食べ物を他に知らない。グリムは思った。大好きなツナ缶でさえ、この黒い石の前では霞んでしまう。

粉々になった石を飲み下すと、腹の中がじんわりと温かくなった。手のひらに隠せるぐらい小さな石だったのにもう満腹だ。体が満たされるのを感じる。

「んんんー……うまい！」

満たされるのにまだ食べたい。他の何物でもなくあの石だけを、また食べたいと思ってしまう。

同じものがどこかに落ちていないかと辺りを捜していると、急に声が聞こえてグリムは飛び上がった。

「あれ？　見て見てジェイド。まんまる太ったアザラシがいる。陸なのに不思議」

優也の声ではない。ゴーストたちの声でもなかった。「誰だ⁉」とグリムは声を上げたが、暗くてよく見えない。

「フロイド、あれはアザラシではありません。オンボロ寮のモンスターくんですよ」

外灯に照らされたグリムの元に、二人の生徒が近づいてきた。オクタヴィネル寮の寮服を着た彼らを見てグリムは驚きで声を上げた。並んだ二つの顔が同じだったからだ。

左の一房だけ髪が長い男が、にこりと笑った。近くで見るととても背が高い。

「こんばんは。こんな真夜中に、こんなところで、一体何をしていらっしゃるんですか？」

「オオオ、オマエらこそ何してんだゾ」

グリムに指さされても彼は笑顔を崩さない。胸に手を当てて、丁寧に説明してくれる。

「見回りですよ。今日はマジフト大会がありましたから、学外の人が残っていないか確かめるようにと、運営委員長に言われまして」

よく見てみると、並ぶ二人の見た目は全く一緒というわけではない。まとう雰囲気が違うし、髪型も左右対称だ。なにより特徴的なのは目の色だった。こちらも瞳の色がそれぞれ左右で異なっている。

右の金の目を眇めた男が、鋭い歯を見せて笑った。ヘラヘラと笑っているが、底知れない恐ろしさを感じる。

「つか、お前こそ何してんの？　こんな夜中に一人歩きとか、度胸あんね」

「ええ。危ないですよ。夜は危険がいっぱいですから……」

くすくす。くすくす。ただそれだけの笑い声がとても不気味だ。夜中に得体の知れない男たちに出会ったグリムは、ぞわぞわと震える体を押さえて叫んだ。

「オレ様もう寮に戻るんだゾ！」

秋風が吹いて、返事の代わりに葉擦れの音がする。まだ耳にまとわりつく笑い声を断ち切るように、グリムは玄関の扉を閉めた。ああ、恐ろしい思いをした。早くベッドに入って、優也に気付かれないうちにさっさと眠ってしまおう。外よりもずっと温かいオンボロ寮の空気が、グリムの体を優しく包んだ。

ジェイドとフロイドはオクタヴィネル寮に戻り、寮長の部屋に繋がるドアをノックする。中に入り、オンボロ寮のモンスターに出会ったこと以外、とりたてて変わったことはなかったと報告をする。

それを聞いたオクタヴィネル寮の寮長、アズールは椅子に座ったまま「そうですか」と頷いた。自然と口元が緩んでしまう。何もかも自分の手のひらの上で転がっていることが、楽しくて仕方がない。

上機嫌のアズールを見て、フロイドは「わかんねーなあ」と首をひねった。

「なんで今年は校舎から会場まで選手の入場行進なんてしたの？　客がフジツボみたいにびっちり歩道に集まってるから、身動きとれなくてすげー苛々(いらいら)したんだけど」

「面白い見世物だったでしょう」アズールの口元にあるほくろがついと上がった。「とある方からのご依頼だったんですよ。魔法薬の調合に少し手間のかかる内容ではあったんですが、丁度カフェの機材を新調したいと思っていたので、お受けするのも悪くないかと思いまして」

それを聞いて、ジェイドは顎に手を当てた。

不自然に暴走した観客たち。突如起こったつむじ風。怪我をしたサバナクローの生徒たち。そして特にボロボロだったレオナ。点と点が繋がって、口の端が上がるのを抑えられない。

「アズール。あなたは今日なにが起こるか、知っていたのではありませんか？」

「さあ。なんのことでしょう」

「おやおや。悪い人ですね」

アズールは肩をすくめた。手にしていた華奢なペンを置いて、にやにや笑う双子を見る。

「細かいことは気にしないでください。今年のマジフト大会、結果的には大成功だったではありませんか。売り上げも前年度に比べて十二％アップ。上々です」

「でもさ、肝心の大会じゃオレらビリから数えた方が早かったじゃん」フロイドが舌打ちをした。「どいつもこいつも使い物にならなくてムカついたわー。あれでいいわけ？」

「そんなの、最下位でさえなければ良い」

アズールはきっぱりと断言した。

「マジカルシフトなど、所詮はフリスビーを追いかけて喜ぶ犬の遊び。僕たちオクタヴィネル寮が本気になるべきなのはもっと大切なもの。間もなく行われる、期末テストですよ」

ジェイドとフロイドが顔を見合わせた。アズールがかねてより楽しみにしていた、例の計画をついに実行する日が来たのだ。きっと楽しいことが起こる。そんな予感に胸が高鳴る。

「明日、さっそく依頼人からのアポイントメントが入っています」

ジェイドがスケジュールを伝えると、アズールは余裕の笑みで頷いた。依頼人の悩み事に、既に予想は付いているだろうに、わざとらしく首をひねる。

「さて、どんなお願いをされるやら。楽しみですね」

日置じゅん Hioki Jun

クリエイティブスタジオ・D-6th所属。ゲームアプリ「ディズニー ツイステッドワンダーランド」のイベントシナリオやパーソナルシナリオの執筆、監修を担当。

枢やな Toboso Yana

漫画家。クリエイティブスタジオ・D-6th代表。ゲームアプリ「ディズニー ツイステッドワンダーランド」の原案・メインシナリオ・キャラクターデザインを担当。漫画家としての代表作に『黒執事』がある。

TWISTED-WONDERLAND

ツイステッドワンダーランド

EPISODE 2 荒野の反逆者

2023年8月25日 初版発行

原作ゲーム 『ディズニー ツイステッドワンダーランド』

ILLUSTRATION: YANA TOBOSO

著　者　日置じゅん（D-6th）

原案/カバー・口絵・本文イラスト
枢やな

監修・協力 ウォルト・ディズニー・ジャパン株式会社
株式会社アニプレックス
株式会社f4samurai

発行人　松浦克義

発行所　株式会社スクウェア・エニックス
〒160-8430
東京都新宿区新宿6-27-30
新宿イーストサイドスクエア

印刷所 凸版印刷株式会社

＜お問い合わせ＞
スクウェア・エニックス サポートセンター
https://sqex.to/PUB

SQUARE ENIX

ISBN978-4-7575-8750-2 C0293